LA POESÍA CHILENA

University of California Press
Berkeley and Los Angeles, California

Fondo de Cultura Económica, México

Cambridge University Press
London, England

Impreso y hecho en México por
Printed and made in Mexico by

FONDO DE CULTURA ECONÓMICA
Pánuco 63 — México 5, D. F.

FERNANDO ALEGRÍA

La poesía
CHILENA

ORÍGENES Y DESARROLLO

del siglo xvi al xix

UNIVERSITY OF CALIFORNIA PRESS

BERKELEY AND LOS ANGELES

Introducción

No es una exageración decir que la poesía chilena contemporánea es una de las más ricas de la lengua española. Y si se considera que a fines del siglo XIX un crítico de tanto prestigio como Menéndez y Pelayo ponía en duda la capacidad poética del chileno descartando por su mediocridad los esfuerzos de todos nuestros poetas hasta esa fecha, lógicamente hay razón para extrañarse de un progreso tan súbito y evidente. ¿Es posible que esa abundancia lírica de la Mistral o de Neruda haya surgido espontáneamente, sin raíces en una tradición literaria? ¿Acaso no hay nada en cuatro siglos de historia de Chile que pueda considerarse como un antecedente de esta poesía actual? ¿Se lo debemos todo a Francia y a España?

Uno de los propósitos fundamentales de este ensayo es descubrir en la producción literaria de nuestro país los elementos que, junto a las influencias europeas, constituyen la tradición de donde se origina la poesía chilena contemporánea.

Pueden discutirse los méritos de Oña, de Sanfuentes, de Blest Gana, de Soffia y tantos otros, pero no se puede negar que en el esfuerzo colectivo de todos estos poetas así como en aislados momentos de auténtica inspiración existe una base para concebir la poesía chilena como un todo armónico, como un organismo cuyo proceso de paulatino crecimiento empieza con la epopeya de Ercilla y los proyectos épicos de Oña y continúa en el siglo XVIII con la moda pseudogongorista, los versos religiosos y la derivación chilena del Romancero, prosigue durante el siglo XIX en una imitación de la literatura neoclásica española, primero, y del romanticismo de Francia, Alemania, Inglaterra e Italia, después, para dar a fines de siglo un primer aporte original a la sombra de Espronceda, Bécquer, Heine y Darío e ingresar en la revolución modernista con una contribución de carácter indudablemente chileno.

El romanticismo bebido en tan diversas fuentes no perderá nunca su vigor y buscará una continuación entre poetas simbolistas, místicos o revolucionarios del presente, mientras los abstractos y surrealistas, herederos de una tradición francesa más reciente, encontrarán también en Oña un precursor, especialmente en el preciosismo de *El vasauro*.

Naturalmente, para plantear esta concepción de la poesía chilena es necesario hacer una completa revaluación de sus principales figuras y de los movimientos en que se agruparon. No sólo para descubrir la importancia de cada autor en relación con el desarrollo general de ella, sino para rectificar juicios erróneos y destacar valores que hasta hoy han pasado inadvertidos. En otras palabras, hay la necesidad de hacer historia. La historia que nunca se ha hecho, porque la única existente —el *Bosquejo* de don Adolfo Valderrama[1]—, además de abarcar sólo hasta el año 1865, aproximadamente, constituye, como otras piezas académicas, un simple despliegue de oratoria, pobre de información y de originalidad en sus juicios. Por otra parte, los manuales escritos por Domingo Amunátegui, Samuel Lillo y Mariano Latorre no tienen otro propósito que recopilar los datos necesarios para que el estudiante chileno prepare sus exámenes de literatura. Todo lo cual no significa que no existan algunos estudios de verdadero mérito sobre ciertos períodos de la poesía chilena como, por ejemplo, las eruditas páginas de José Toribio Medina acerca de la época colonial y los capítulos biográficos y críticos de los hermanos Amunátegui que abarcan gran parte del siglo XIX. Pero este material necesita ser revisado en conjunto y sometido a un análisis sistemático y a una crítica severa. Es el segundo propósito de esta obra.

Finalmente, al presentar un estudio crítico de la poesía chilena hasta fines del siglo XIX no me limito a reunir nombres, títulos y fechas, sino que ofrezco una nueva interpretación de los poetas más importantes y de las diversas escuelas literarias y una discusión de las teorías que los inspiraron.

Mi análisis comienza con *La Araucana*, poema donde se encuentran las bases para una nueva concepción de la epopeya que se diferencia tanto de la épica clásica como de la primitiva y renacentista, aunque Ercilla adoptó elementos de todas ellas para la ejecución de su poema. Se ha dicho que *La Araucana* es un canto a la libertad. Pero esto es demasiado vago, no explica por qué alcanzó el poema toda su trascendencia en América y no en Europa.

Ercilla, al mismo tiempo que daba categoría artística al mito araucano, planteaba el tema épico fundamental de los pueblos hispanoamericanos: la lucha por la libertad económica y política contra los imperialismos extranjeros. De ahí que *La Araucana* se siga leyendo entre nosotros sin que pierda nada de su actualidad y que las epopeyas americanas de hoy —ya sea que traten de la guerra civil española o de las revoluciones contra dictaduras locales— participen de la tradición épica iniciada por Ercilla. En el transcurso de este ensayo se muestra cómo ese contenido de importancia social afectó la naturaleza artística de la epopeya.

En cuanto a Oña, no interesa por su intención, indudablemente fallida, de escribir un poema épico, sino por el valor lírico de algunos trozos de su obra, especialmente de *El vasauro*, cuyo conceptismo decadentista, además de ilustrar la influencia española de la época, es el fiel reflejo de un régimen interesado en "obscurecer" y no "iluminar" la mentalidad de la Colonia.

El versificador chileno de los siglos XVII y XVIII pierde todo contacto con el pueblo. Mientras la prosa histórica por medio de la descripción realista de las cosas de América ayudaba a la formación de una conciencia nacional, los *repentistas* y pseudogongoristas de los salones santiaguinos perdían su tiempo en vanas acrobacias métricas. Es preciso, no obstante, hacer una excepción. A fines del siglo XVIII se advierte un destello lírico en las composiciones anónimas de los poetas populares. Parte de su producción es un eco tardío del romancero español, parte representa el genio picaresco del pueblo chileno, como las *payas* o contrapuntos, los corridos y las décimas "a lo divino" y "a lo humano".

Los poetas chilenos vuelven a tomar contacto con el pueblo a raíz de las guerras de la Independencia y confieren a la poesía una misión de propaganda política dirigida particularmente contra España. Lo curioso es que la atacan con el verso aprendido en Quintana, Gallego y Cienfuegos. No será la primera vez que eso suceda. "España" no significa para ellos el "pueblo español" sino un determinado gobierno. Los liberales de allá y de acá combaten en el mismo bando: el enemigo común es la tiranía, en un caso francesa, en el otro española.

Tanto en el estudio de Ercilla como en el de Oña y la poesía de los siglos XVIII y XIX me he visto en la imprescindible necesidad de incursionar por el campo de la historia política, económica y social de Chile. Ello se debe a dos motivos: en primer lugar, a que no creo en la significación aislada de los hechos culturales, ya que la creación literaria no depende solamente del genio individual sino de las circunstancias históricas en que se realiza. Por otra parte, no podría guiar al lector con una simple nota bibliográfica, pues la historia de Chile —a pesar de los centenares de volúmenes en que ha sido narrada— ofrece un sinnúmero de temas sobre los cuales no se ha dictado un juicio definitivo. Antes que citar a un historiador, a quien considero influído por prejuicios de todas clases y erróneo en sus alcances, prefiero ofrecer mi propia interpretación de algunos hechos. A través de este ensayo, y especialmente en la introducción histórica que precede a los capítulos sobre la poesía de los siglos XVIII y XIX, se verá que la historia de Chile en la cual baso mis razonamientos no es enteramente la misma que las autoridades nos han acostumbrado a aceptar. Acaso aparezca culpable de inmiscuirme en campos extraños a la pura investigación literaria. Si la historia de Chile hubiese sido relatada con un criterio democrático dándosele al pueblo el papel que le corresponde en la gestación de diversos acontecimientos, si los hechos económicos y políticos se hubiesen explicado con objetividad y no para servir determinados intereses, si detrás de las paradas militares, de los discursos parlamentarios y la distribución de obispados se hubiera expuesto el verdadero hilo que teje el complejo desarrollo de nuestra vida social, no habría sido necesario entrar en tantas digresiones. La verdad es que los fenómenos culturales del pueblo de Chile no se pueden explicar de acuerdo con las voluminosas narraciones que constituyen la historia oficial.[2]

El siglo XIX presenta un problema de solución un tanto complicada. Hasta hoy los críticos chilenos han insistido en dividirlo en períodos sin mayor conexión. Estudian, por ejemplo, la poesía de la Independencia y luego, saltándose un número de años, nos hablan del "movimiento de 1842" y con marcada incredulidad ensayan una o dos ideas acerca de un posible movimiento romántico que abarcaría, más o menos, hasta 1870. Esta actitud refleja una simplificación exagerada de los fenómenos literarios aludidos. El llamado "movimiento del 42" es sólo el período crítico de una revolución que se inicia a fines del siglo xviii con la introducción en Chile del pensamiento enciclopedista francés; continúa en las reformas educacionales de tipo lancasteriano patrocinadas por Lozier y Mora; da sus primeros frutos en la obra de la generación de Lastarria, sometida esta generación a la influencia múltiple del neoclasicismo español, del romanticismo francés predicado por Sarmiento y sus compañeros de exilio y del eclecticismo de Bello; madura hacia mediados de siglo cuando la prosa histórica y filosófica luce en las investigaciones de Barros Arana, Vicuña Mackenna y los Amunátegui, mientras la poesía está representada por la primera generación de románticos, discípulos todos de Espronceda y Zorrilla; y decae, luego, cuando Lastarria adopta un positivismo dogmático y precipita a sus discípulos en un arte pseudocientífico. Si a todo este complejo proceso se le quiere dar la denominación de "movimiento del 42" por razones de comodidad, aceptado; pero recordemos que "42" no es un número en este caso, sino un nombre.

La poesía chilena ha demostrado una fuerte tendencia hacia lo ideológico y no es extraño que así sea, pues empezando por Oña y acabando con Neruda no hay poeta chileno de algún valor que no haya intentado expresar en su poesía un "mensaje" ya sea de significación política, religiosa o estética. En la formación de estos "mensajes" no sólo hay que tomar en cuenta lo que expresa el verso; muchos de esos poetas han sido teóricos de considerable mérito y han discutido sus ideas en prosa. Pero ellos y los otros, los que no han dejado manifiestos, han adquirido sus ideas en la obra de críticos europeos y americanos. De ahí que sea indispensable discutir paralelamente con el desarrollo de la poesía el paso de las ideas estéticas europeas a América por medio de la enseñanza de maestros tan distinguidos como Bello y Mora y de los discursos, artículos y ensayos de Lastarria y Sarmiento. Es necesario destacar un aspecto de esta exposición ideológica. Se refiere a las llamadas "polémicas" entre el grupo de emigrados argentinos y los redactores del periódico *Semanario Literario*. Se ha hecho un hábito decir que en esas discusiones Sarmiento representa el romanticismo y Bello el clasicismo. En este ensayo se hace un esfuerzo por acabar con tal leyenda. Tanto Bello como José Joaquín de Mora contribuyeron directamente a la introducción del romanticismo en Chile con sus admirables imitaciones de Hugo y Byron y sus propios poemas escritos en Chile y destinados a interpretar sentimientos del pueblo, como fueron la elegía de Bello al incendio de la Compañía y los versos de Mora dedicados a exaltar la memoria del coronel Tupper.

En cuanto a la poesía típicamente romántica, la generación de Sanfuentes, Matta, Blest Gana, Soffia, Lillo y De la Barra aparece como una consecuencia inmediata de esa revolución que he señalado y en varios aspectos de su obra responde a las consignas expresadas por Lastarria en su famoso discurso de 1842. Pero el problema del romanticismo nos lleva a plantear una generalización de más vastas proyecciones. En parte debido a su introducción tardía en nuestro país, el romanticismo fué objeto de drásticas adaptaciones en manos de los poetas chilenos. Había pasado la época en que el manifiesto de Hugo se aceptaba como una tabla de mandamientos; el campo se hallaba abierto para nuevas reformas. El progreso científico, el crecimiento industrial, las batallas del liberalismo burgués por conquistar el poder político, indicaban la proximidad de una crisis violenta en el terreno del arte. Los poetas chilenos advierten las limitaciones de la escuela romántica y, en vez de adherirse ciegamente a sus preceptos, la convierten en la simple expresión de un determinado lirismo que les es típico y desde allí buscan su propia verdad por los caminos de la religión, de la política, de la ciencia o simplemente del escepticismo. Por eso hay una clase de romanticismo que se queda para siempre en Chile, porque ya no constituye escuela, sino una característica del temperamento poético chileno tan evidente en los versos de un modernista como de un criollista o un surrealista.

El estudio de la primera fase del romanticismo chileno nos lleva, entonces, a los últimos años del siglo XIX. Después de la publicación de *Azul* (1888) una segunda generación romántica escribirá a la sombra de Darío y Bécquer, de Mallarmé y Verlaine, como un preludio a la revolución poética que provocará la primera guerra mundial.

Temas son éstos de un volumen que seguirá al que ahora publico y cuyo título debe ser: *La poesía chilena contemporánea.*

A manera de conclusión quisiera decir que este ensayo fué escrito en 1947 y ha sido revisado ahora antes de ir a las prensas. En su forma original lo leyeron los profesores Arturo Torres-Ríoseco, Ronald N. Walpole y Robert K. Spaulding. A Torres-Ríoseco —buen amigo y gran maestro— debo especial mención de agradecimiento por sus valiosos consejos.

Si a alguien fuera a dedicar este libro lo dedicaría a la Universidad de California y a los profesores con quienes estudié en ella. No pienso tan sólo en los conocimientos que me dieron, sino más bien en el ambiente de comprensión y estímulo con que me han rodeado, ayudándome así en mi labor de investigación y creación literaria.

FERNANDO ALEGRÍA

Berkeley, 1953.

I. *Ercilla y sus críticos*

Aquí llegó, donde otro no ha llegado,
don Alonso de Ercilla, que el primero...
La Araucana, Canto XXXVI

LOS ESPAÑOLES

La literatura crítica sobre *La Araucana* es abundante pero carece, por lo general, de originalidad. No más de media docena de escritores han estudiado la obra de Ercilla con el cuidado y hondura que se merece y sus opiniones han sido, luego, repetidas hasta la saciedad en Europa tanto como en América. Antes de exponer mi interpretación crítica del poema me ha parecido indispensable revisar los juicios de este grupo selecto de críticos, empezando por los españoles.

Curiosa es la situación de don Alonso de Ercilla en la historia de la literatura española. Hasta sus críticos más acerbos no han dejado de reconocer la presencia del genio en varios aspectos de su obra. Sin embargo, cuando se leen las opiniones de los españoles ilustres sobre *La Araucana* no pasa inadvertido el hecho de que en ellas existe algo como una amabilidad forzada, una especie de admiración a regañadientes. Parece que la crítica española ha buscado por siglos a un poeta épico que supere a Ercilla con el objeto de evitarse el bochorno de presentar como la mejor epopeya española un poema al que los preceptistas le niegan el carácter de "epopeya" y al que los españoles mismos sienten que no les pertenece totalmente.

Es interesante contrastar los pareceres de Cervantes y Lope de Vega, por ejemplo, al referirse a Ercilla. Cervantes da por descontado que el poema pertenece a España cuando en la primera parte de *El Quijote* (cap. VI) le rinde un homenaje que ya se ha hecho célebre. El barbero y el cura, como se recordará, hacen el inventario de la biblioteca de don Quijote y topándose con ciertas epopeyas sostienen el siguiente diálogo. Habla el barbero:

—Y aquí vienen tres, todos juntos: *La Araucana* de don Alonso de Ercilla, *La Austriada* de Juan Rufo, jurado de Córdoba, y el *Monserrate* de Cristóbal de Virués, poeta valenciano.
—Todos esos tres libros —dijo el cura— son los mejores

[1]

que, en verso heroico, en lengua castellana están escritos, y pueden competir con los más famosos de Italia: guárdense como las más ricas prendas de poesía que tiene España.[1]

El hecho solo de colocar en un mismo plano a los tres autores descarta el valor crítico de la opinión de Cervantes; ni siquiera la estrecha amistad que debió tener con Virués y Rufo atenúa la gravedad de su pecado. Lo importante en el diálogo es la última frase. Compárese ahora lo escrito por Cervantes con este elogio que Lope de Vega dedica a Ercilla en el *Laurel de Apolo:*

> Don Alonso de Ercilla
> tan ricas Indias en su ingenio tiene,
> que desde Chile viene
> a enriquecer la musa de Castilla.[2]

Es indudable que don Alonso ha impresionado a Lope de Vega como un escritor exótico, no sólo venido de Chile —como se dice en el tercer verso— sino *nacido* poéticamente en las Indias, como se intuye en el segundo. Dejando llevar su imaginación por esa especie de puerilidad que caracteriza algunas de sus composiciones, Lope escribió sobre el tema de Arauco, basándose en Oña.[3] Tenía en común con Ercilla el concepto de la patria que era característico del Renacimiento. A juzgar por su actitud, la patria española abarcaba la Península, las Américas y mucho más; era una patria en movimiento; español era tanto el cielo como la tierra. Cualquier día, de las profundidades ignotas del océano surgía una isla que también era España. Para el español de entonces el mundo se estaba formando; de ahí la maravilla en la mirada de sus escritores, la fantasía intensa que no reconoce límites, la superabundancia de acción, el realismo agudo de quien mira las cosas hasta lo hondo, sorprendido de ver el mundo después de tantos siglos de no mirar sino a los cielos.

Cuando los españoles se ocupan nuevamente de Ercilla esta mentalidad renacentista ha desaparecido. Las alas del Imperio están rotas. La ruina económica trae consigo la irresponsabilidad política, la desorientación, la tiranía, la derrota de los valores espirituales eternos. España cae víctima de la dominación extranjera, y, como reacción, se empieza a formar un complejo nacionalista en el pueblo tanto como en sus escritores, que nada tiene que ver con ese impulso que expandió a la España del siglo XVI más allá de sus fronteras en un movimiento múltiple de penetración cultural y política. Es éste un nacionalismo de excepción; esencialmente negativo. El español se acerca a su tierra para alejarse de otras y como en esta empresa no le acompañan los grandes valores del pasado se aferra de cualquier cosa, hasta de irrealidades, para no caer en la negación total.

En medio de la natural confusión ideológica que trae consigo una crisis como la que vivió España en tiempos de la invasión francesa no es extraño hallarse con la disparidad de actitudes que ofrecen Manuel José Quintana y Martínez de la Rosa al juzgar *La Araucana*.

Quintana es un liberal auténtico, magnífico ejemplo de las virtudes y debilidades del liberalismo de la época. Pluma en mano, no deja ver ni la sombra de una claudicación. De Quintana deriva la mayor parte de los conceptos acerca de *La Araucana* que se han venido repitiendo en los últimos tiempos. Al escribir *Sobre la poesía épica castellana*[4] señala cuatro puntos sobresalientes en *La Araucana*:

a) El arte de contar, con el cual el poema supera a todos los libros de entonces, en verso o prosa (p. 541); y la importancia del lenguaje "que, en propiedad, corrección y fluidez, se antepone también a casi todos los escritos de su tiempo, y es tan clásico en esta parte como los versos mismos de Garcilaso" (p. 541). Esta primera aseveración de Quintana se opone al pensamiento de muchos críticos posteriores.

b) El arte de la caracterización, en especial en cuanto se refiere a la presentación de los caracteres indios.

c) El arte de la descripción, principalmente de batallas y tempestades.

d) "...lo más singular, así como lo más recomendable, que hay en *La Araucana* es el personaje del autor" (p. 545).

Esta última opinión me parece muy sugestiva y tendré oportunidad de analizarla un poco más adelante. Quintana exalta la personalidad generosa y valiente de Ercilla y es indudable que críticos como Medina, Moses y otros se han inspirado en sus palabras al tratar del mismo tema.

"Ningún poeta épico —dice Quintana— se ha mostrado al mundo de un modo tan interesante" (p. 547). Los defectos del poema no se le escapan tampoco y entre ellos nos hace ver la versificación muchas veces defectuosa, ciertos descuidos en el léxico y la pobre individualidad que caracteriza a las figuras de los españoles. Insiste, por otra parte, en que Ercilla no pretendió escribir un "poema épico"; observa que desde el punto de vista retórico tradicional el poema carece de principio y de fin y que los episodios con que el autor intenta animar la acción aparecen débilmente ligados a la trama principal cuando no le son totalmente extraños. Como se puede ver, en este juicio de Quintana están ya planteados casi todos los temas que los críticos de Ercilla han discutido más tarde tanto en América como en España.

Martínez de la Rosa, por ejemplo, en su *Apéndice sobre la poesía épica española*[5] incide en varios de los conceptos ya expresados por Quintana, con la diferencia, sin embargo, de que su actitud en general es la de un nacionalista dogmático, torcido por una incompresión, o tal vez un prejuicio, ante el significado de lo americano. Martínez de la Rosa es el liberal-literato. En sus opiniones sobre *La Araucana* se hacen presente los gérmenes de ese falso "españolismo" que otros después de él alimentarán más definida y públicamente: la voz de quien habla de libertad y amor de hermandad en la santa madre patria y, al mismo tiempo, sueña con lo conveniente que sería tener las colonias en la base de un nuevo Imperio.

Martínez de la Rosa empieza por disculpar a Ercilla su escaso sometimiento a las reglas clásicas de la epopeya y reconoce que "un buen poema épico es tal vez la obra más difícil a que puede aspirar el ingenio humano" (p. 21). Luego nos dice lisa y llanamente que el asunto del poema carece de grandeza porque "la reconquista de un corto distrito del reino de Chile no podía elevarse a la altura de la ruina de Troya, de la fundación del Imperio romano" (p. 22).

Don Andrés Bello tomó la expresión "corto distrito" al pie de la letra cuando declara al respecto: "No creemos que el interés con que se lee la epopeya se mida por la extensión de leguas cuadradas que ocupa la escena i por el número de jefes i naciones que figuran en la comparsa."[6]

Bello considera, por otra parte, que "Martínez de la Rosa ha sido el primero que ha juzgado a *La Araucana* con discernimiento" (pp. 465-6), lo cual es demasiado decir. Personalmente creo que el juicio de Quintana demuestra mucha mayor comprensión y profundidad que el de Martínez; éste, sin embargo, analiza más y descubre ciertos aspectos en la obra de Ercilla que al lector podrían pasar inadvertidos. Por ejemplo, parece ser el primero en señalar la afinidad entre Ercilla y Homero en el uso de comparaciones del hombre con animales, especialmente animales pequeños como pájaros, hormigas, etc. "En nada. . . se aproxima tanto a Homero el poeta español —nos dice— como en la verdad y sencillez de sus innumerables comparaciones" (p. 34).

Palabras que han repetido después con mayor o menor variedad Menéndez y Pelayo, Medina, Bello y los críticos menores de Ercilla.

Martínez de la Rosa considera además que Ercilla "atinó, en general, con la especie de máquina que convenía a su poema" (p. 33), opinión que ha sido compartida por muy pocos críticos, ya que comúnmente se piensa que la "máquina" de *La Araucana* es en muchos casos antipoética por lo forzado de su introducción y lo débil de sus nexos con las acciones que se están relatando. El realismo de Ercilla, por otra parte, parece privarla de todo poder mágico y recordarnos que se trata tan sólo de un mero truco retórico o, a lo sumo, de una condescendencia del autor con preceptos clásicos que, por lo demás, le preocuparon en muy pocas oportunidades. En otras consideraciones Martínez coincide plenamente con Quintana; como éste, señala la maestría de las descripciones —batallas, tempestades, caballos, etc.— y afirma que la batalla de Lepanto la describió Ercilla "como gran maestro" (p. 32). Hace notar también la cualidad lírica que refresca ciertos pasajes de *La Araucana* como en el episodio de Lautaro y Guacolda (Canto XIII). Cree que Ercilla sigue de cerca a Homero en la pintura de caracteres (p. 27) y da como ejemplos a Colo-Colo, Caupolicán, Lautaro y Tucapel. Al celebrar las arengas de Lautaro, Colo-Colo, Galvarino y Caupolicán, afirma que Ercilla no tiene igual en este aspecto de su poema y le declara superior a Homero (p. 24).

Éstos son los aspectos positivos de su crítica; recordemos ahora los negativos. Ya se dijo que para Martínez de la Rosa el tema de *La Araucana* carece de "grandeza". ¿Cómo iba a ser grandiosa la lucha de unos salvajes en el último rincón austral del mundo por la vaga defensa de algo que no sabemos si llamar "patria" o "propiedad"? ¿Cómo sorprendernos ante una batalla a garrotazos en que mueren dos o tres españoles —no importa el hecho de que mueran cien indios— cuando en Europa los tercios de España, Italia, Flandes, Alemania, producen o gestan los más trascendentales acontecimientos del siglo? Para Martínez de la Rosa, y en general para la crítica española tradicional así como para cierta crítica simiesca brotada en los aleros de una instrucción parroquial en Chile, la guerra de Arauco es una campaña más en el proceso de la conquista; *La Araucana,* un poema que por ser el único que se acerca a los cánones de la epopeya clásica es necesario conservar y exaltar para que no se diga que a la literatura española le falta algo que poseen la italiana o la francesa. Los indios araucanos, a juicio de esta gente, ofrecen el material exótico y, como llega a decir en el colmo del servilismo intelectual un crítico chileno que no siempre apareció tan disparatado, fué sólo una casualidad —el hecho de que Ercilla peleara en Chile y no en Venezuela o en el Perú— que sean ellos los héroes del poema. . .[7] Para él nada significa que los araucanos fueran los únicos en América que pelearon tres siglos antes de ser dominados, nada significa que Ercilla no fuera poeta antes de venir a Chile ni pudiera serlo de nuevo cuando volvió a España, nada significa la entrega totalmente sincera, ya que fué, sin duda, involuntaria, de este poeta que viene a glorificar a su bando y en cambio eterniza al contrario, prendido fatalmente en el acontecimiento que se desarrolla ante sus ojos maravillados.[8]

Martínez de la Rosa tampoco entiende esta transformación de Ercilla. El hecho de que los indios aparezcan heroicos y, en cierto sentido, victoriosos a lo largo de todo el poema le parece un "defecto" del autor. No le cabe en el pensamiento ni siquiera la posibilidad de que los indios pudieran ser tan valientes como el español y que la significación de su epopeya pudiera haber sido más trascendental. "Todo lo noble —se

queja—, todo lo heroico y extraordinario está de parte de los
araucanos: así es que naturalmente resulta un efecto contrario
al que debía procurar el autor" (p. 22).

De este "defecto" ha nacido otro, agrega, y es la falta de
un héroe. Claramente se ve que la mente del crítico está
encuadrada en los marcos de costumbre y así no tarda en
censurarle la falta de unidad y de un plan preconcebido, la
tendencia historicista y, finalmente, la demasiada importancia
que se da al detalle: "Ercilla tiene los defectos de un testigo
presencial, y además los de una persona que toma sumo interés en una cosa a que ha concurrido" (p. 23).

Observación muy justa, por lo demás. Coincide luego con
Quintana al criticar la versificación, ciertos errores del estilo
y la escasa propiedad de algunos episodios. En resumen, Martínez de la Rosa refleja ya ese complejo españolizante que
marcará agudamente a la crítica peninsular cada vez que se
enfrente a La Araucana.

Don Marcelino Menéndez y Pelayo es crítico que sabe
velar de manera artística y elegante sus opiniones; en casos
puede ser hasta un maestro en el arte de decir algo y no decir
nada como cuando historia la poesía chilena desde sus orígenes y comienza con la siguiente declaración: "Ni hay tampoco
literatura del nuevo mundo que tenga tan noble principio
como la de Chile, la cual empieza nada menos que con La
Araucana." [9]

Lo cual, traducido de la lengua marcelinista, quiere decir:
los chilenos que, en general, son pobrísimos poetas, tienen
sobre vosotros, los demás americanos, la ventaja de haber comenzado con un poema de destacado mérito, que, casual-
mente, es la obra de un español... Pero esto no es hacer plena
justicia a Menéndez y Pelayo. Hay en su crítica de Ercilla
elementos que la hacen sobresaliente y puede considerarse
como el mejor resumen de todo lo que se ha dicho por españoles. Descarta, desde luego, el problema de si La Araucana
es o no un "poema épico". Tal cuestión carece de sentido,
afirma con toda razón, y señala después que la epopeya es un
género primitivo, impersonal y que si nos atenemos al sentido
estricto de la palabra no son épicos ni Camoens ni Ariosto,
ni Tasso ni Milton. Tan imposible es producir una epopeya,

continúa, como crear una mitología nueva; la obra de cada
uno de los poetas nombrados "constituye un nuevo tipo poético" (p. VII). Subrayo esta última observación ya que vol-
veré a referirme a ella.

Haciendo un paralelo entre Camoens y Ercilla, Menéndez
y Pelayo dice que ambos renuevan la poesía histórica, inaugu-
rando "la poesía de las navegaciones, de los descubrimientos
y de las conquistas ultramarinas, trayendo al arte nuevos cielos, nuevas tierras, gentes bárbaras, costumbres exóticas, hazañas y atrocidades increíbles" (p. IX). Este aspecto del arte
de Ercilla es particularmente interesante porque es uno de los
que han permanecido en la poesía chilena. Oña, desde luego,
en sus dos obras mayores busca el ambiente exótico ya sea en
los mares recorridos por el corsario inglés o en los campos de
batalla de Fernando el Católico. Cuando la escuela modernista introduce las tendencias al exotismo de los simbolistas
franceses, nuestros poetas apreciarán de pronto el encanto misterioso de las leyendas araucanas, la fascinación de los mares
australes; sentirán, por otra parte, el ansia de escapar a la
presión de nuestra angosta faja de terreno y seguir el ejemplo
del joven paje español que conquista mares y tierras y crea
mitos de gentes extrañas con la vara mágica de su verso. El
Oriente, la India, los mares del Sur se harán presentes en nuestras antologías.

En cuanto al paisaje en la obra de Ercilla, Menéndez y Pelayo expone un concepto que ha dejado ya de ser discutido
pero sobre el cual tendré algo que decir al presentar la crítica
de Ercilla de los escritores regionalistas chilenos: "La naturaleza —nos dice— está descrita alguna vez, sentida casi nunca,
salvo en el idilio de la tierra austral y del Archipiélago de
Chiloé" (p. XI).

Con Martínez de la Rosa y Quintana coincide Menéndez
y Pelayo en todo el resto de su crítica: presencia de elementos
homéricos en *La Araucana,* importancia de Ercilla como personaje épico de su propia obra, creación de caracteres, descripciones de batallas, pobreza en la versificación, etc. No admira, sin embargo, las arengas que Ercilla puso en labios de
los jefes araucanos y llega a decir que la famosa arenga de
Colo-Colo le deja frío por retórica y prosaica, concluyendo:

"y tengo hasta por blasfemia compararla con los discursos del viejo Néstor" (p. XIII). Tampoco halla gran mérito en los caracteres femeninos de *La Araucana*; piensa que son reminiscencias clásicas, que Guacolda habla como Dido (Libro IV de *La Eneida*) y que Tegualda buscando el cadáver de su esposo recuerda a Abradato y Pantea en *La Cyropedia* de Xenofonte. Para terminar recomienda los juicios críticos de Martínez de la Rosa, Quintana, Bello y Alexandre Nicolas.

LOS OTROS

Antes de revisar la crítica americana sobre Ercilla me parece que no estaría demás recordar aquí a algunos escritores ilustres, franceses, ingleses y norteamericanos, que le han dedicado también algunas páginas de indudable interés.

Voltaire, por ejemplo, es el primero que señala con firmeza la importancia de la figura de Ercilla como héroe de *La Araucana*. Para mí este juicio es de sumo valor, pues considero la participación de Ercilla en la acción de su poema una de las características más sobresalientes del género de epopeya que él contribuyó a crear. Al comenzar su crítica de Ercilla[10] y después de enumerar algunas cualidades, subraya de inmediato este rasgo. Nos dice que *La Araucana* es "encore plus remarquable par le caractère de l'auteur" (p. 239). E infiere la siguiente conclusión que es, por supuesto, falsa: "Alonso conçut le dessein d'immortaliser ses ennemis en s'immortalisant lui-même" (p. 240). Ercilla no tuvo un plan preconcebido respecto al efecto ulterior de su obra y su interpretación de la guerra araucana fué espontánea; fué, antes que el resultado de una teorización, una simple reacción emocional. En cuanto al testimonio autobiográfico que nos deja, tampoco está ahí deliberadamente, no es un motivo estético en manos del creador, es lisa y llanamente el *contenido* de los días que relataba y que él, como historiador, no podía menospreciar.

Voltaire también se dió cuenta de que existía un prejuicio político que malograba las tentativas de muchos españoles para interpretar *La Araucana*: "Je dirai, en passant, que cette tentative des Américains pour recouvrer leur liberté est traitée de rebellion par les auteurs espagnols" (p. 239).

Animado de su característico apasionamiento Voltaire, como se sabe, elogió la arenga de Colo-Colo y la hizo famosa en el mundo de las letras. La citó íntegra y para probar que es superior a la que pronuncia Néstor en el libro primero de *La Ilíada* cita asimismo la de éste pero en tal forma, que M. Dugas Montbel creyó necesario prevenir al lector con las siguientes palabras:

> ...on ne peut prononcer en connaissance de cause sur le texte donné par Voltaire, qui après avoir donné une traduction élégante et soignée du discours de Colo-Colo mutile impitoyablement celui de Nestor, et supprime les plus beaux traits.[11]

Algo le sucedió a Voltaire con el resto de *La Araucana*. Es posible que haya seguido leyendo un poco más adelante en la primera parte y, presa del aburrimiento, tomara después un trozo aquí y otro más allá y sin formarse una idea clara del conjunto de la obra, con el recuerdo tan sólo de las pesadas horas —o minutos— que le dedicó, escribiera la serie de denuestos con que llena el resto de sus páginas. "Il est vrai que si Alonso est dans un seul endroit supérieur a Homère, il est dans tout le reste au dessous de moindre des poètes..." (p. 243.) Refiriéndose, en general, a todo el poema concluye: "Nulle invention, nul plan, point de variété dans les descriptions, point d'unité dans le dessein. Ce poème est plus sauvage que les nations qui en font le sujet" (p. 243).

Y con esto debe bastarnos.

A Puibusque me referiré al tratar de la influencia italiana, de Ariosto y Tasso especialmente, en la poesía de Ercilla. Otro francés, Alexandre Nicolas, ha dedicado a *La Araucana* un largo ensayo que sirve de introducción a su traducción en prosa del poema[12] y que es laudable en ciertos aspectos pero, por lo general, deja una impresión de pesadez y verbosidad; el autor obtiene sus conclusiones con dificultad y es difusa toda su exposición. Tal vez lo más interesante sea su discusión del realismo de Ercilla; comenzando por mostrar los defectos de esta poesía histórica que presta mayor atención a lo verídico de la narración que a la belleza de la fantasía, reconoce un encanto, no obstante, en esta desnuda pintura de la realidad que Ercilla nos ofrece a la manera vigorosa, ruda si se quiere, de quien trabaja con materiales de acero y para quien la muerte no contiene el atractivo romántico de los misterios sobrenaturales, sino que es otro incidente más en medio de la azarosa aventura de una guerra cuotidiana.

Se recordará que Menéndez y Pelayo hablando de Ercilla se había referido a "la poesía de las navegaciones", en lo cual concuerda con M. Nicolas quien en uno de los párrafos más notables de su ensayo resume así su interpretación de *La Araucana:*

> Il serait difficile de rencontrer ailleurs une plus vive impression du seizième siècle espagnol. Les grandes passions de la monarchie de Charles V et de Philippe II, celle de la guerre, celle de la navigation audacieuse, des conquêtes lointaines, l'entraînement vers l'inconnu, l'aventureux, l'infini, se retrouvent au fond de cette épopée... (CLXVI-CLXVII.)
>
> Le sentiment religieux, les objets sacrés, du culte et de la foi, tout ce que l'Espagne du seizième siècle croit et vénère, trouve aussi dans l'ouvrage d'Ercilla une expression vivante et passionée (p. CLXXII).

M. Nicolas es pródigo en sus alabanzas de *La Araucana;* haciendo un gran esfuerzo para sostener su verbosidad que, encerrada en una introducción, suele aparecer tremenda, llega a sintetizar en estos cuatro puntos las características de la obra:

a) Tiene un carácter heroico ya que se relaciona con las gloriosas conquistas de España en el Nuevo Mundo.

b) Es un reflejo vivo del siglo XVI en el espíritu que la anima y que la inspira.

c) Es una obra de arte concebida en un plan que le da unidad.

d) El elemento maravilloso no es en ella extraño y deja en el espíritu una inefable impresión de grandeza (p. CLVII).

De todas estas características la tercera es, sin duda, la más difícil de defender. Así lo reconoce el mismo Nicolas cuando advierte: "Avant tout il faut déclarer que l'unité dont il s'agit ici, nous ne devons pas nous en former une idée trop étroite" (p. CXCVII). Según él en el poema de Ercilla la marcha de los hechos está subordinada a la pintura de los caracteres; la acción adquiere la unidad necesaria por medio de la presencia de ciertos personajes fundamentales, entre los cuales el más importante es Caupolicán. Pero esto no es todo. Es posible aun trazar una continuidad histórica en el desarrollo del poema y hasta fijar dos acontecimiento como principio y fin de la narración: la destrucción de Tucapel (Canto II) y su reconstrucción por parte de los españoles (Canto XXVII). M. Nicolas no deja de reconocer, sin embargo, lo artificial de este argumento y acepta el hecho de que *La Araucana* no tiene un final digno de su desarrollo.

Por otra parte M. Nicolas cree que Ercilla canta exclusivamente para celebrar la gloria de Felipe II y el Imperio español. La visión del poeta, pues, supera los límites de la Araucanía. Desde este punto de vista es relativamente fácil justificar la presencia de Lepanto y hasta la incursión de Felipe en tierras de Portugal. La inclusión de elementos maravillosos y episodios algo extraños como el de la reina Dido son licencias que no sólo Ercilla sino todos los poetas épicos se han permitido.

En conclusión, M. Nicolas afirma que *La Araucana* es un poema épico de acuerdo con todas las reglas. Esto le coloca, naturalmente, en la minoría, ya que la casi totalidad de los críticos se inclinan a pensar lo contrario y, en cuanto a la crítica moderna, se ha descartado ya la cuestión como ociosa.

Más sobrio en carácter y de tendencia más académica es el estudio sobre Ercilla escrito por Jean Ducamin y que sirve de introducción a una edición abreviada de *La Araucana* publicada en la colección dirigida por M. E. Mérimée.[13]

Ducamin se esfuerza por presentar un resumen bibliográfico completo acerca del poema. Desgraciadamente, cuando realizó su trabajo no había aparecido aún la edición de Medina; continúa así debatiéndose en medio de textos defectuosos y haciendo uso de una documentación no siempre de primera calidad. Sorprende, por ejemplo, la importancia que le da a una edición del poema desprovista de todo valor preparada en Chile por el señor Abrahan König.[14] En cuanto a la biografía del poeta, Ducamin se basa en la de Ferrer[15] que era, en realidad, la más completa hasta que Medina publicara la suya.

El mérito del estudio de Ducamin no se basa, sin embargo, en su acopio de documentación, sino en su apreciación crítica del poema y en algunas observaciones que alumbran considerablemente la comprensión tanto de Ercilla como de su ideal artístico.

A propósito de la existencia de un héroe en La Araucana, Ducamin cree que la naturaleza histórica de su creación impidió a Ercilla concentrar el interés sobre una determinada persona. El héroe de una empresa guerrera es siempre colectivo, más aun si se trata de una guerra como la de Arauco donde los encuentros de masa no son frecuentes y los enemigos más bien se tienden emboscadas y combaten en grupos mientras el jefe de un ejército, por lo general, ignora la suerte de sus soldados. Lautaro cautiva nuestro interés tan sólo por un instante, desaparece rápidamente y Caupolicán o Tucapel o Reinoso o Villagra le suceden en el primer plano de la acción. Se habría requerido verdadera elaboración artística para resumir e idealizar el significado de la campaña en las acciones de un solo individuo. Ercilla era demasiado historiador para pensar siquiera en este artificio. Es el contenido de los días, tal cual la crónica de la época los registró, lo que forma el material de su poema. Con los días pasan los héroes y a una campaña se agrega otra; al fin sólo dos caracteres esencialmente colectivos consiguen destacarse y así lo hace notar Ducamin: "Il y a surtout dans cette épopée, deux caractères collectifs, si l'on peut s'exprimer ainsi, le caractère des Espagnols et le caractère des Araucains" (p. LV).

Elogia, en seguida, con sincera admiración las figuras de algunos guerreros indígenas, pero no se olvida de condenar los caracteres femeninos que le parecen convencionales y falsos.

Al referirse al estilo defiende a Ercilla contra los ataques de Martínez de la Rosa y Quintana, ambos afrancesados y discípulos fervientes de Boileau. Las faltas métricas de Ercilla le parecen sin importancia y, por el contrario, cree que en La Araucana se hallan las mejores octavas escritas en español (p. LXXVI).

Acaso lo más interesante del estudio de Ducamin son las páginas destinadas a discutir las influencias literarias en la obra de Ercilla. La fuente de inspiración más importante de La Araucana no es la poesía de Ariosto, como se ha repetido tantas veces, sino la literatura latina. A Ariosto, según Ducamin,

Ercilla le debe tan sólo "quelques emprunts directs, d'assez peu d'importance. . . quelques détails particuliers de l'économie de ses chants, peut-être encore un procédé de style. . ." (p. LXXXII). Ascendencia latina, en cambio, tiene la mayor parte de sus héroes y su estilo está lleno de construcciones y de figuras literarias tomadas de Virgilio y de Lucano.[16]

Ducamin demuestra una vez más su amplitud de criterio al reconocer la grandeza del tema de *La Araucana*; grandeza humana si se considera la fe y la audacia de los españoles, tanto como el heroísmo y el espíritu de sacrificio de los nativos; grandeza del ambiente asimismo: "Le champ de bataille est de plus, entre l'Océan Pacifique et la Cordillère des Andes, au milieu de forêts immenses et de grands lacs, éclairé de volcans toujours en éruption. . ." (p. LXXXIV.)

Con estos elementos Ercilla no fué, sin embargo, capaz de crear una obra de valor universal. Carecía de "imaginación épica"; le faltaba, sobre todo, ternura, sensibilidad. Los amantes que describe son fríos, sentenciosos y sutiles.

No estoy de acuerdo con todas estas afirmaciones, pues aunque Ercilla no tuvo el poder de idealización para crear un héroe literario, en cambio, por el esfuerzo sostenido de su verso que sin descanso describe las hazañas de indios y españoles y por ese poder dramático insuperable que tiene, a veces, el hecho histórico transplantado en medio de la creación artística, consiguió crear un mito nacional cuya influencia en la educación del pueblo chileno es de innegable trascendencia.

Por otra parte, la falta de verdadera ternura y sensibilidad no puede criticarse solamente a Ercilla; era ésta un resultado de la moda literaria que él seguía, y aun así creo que Ercilla, poeta guerrero y realista como fué, demuestra mayor humanidad en numerosos pasajes de su obra que los poetas bucólicos o cortesanos y los trágicos a la medida de su misma época.

También me parece injusto afirmar que Ercilla concebía la obra literaria como un simple vehículo para realizar sus ambiciones sociales. Injusto y absurdo. Si Ercilla hubiera sido un negociante del arte no habría escrito *La Araucana* sino *La Garciada*. . . u otra cosa por el estilo. Ducamin pierde toda mesura al estampar semejante acusación: "Ercilla ne voyait dans la poésie qu'un moyen de parvenir, et il était tout prêt

à échanger la lyre contre un brevet de colonel ou une place au
conseil royal" (p. LXXXVI).

A lo cual agrega:

> Il cesse de chanter, non que son inspiration ait tari (les derniers
> chants composés, ceux où il raconte son expedition aux îles Chi-
> loé, sont parmi les plus beaux), non que le public reste indiffé-
> rent à ses vers (les éditions se succedaient avec une rapidité in-
> croyable), mais parce que le monarque reste obstinément sourd
> à ses demandes, et qu'il craint de devenir inutilement importun
> (p. LXXXVI).

Cosa igualmente inaceptable pues Ercilla, al regresar a España, es un poeta acabado y los últimos cantos de *La Araucana* no son sino el destello de una inspiración que, privada del
fuego de la contienda americana, desfallece irremisiblemente.
En España, Ercilla es un poeta épico sin tema; sin batallas
que describir, sin héroes que celebrar, sin un mensaje que exaltar ante el mundo. Pudo haberse sepultado en las glorias épicas de la antigüedad española. No demostró interés en hacerlo. El romancero tradicional le dejó indiferente. *La Araucana*
contenía todo lo que podía dar.

Ticknor, demasiado consciente de los principios y reglas
de la retórica clásica, analiza a *La Araucana* con lente de fila-
télico, desprovisto de imaginación y sensibilidad artística.[17]
De acuerdo con el distinguido hispanista el poema "was writ-
ten when the elements of epic poetry were singularly misun-
derstood in Spain, and Ercilla misled by such models as the
Carolea and Carlo famoso, fell easily into serious mistakes"
(p. 461). Los errores y la mala interpretación a que se refiere
son naturalmente pecados contra la retórica. El poema "is
geographically and statistically accurate —afirmación bastante
precipitada y difícilmente veraz— ... It is a poem... that
should be read with a map, and one whose connecting princi-
ple is merely the succession of events" (pp. 461-2).

La definición del poema no acaba aquí. Más adelante
Ticknor concluye:

> ...it is, in truth, a poetical journal in octave rhymes... This
> can hardly be called an epic. It is an historical poem, partly in
> the manner of Silius Italicus, yet seeking to imitate the sudden
> transitions and easy style of the Italian masters, and struggling

awkwardly to incorporate with different parts of its structure
some of the supernatural machinery of Homer and Virgil (p.
463).

Demás está decir que Ticknor no sólo leyó *La Araucana*
con un mapa en la mano, sino también con un tratado de retórica en la otra y que, por supuesto, no entendió sino las palabras que veía, escapándosele todo cuanto vive más adentro
de ellas. Leyendo sus juicios uno se admira de tan gran nota-
rio que perdió en él la cosa pública.

Como digno contraste bueno es recordar las páginas que
Bernard Moses consagra a Ercilla en su libro sobre literatura
colonial de Hispanoamérica.[18] Empieza por reconocer la falta de un héroe en *La Araucana* y, luego, al pasar revista a los
diferentes personajes que pudieron haberlo sido, es la figura
del poeta mismo que parece cautivarle:

> But among the characters that appear in the poem not the
> least conspicuous is Ercilla himself. The references to his jour-
> neys and explorations throw an important side-light on the early
> history of Chile. These references, moreover, show him as a
> champion of the more admirable features of civilization. He
> opposes the useless cruelty of his compatriots; he is humane to-
> wards the vanquished, proud to repel the indignities offered by
> the commander, religious but not fanatical; a knight of the Mid-
> dle Ages, animated by a certain pride in enduring the hardships
> and facing the dangers presented by a barbarous enemy in an
> unexplored region; a chivalrous hero, but too sober-minded to
> be drawn into quixotic enterprises (p. 179).

Para completar esta imagen de Ercilla nos ofrece, en seguida, un esquema de lo que podría ser la filosofía particular del
poeta si nos basáramos en las reflexiones morales que inaugu-
ran cada canto e interrumpen a veces el hilo de la narración.
Moses cree que esta filosofía es más bien pesimista y cita
como ejemplo las siguientes líneas:

> El más seguro bien de la Fortuna
> es no haberla tenido vez alguna.
>   (Canto II)

Y para dar mayor relieve a la anterior resignación agrega
estas otras:

Venir un bien tras otro es muy dudoso,
y un mal tras otro mal es siempre cierto;
jamás próspero tiempo fué durable,
ni dejó de durar el miserable.

(Canto XVI)

Desgraciadamente, no puede uno considerar como clave de la filosofía de Ercilla versos como éstos que son retóricos y están allí porque la moda así lo exigía, versos que no representan emoción ni ideas originales, que venían siendo escritos desde la Edad Media y ya lo habían sido en la antigüedad clásica por innumerables poetas, buenos y malos; versos que no son sino "vieux souvenirs de lectures latines" como dice Jean Ducamin. El tema de la Fortuna se encuentra ya estereotipado en la poesía española del Renacimiento cuando Ercilla, por sólo cumplir con la moda, lo acoge aquí y allá en su poema. No pretendo decir que Ercilla está privado de una concepción personal del mundo y de la vida, de ninguna manera. Ya veremos que sí la tiene y esbozaré sus ideas fundamentales. Por ahora diré a propósito de las palabras de Moses que no debemos dejarnos engañar por ese "doble" del poeta que filosofa y moraliza como lo manda la santa retórica de la época y que nada tiene que ver con el verdadero Ercilla, cuya filosofía suele aparecer disfrazada de innumerables maneras, generalmente cuando el autor está menos consciente de ella.

Otros críticos europeos y norteamericanos han escrito sobre *La Araucana* elogiándola o censurándola en diferentes tonos pero, en general, se puede decir que no han agregado nada nuevo a lo ya expuesto en el examen que se ha hecho en las páginas anteriores. Una observación más me gustaría destacar pues me ayudará cuando exponga mi interpretación de *La Araucana*. En la *Historia de la literatura española* de Merimée y Morley[19] se halla un análisis de *La Araucana* bastante condensado y sobrio en el cual se pone de relieve la tendencia historicista de Ercilla, su realismo y poder descriptivo, su imaginación poderosa y no deja de reprochársele el convencionalismo de sus personajes —particularmente los femeninos—, la falta de color local, uso inoportuno de lo sobrenatural, descuido en la forma técnica poética. Hacia el final se lee esta frase que me parece muy acertada: "The whole constituted an original attempt to create a national form of epic by welding and transforming older elements" (p. 249).

Otros autores han notado este hecho —Menéndez y Pelayo, Andrés Bello, por ejemplo— pero ninguno ha ofrecido un análisis y definición de la epopeya que parece nacer con *La Araucana*. Creo que esto puede hacerse y lo intentaré en lugar conveniente. Tratando de acentuar la actitud de cronista o geógrafo en verso de Ercilla, los autores de la citada *Historia* han cometido el error de afirmar que "he paints the people and landscapes as they pass before his eyes" (p. 248). A este respecto debería observarse que el realismo de Ercilla es engañoso pues está hecho de fantasía y actualidad. Se nota, evidentemente, la contradicción de criticar la falta de color local y de humanidad en los caracteres a un autor a quien se llama "realista." Sabemos que Ercilla no pintó, sino en contadas excepciones, a los indios y españoles como eran en la realidad. Ercilla creó mitos, no personajes; ni tampoco nos dió el paisaje de Chile, sino el paisaje que existía en su mente y en el arte de su época.

LOS NUESTROS

En general, los críticos hispanoamericanos han asumido una actitud muy distinta a la de los europeos frente a Ercilla.[20] Desde luego, no le juzgan, sino con escasas excepciones, a base de preceptos literarios; tratan de investigar la significación social de su obra en el desarrollo de los pueblos americanos y de aquilatar su influencia sobre la poesía autóctona de los siglos XIX y XX. Es interesante notar que se refieren a él como si fuera de América y se esfuerzan, por todos los medios posibles, en descubrir los lazos que le unen con nuestra tierra, acentuando, por lo tanto, aquellos elementos que le separan de España y le conectan con el renacentismo universal de su época.

El juicio de don Andrés Bello[21] demuestra una amplitud de criterio que no se halla en la crítica española. Observa, por ejemplo, que Ercilla jamás se propuso como finalidad ulterior halagar el orgullo nacional de sus compatriotas; por el contrario, aprovechándose de todas las ocasiones posibles, les censuró acerbamente su codicia y su crueldad y exaltó generosamente las virtudes del indio araucano a manera de contraste, para concretar y hacer más gráfica su lección moral. En vano buscaríamos en las historias de la literatura española palabras como éstas que Bello pronuncia al indicar que el sentimiento dominante en *La Araucana* es: "el amor a la humanidad, el culto de la justicia, una admiración generosa del patriotismo y denuedo de los vencidos" (p. 468).

Perdido está ese puntillismo de los preceptistas que leyeron el poema contándole las sílabas, buscando la introducción, nudo y desenlace, discutiendo la existencia de un héroe y la oportunidad de la "máquina" así como la propiedad gramatical del lenguaje. La tendencia sociológica se irá haciendo cada vez más dominante en la crítica literaria de los hispanoamericanos y cuando se llega a la época moderna —en Chile precisamente— se puede ver que *La Araucana* es leída como un documento histórico, en el sentido vital de esta palabra, es decir, como un instrumento en el desarrollo social y político de los pueblos de Hispanoamérica.

Nótese la siguiente declaración de Bello: "*La Araucana*... La Eneida de Chile... único hasta ahora de los pueblos modernos cuya fundación ha sido inmortalizada por un poema épico" (p. 468).

La guerra de Arauco —quisiera yo agregar— no es como pensó Martínez de la Rosa una escaramuza sin importancia entre gente civilizada y grupos de salvajes; no, se trata de la fundación de un pueblo, del nacimiento de una nación. ¿No es acaso en un momento semejante cuando nacieron las epopeyas clásicas y primitivas? ¿Homero, Virgilio, Lucano no alzaron sus cantos celebrando hazañas que traerían consigo nuevos rumbos para sus pueblos y, por consiguiente, para la humanidad? De la guerra fanática por la defensa de la fe y la exaltación del patriotismo surgen las grandes epopeyas anónimas de los siglos xi y xii en Europa. Y el crítico moderno se resiste a aplicarles preceptos literarios porque en ellas ve no sólo una manifestación artística de una época determinada, sino además un documento humano demasiado vital para ser constreñido en el anillo estrecho de los convencionalismos académicos. La expresión de cada uno de esos poetas anónimos así

como la expresión de cada poeta auténticamente épico es, en
sí, original, y crea en cada obra un nuevo estilo de epopeya;
no hay dos pueblos que nazcan a la vida independiente exactamente en las mismas circunstancias, porque, aun cuando la
historia y las formas convencionales de expresión y actividad
del hombre se repiten, hay algo de importancia esencial que
no se repite con la misma facilidad y es el hombre mismo, y
así el poeta verdadero que es su genuino intérprete trabaja
siempre creando, siempre transformando la materia del pasado en una nueva floración que será, por su parte, la semilla de
una creación que aparecerá mañana.

En el caso de Ercilla, Bello sugiere la existencia de este
hecho, pero no elabora sobre el tema y se limita solamente a
esbozar su pensamiento:

> Los vanos esfuerzos que se han hecho después de los días del
> Tasso para componer epopeyas interesantes vaciadas en el mol-
> de de Homero y de las reglas aristotélicas han dado a conocer
> que era ya tiempo de seguir otro rumbo. Ercilla tuvo la primera
> inspiración de esta especie (p. 467).

No nos dice específicamente en qué consiste esta "inspiración" de Ercilla y si ella se realizó y produjo resultados originales.

Don José Toribio Medina tuvo también semejante intuición y llegó más cerca de una clara definición que Bello.[22] Sin
embargo, Medina, como deben reconocerlo aun sus más entu-
siastas admiradores, mostró en sus obras de crítica literaria
ciertas limitaciones que sacrifican sus esfuerzos de investigador. Rara vez logra elevarse por encima de la mera comprobación de hechos y alcanzar un entendimiento de los valores
y relaciones que pudiéramos llamar permanentes. Casi nunca
generaliza, lo cual puede seguramente ser una gran virtud si
lo que nos detiene es la prudencia y el buen juicio. Desgraciadamente, en el caso de Medina nos queda la impresión de
que la generalización no se produce por falta de profundidad
y amplitud en la visión del crítico. Un buen ejemplo de esto
lo hallamos precisamente en la discusión que Medina hace
de la originalidad de la epopeya de Ercilla. Recordando los
versos:

Venus i amor aquí no alcanzan parte,
sólo domina el iracundo Marte,

Medina concluye muy acertadamente que esta evasión del
tema amoroso "era una de las diferencias capitales de *su* epopeya, i que por mucho contribuía a su originalidad entre las
demás producciones literarias de su especie" (p. 43). He subrayado la palabra *su* para indicar que Medina parece hablar
intencionalmente de una epopeya creada por Ercilla. Pero no
hay tal. Señala simplemente características: primero, la ausencia de amor en *La Araucana*; luego, la cualidad autobio-
gráfica del poema:

> En los escritores de esos tiempos, sobre todo en la literatura de
> Chile, nada más común, ni más natural tampoco, que nos ha-
> blen de sí, como de algo a que no tenían derecho por la obra
> que emprendían i por la necesidad de colacionar los aconteci-
> mientos en que muchas veces habían sido actores principales
> (p. 51).

Y una tercera aun bastante interesante, a propósito de las
ideas filosóficas de Ercilla y de sus divagaciones de carácter
moral:

> Su libro (aunque parezca extraño) contiene más de un curioso
> detalle sobre las pasiones i los vicios; i esta circunstancia es la
> que hace de *La Araucana* no sólo una simple historia, sino tam-
> bién una epopeya filosófica... (p. 99).
>   Quizá —agrega adelante— no había estado distante de acer-
> carse a Lucrecio, aunque sin duda no había sido sectario del
> panteismo, i lejos de haber cantado la naturaleza de las cosas ha-
> bía cantado la naturaleza de los hombres (p. 104).

A pesar de estas tres observaciones de peso y de otras menores que abundan en su enjundiosa historia Medina no saca
la conclusión necesaria, no alcanza a organizar los elementos
de su crítica y, por lo tanto, en ninguna parte de su estudio
aparece definida la epopeya de Ercilla. Va lenta y costosa-
mente elaborando su camino por entre los versos de *La Araucana*; se da cuenta del sentido especial que la obra tiene para
América y para Chile, pero no pasa más allá de una reacción
sentimental y puramente patriótica que, gracias a la parquedad natural de su expresión literaria, no se traduce en arengas

sensacionales como las de don Luis Galdames y Abrahan König.[23]

En otros aspectos su crítica se malogra no por cortedad de visión, sino por una especie de candor que le resta hondura y solidez. Dedica varias páginas a probar que la ausencia del amor en *La Araucana* se debe a que Ercilla sufrió una decepción amorosa cuando joven y por eso vino a América a buscar, en realidad, una solución en la muerte gloriosa de los conquistadores, transformado a la vez en el "poeta que cantaba en las selvas i escribía a la luz de las estrellas después de las fatigas i azares del combate" (p. 50).

Si esta decepción existió —y la única "prueba" que puede ofrecer Medina es un mal poema escrito por Ercilla cuando adolescente— ¿puede seriamente pensarse que ella determinó una figura esencial del poema?[24] En la vida misma de Ercilla después de su viaje a América no hay nada que indique la existencia de un mal incurable en su pasado sentimental; por el contrario, todo induce a pensar que si en realidad estuvo enamorado en Europa antes de su aventura en Arauco, este amor lo olvidó tan pronto se ocupó su mente en los sucesos de la guerra y la política de la Conquista. ¿Que Ercilla vino a América buscando un glorioso fin? Pero si en Chile se cuidó mucho de no morir y cuando las cosas se tornaron demasiado comprometedoras para su seguridad personal se dió maña para retornar a Europa, llevar dinero, encontrar novia, casarse y morir —si hemos de creer al mismo Medina— cuando desempeñaba el oficio muy poco romántico de prestamista.[25]

Hay también falta de perspicacia en su apreciación de las ideas filosóficas de Ercilla. Medina da gran importancia al tema de la Fortuna, a la preocupación de la muerte en *La Araucana*, a la repetida intervención de la Divinidad, al fatalismo, al sentimiento del honor, a las prédicas contra la vanidad, la soberbia y la avaricia.

Medina toma todas estas cosas al pie de la letra, las analiza con toda seriedad en su valor textual, sin pensar que ellas pudieran muy bien no ser más que figuras literarias desprovistas casi de contenido conceptual, esqueletos de lo que alguna vez fueron ideas filosóficas o morales. Ya hice ver, a propósito de Nicolas, que el tema de la Fortuna viene de la literatura latina y pasa por la Edad Media llenándose de cenizas y perdiendo toda médula para acabar engolillado en el Renacimiento entre las aspas del *Laberinto* de don Juan de Mena; el fatalismo de éste y de Gómez de Manrique, por ejemplo, no pasa de ser material retórico, el cual, sin embargo, movido por una emoción sincera puede todavía llegar a conmovernos como sucede con *Las coplas* de don Jorge Manrique. La muerte, por otra parte, no llega a individualizarse en Ercilla con atributos originales que logren perturbarle realmente; siempre se refiere a ella en términos de la doctrina cristiana; una que otra vez, reflexiona sobre su fatalidad:

> Bien descuidado duerme cada uno
> de la cercana inexorable muerte;
> cierta señal, que cerca de ella estamos
> cuando más apartados nos juzgamos.

Pero su catolicismo le ayuda y le sostiene siempre, la muerte no es sino la antesala de una gran entrevista con Dios en que los pecados y las virtudes del hombre serán objeto de una magnánima justicia. Es también el catecismo cristiano que le ofrece todos sus conceptos de moral y en ellos se basa para juzgar las pasiones de sus compañeros y adversarios. En este sentido, el poeta no está expresando nada original; considerar este aspecto de su obra como enunciado de su teoría de la vida es, indudablemente, un error; equivale a considerar la sabia distribución de la rima como la esencia del valor lírico.

A pesar de estas objeciones, reconozcamos que tanto la edición de *La Araucana* como los capítulos sobre Ercilla que Medina inserta en su *Historia de la literatura colonial de Chile* poseen un inmenso valor y gracias a la maciza erudición que les sirve de base deben permanecer como referencias indispensables en el estudio de los comienzos de las letras chilenas. En Medina se admira la honradez y la paciencia, la objetividad y la sencillez que hacen olvidar la pobreza de su estilo y su escasa sensibilidad artística. Se admira sobre todo su amor tranquilo y sin aspavientos por las cosas y los hombres de Chile, patriotismo sobrio y de trascendentales consecuencias, que se concretó en una obra de bibliografía, historia y crítica literaria que es todo un monumento.

Pena da comprobar que este amor de un investigador por su tierra no haya sido siempre imitado en años posteriores; que, con la mayor seriedad y aplomo, se usara todo el material de sus investigaciones para denigrar más bien las cosas que son queridas de nuestro pueblo, con el propósito absurdo de ganarse el beneplácito de las academias peninsulares.

Don Eduardo Solar Correa fué un hombre de clara inteligencia, de vasta cultura y dueño de un cierto agridulce sentido del humor. En su libro *Semblanzas de la Colonia* se une la información al juicio penetrante y a una cierta malicia de rango netamente popular. Su autor fué antes que nada un maestro; a este hecho tal vez hay que agradecer la brevedad de sus páginas, la concisión y extrema claridad de sus análisis y el método de su exposición. En su manera de tratar a los alumnos demostraba ser comprensivo, ofrecía estímulo y moderados consejos. Había algo en él, sin embargo, que podía amargarle fácilmente y hacerle perder su equilibrio de *domine*. Algo de ruina. Y en su obrita sobre nuestra literatura colonial este morbo, subrepticiamente, hizo estragos.

Expondré, lo más objetivamente posible, su pensamiento. Considera a *La Araucana* como "inclasificable dentro de la épica tradicional", lo cual nadie pondrá en duda. Entrando de lleno en el análisis de la obra se refiere a la idealización de los indios, uno de los defectos que más agudamente le critica a Ercilla: "No hay que olvidar —nos dice— que don Alonso es historiador y poeta, pero historiador para los españoles y poeta para los araucanos" (p. 18).

Para dar más relieve a esta censura opina que Ercilla no pudo hacer un héroe de Hurtado de Mendoza o de ningún otro español a causa de la poca significación que sus empresas tenían comparadas con los espectaculares hechos de armas que España ejecutaba en Europa durante la misma época. Por lo tanto, Ercilla debió enaltecer a los araucanos con el objeto de resaltar lo más posible la victoria española. El poeta faltó, pues, a la verdad histórica, así como faltó a ella también cuando imaginó los detalles de la batalla de Tucapel —ya que ningún español quedó con vida para contársela a Ercilla— cuando imaginó las arengas de los jefes indios, cuando describió las costumbres y los caracteres de los araucanos. "La ciencia étnica —dice Solar Correa— es, precisamente, la que mayores reparos opone al poema" (p. 34), y agrega que Ercilla era "ignorante del dialecto araucano y sin noticias de las ciencias modernas... la etnología y la psicología y sociología comparadas..." (pp. 35-6).

Ésta es la médula de su crítica. Podría respondérsele que si Ercilla hubiera conocido la ciencia étnica, la psicología y la sociología, no habría vivido en el siglo XVI sino a fines del XIX o en el XX y no habría escrito La Araucana sino tratados muy dignos y pletóricos de estadísticas y terminachos.

Solar Correa le aplica a La Araucana la ciencia étnica y encuentra en el poema serios errores. Pero ¿quién le manda aplicarle la ciencia étnica a un poema? ¿Por qué esta manía de embestir contra Ercilla con tratados de sociología, geografía y aritmética en la mano?

No obstante, la peor demostración de su mal gusto se halla en las páginas que dedica a denigrar los méritos de la raza araucana. De sus palabras se desprende que los araucanos eran una manada de bestias feroces, menos tal vez que bestias, ya que eran incapaces de sentir el amor o la abnegación. Tampoco razonaban sobre su afinidad a la tierra, ni sus relaciones sociales pasaban más allá de una primitiva manifestación de los instintos gregarios. "Al luchar en contra de los invasores defendían el suelo de su tribu, sus ganados, sus rucas, etc., es decir, la propiedad privada, cosa muy diferente de la idea abstracta de patria." Defendiendo la propiedad privada contra los invasores, los araucanos demostraban tener exactamente el mismo concepto de patria que animó a los antepasados del señor Solar Correa a embarcarse en las llamadas guerras patrióticas. Si él creía que en las guerras se combate por defender la bandera y el himno nacional, bastantes elementos de juicio le proporcionaron las de los siglos XIX y XX para hacerle cambiar de opinión. Es posible que los araucanos no defendieran la idea "abstracta" de patria, pero da la casualidad de que combatieron durante tres siglos por mantener la soberanía en su propio territorio.

Para dar apariencia científica a sus opiniones Solar Correa habla de la "mentalidad ilógica" de los pueblos primitivos,[26] error que, afortunadamente, corrige unas páginas más adelan-

te. Puede afirmarse que los araucanos pelearon instintivamente una guerra sin conseguir racionalizar sus motivos ni llegar a darle una orientación teórica que pudiéramos exhibir
ahora como las premisas de nuestra Independencia. Se trataba de un pueblo primitivo, envuelto en la bruma de las creencias mágicas, de los poderes sobrenaturales, incapaz de formar
un concepto. La explicación de sus esfuerzos, la elaboración
de su epopeya, la constitución de los mitos, ha sido la tarea de
poetas como Ercilla y de historiadores y sociólogos modernos.

Criticar a Ercilla —un artista y no un etnólogo— por su
idealización de los araucanos es tan absurdo como censurar a
un poeta que nos dice "el sol cae tras el horizonte" porque en
la imagen se encierra un error científico. Es inútil buscar la
belleza de una obra de arte si antes no nos hemos convencido
de que el arte posee su propia verdad, un mundo en que rigen
leyes especiales —las de la creación artística— donde el sentido
común no reina, precisamente por ser común, donde los principios lógicos del mundo racional no se aplican enteramente,
pues la realidad que el artista ve no es la misma que ven todos
y sólo él puede interpretarla y ofrecerla al espectador como
una creación propia, un organismo original.

El señor Solar Correa escribió su crítica sin plantearse previamente ningún problema de carácter estético. Aun más, es
mi parecer que tanto él como otros representantes de la cultura de nuestro país han procedido con un interés ajeno al arte
cuando debieron enfrentarse a valores de raigambre esencialmente popular.[27] Parecen empeñados, por razones de índole
política, en afirmar la inferioridad de la masa chilena a través
de la historia de nuestro país. Ellos son los representantes en
la literatura de ese pequeño grupo de oligarcas que ha regido
a Chile —directa o indirectamente— durante toda nuestra existencia de país semindependiente. Para mantener el régimen
semicolonial en que vive Chile este grupo ha debido asegurar-
se de la impotencia del pueblo y esto lo ha conseguido, en la
práctica, sumiéndole en la miseria y en el vicio e, intelectual-
mente, por medio de una deficiente educación y —lo que es
muchísimo más grave— creándole un complejo de inferioridad colectiva, repitiéndole que los *rotos* son los restos decadentes de una nación de salvajes. Este grupo se solaza en crear

un ambiente derrotista en Chile: descalifica todos los intentos de progreso en las masas aplicándoles la burla y el sarcasmo. Se dan maña en crear la leyenda de que el *roto* desprecia la vida, que no tiene apego a su tierra, ni puede concebir la existencia de un hogar; le animan a desintegrarse celebrando sus borracheras, exaltando y dándole categoría literaria a su lenguaje que puede ser todo lo pintoresco y típico que se quiera pero que está hueco de todo contenido vital, de todo contacto con los temas fundamentales de la existencia humana.

En semejante tarea de zapa algunos historiadores chilenos del siglo xix han desempeñado un papel distinguido; a ellos les ha tocado la tarea de transformar la historia de Chile en un cementerio de ilustres generales y venerables latifundistas; ellos han narrado los hechos de la república de manera que el hombre modesto desaparezca miserablemente en el fondo borroso de las acciones colectivas. El pueblo aparece tan sólo para vivar a cierto general, para elegir a cierto candidato, para darle más mérito, con el número de sus muertos, a una escaramuza de imperialismo criollo. Por eso hoy se hace indispensable una revisión de nuestra historia; es necesario dejar a los generales y presidentes colgados en sus marcos de oro en la galería de retratos donde pertenecen y sacar a relucir las acciones del pueblo chileno, sus triunfos en las batallas por su independencia no sólo política sino también económica, destacar a sus héroes —los que no tienen monumentos en las plazas y no se adornaron de condecoraciones— los *rotos*, *huasos* y obreros cubiertos hasta ahora por las cenizas del anonimato.

A pesar de mi desacuerdo con los puntos de vista de Solar Correa no dejaré que la pasión impida reconocer un mérito bastante grande en su labor. Este mérito se hace evidente cuando el crítico trata de temas que no encienden sus furias reaccionarias como por ejemplo en los capítulos sobre los cronistas de la Colonia y sobre Oña, que son admirables por su brevedad y certeza en la expresión, por lo ágil del razonamiento y la clara comprensión de los temas. En estas páginas el autor se muestra hasta benevolente y generoso frente a los errores que comprueba. Nada tiene que ver este Solar Correa con aquel otro que escribe poseído de inexplicable inquina sobre: ". . la innata tendencia del araucano al robo y a la embriaguez, su espíritu pendenciero y fanfarrón, su holgazanería, su crueldad, su índole pérfida. . ." (p. 187.)

Solar Correa reconoce perfectamente que Ercilla ha escrito una epopeya cuya significación en la historia de Chile es trascendental: "Tal vez —afirma— no exista otro libro —libro literario— que haya ejercido un tan profundo y general ascendiente en la ideología de un pueblo" (p. 48).

Partiendo de esta base debería celebrar los mitos creados por el poeta, debería verificar los excelentes efectos que puede producir en la mentalidad de nuestro pueblo esta gesta de abnegación, de valentía, de patriotismo, que el chileno repite con admiración desde la infancia y que le hace pensar en los héroes de *La Araucana* cuando escoge nombres para sus barcos, para sus agrupaciones revolucionarias, para sus ejércitos, hasta para sus equipos deportivos. En vez de eso, se burla sarcásticamente y acaba su estudio con una frase de dudoso gusto: "En Chile respiramos a Ercilla y no lo sabemos" (p. 48).

En lo cual se equivoca porque muchos chilenos sí lo saben y se enorgullecen de ello y hasta el extranjero se da cuenta y admira la significación de este hecho, como es el caso de Bernard Moses cuando dice:

> The most striking success of the poem was achieved in Chile, where the people, ignorant of all the favorable and unfavorable contentions of the critics have regarded it as their *Iliad* celebrating the beginning of their national life (*op. cit.*, p. 185).

Mucho más justa y original que la de Solar Correa es la discusión de Mariano Latorre sobre Ercilla que aparece en su obra *La literatura de Chile*.[28] Al leer a Latorre, sin embargo, es preciso recordar que se trata de un novelista y no de un novelista cualquiera, sino del jefe de las tendencias descriptivas y regionalistas que en Chile se llaman *criollismo*. Su crítica, por lo tanto, es parcial y representa los ideales de una determinada escuela literaria.

En general, juzga a Ercilla como si se tratara de un escritor chileno contemporáneo; le critica el no haber penetrado en la psicología de sus héroes mapuches; se duele de que Ercilla no haya aprendido la lengua araucana y mantuviera a través de su trato con el indígena la actitud de un hombre del Renacimiento. Afirma, no obstante, que "para un hombre del siglo xvi esos bárbaros tenían un valor esencial, porque se acercaban al concepto del héroe, tal como se concibió en la España de su época" (p. 41).

Mariano Latorre sabe destacar de manera muy gráfica los méritos literarios de Ercilla; le llama la atención, naturalmente, lo que Ercilla tiene de narrador descriptivo:

> El tumulto de los combates, las peripecias individuales de las batallas, la sangre... chivateo de los indios, el relincho de los caballos, anotados con minuciosa complacencia, tiene el fondo obscuro, incoloro, de un cuadro de la época o el de los relatos caballerescos (p. 41).

La ausencia de un paisaje típico es el pecado mayor que Latorre encuentra en *La Araucana*. "Le interesó el primer plano —dice—, la calidad humana de los hechos y el escenario se le escapó" (p. 41).

He aquí de acuerdo con Mariano Latorre el paisaje que Ercilla no vió:

> ...la enorme selva, traspasada de sol, sonora de chucaos y huíos, el correr de los esteros, el cristal de los lagos, la ruta de plata de los ríos y el deslizarse de esos mapuches con sus rojos trariloncos, por entre los árboles inmóviles (p. 41).

Fuera de las imágenes y las rarezas araucanas, de todo lo demás sería fácil hallar ejemplos en *La Araucana*. Hermosa descripción de un lago hay en el episodio de "los catorce de la fama"; del Itata y la cordillera en la página 240, Canto XII;[29] de los mares del sur en el Canto I de la Segunda Parte; del Archipiélago (p. 375), Canto XXXV; de Ancud, y hasta una sabrosa descripción de las *frutillas* en la página 376, Canto XXXV. Como buen criollista Mariano Latorre pierde el buen humor ante la indiferencia de Ercilla por el campo chileno:

> Y es que Ercilla no fué un verdadero poeta en el alto sentido de al palabra. Viajó con un paisaje convencional, formado por su educación clásica. Así al mirar el encaje de un coigüe o la simetría de un alerce, no vió sino árboles como todos los árboles que conocía... Tiene ante sus ojos el panorama de los canales del

sur. A lo lejos se perfilan los contornos obscuros de las islas del Archipiélago de Chiloé... Y no hay más. *La Araucana* es un agua fuerte donde la suavidad no tiene cabida (pp. 41-2).

A continuación agrega:

Al modelar Ercilla en la dura greda de sus versos a los araucanos no sólo escribió un poema épico, el mejor de la literatura española después del de Mío Cid. Creó también un mito literario que aún persiste en la poesía, en el teatro y en las artes plásticas de Chile (p. 43).

Si Ercilla no vió el paisaje de Arauco y "no fué", por lo tanto, "un verdadero poeta en el alto sentido de la palabra", ¿cómo se explica no sólo que haya escrito el mejor poema épico de la literatura española después del cantar de Mío Cid, sino que haya creado un mito literario en vías de eternizarse? Es indudable que el crítico sobrestimó la importancia del paisaje en una obra poética. Bueno sería recordar en este momento las siguientes palabras del gran novelista brasileño Machado de Assis: "Hay un modo de ver y de sentir que da la nota íntima de la nacionalidad, independiente de la cara externa de las cosas".[30]

Latorre no advierte lo auténticamente americano en Ercilla por andar buscando los detalles típicos en la superficie de la obra.

Pero el artista pertenece a su tierra integralmente y llega a ser auténtico cuando, además de sentir la belleza del paisaje, indaga en el sentido de la vida de un pueblo; cuando a las palabras, los trajes y las costumbres de las gentes agrega el contenido de sus ideas, de sus sueños, de sus pasiones; cuando se eleva de lo cotidiano a lo trascendental y recrea no sólo aquello que el pueblo dice, come y bebe, sino también sus esfuerzos por adoptar una posición original con relación al resto del mundo y frente a los problemas de la vida.

Otro ensayista hispanoamericano podría citarse aquí ya que su opinión sobre el paisaje en *La Araucana* constituye una respuesta muy oportuna a las críticas de los criollistas. Dice Pedro Henríquez Ureña:

Incidentally, it should be said that Ercilla has been unnecessarily accused of not describing Chile. Landscapes were not usual in

the epic tradition he followed, but his few touches of nature are
clear and exact —not artificial scenery as in his more Arcadian
disciple the Chilean Oña. And he was not afraid to use Indian
words like *maíz, cacique, arcabuco, caimán, piragua, curaca* (*op.
cit.* p. 219).

A lo cual podrían agregarse las palabras de Ducamin en
respuesta a los ataques de Sismondi contra Ercilla:

> Je suppose que Sismondi lui-même aurait quelque peu adouci sa
> critique s'il avait eu présentes à la pensée et les descriptions du
> chant 35 où notre poète ne donne plus la longueur kilométrique
> des Andes mais l'impression exacte des épaisseurs impénétrables
> de leurs forêts vierges, de leurs abîmes et de leurs marécages in-
> franchissables, et le panorama délicieux de l'archipel des îles
> Chiloé, qu'à peine echappées à cette nature gigantesque et terri-
> ble il nous montre à nos pieds des hauteurs du Port-Montt.
> Nous désirerions peut-être aujourd'hui des peintures un peu
> plus subjectives. Mais pouvons-nous réprocher à un homme du
> XVIème siècle de n'avoir pas nos goûts?" (*op. cit.* p. LXVII).

Concluiré esta breve reseña de la crítica chilena sobre Ercilla con un comentario sobre la introducción de Gerardo Seguel a su Antología de *La Araucana*.[31] La interpretación de
Seguel —él mismo poeta revolucionario— es de índole políti-
co-social y está llena de observaciones en extremo interesantes
que pudieran haber sido desarrolladas más extensamente. Ercilla, según Seguel, es un profeta que nace en nuestra poesía
con el anuncio de una nueva nacionalidad. *La Araucana*, declara: "...fué el primer fruto común, la primera manifestación de la diferenciación futura entre chilenos y españoles y
el primer certificado de su semejanza" (p. 32).
Ercilla, continúa Seguel: "...sentía y comprendía que había recibido una especie de mandato social surgido de su tiempo y de las circunstancias en que vivió en Chile, que su conciencia debía acatar" (p. 32).
Su obra es renacentista por sus tendencias literarias —uso
de la mitología griega, citas clásicas y no de los Evangelios, visiones terrestres en vez de visiones místicas, empleo de magos
en lugar de ángeles, etc.—; cultiva las formas realistas, la significación de lo humano y el amor de la naturaleza. Lo último puede ponerse en duda ya que por mucho que se admire a

Ercilla no podría negarse lo artificioso de su *naturaleza* vaciada, por lo general, en moldes grecolatinos. El pensamiento renacentista se evidencia, según Seguel, cuando iguala en virtudes al español y al indio y se esfuerza por defender a éste. Tanto la poesía como el pensamiento y la conducta de Ercilla contribuyen a crear el primer vínculo de América y Europa, de España y Chile.

> No es *La Araucana* —concluye— una epopeya a la manera corriente de Europa, pues como ha dicho don Luis Galdames, "su acción es colectiva más que individual. El motivo es una idea, un anhelo, un ansia incontenible..." En suma, el tema es la lucha por la libertad (p. 41).

ERCILLA Y LA TEORÍA DE UNA NUEVA EPOPEYA

Todo lo anterior me ofrece una base para definir a Ercilla y su obra poética de acuerdo con mis propias concepciones y es lo que intentaré en las páginas siguientes.

Ya se ha visto cómo se compara a Ercilla con Homero, Virgilio, Lucano, Boiardo, Ariosto y el Tasso. Es indudable que en su obra hay elementos de todos ellos y de otros más, de la epopeya primitiva tanto como de la clásica, pero también es verdad que hay algo en ella de original y único, algo nuevo que puede muy bien ser la razón de su perenne actualidad.

Cuando Ercilla escribió *La Araucana* los estetas literarios discutían animadamente sobre la naturaleza y las leyes de la epopeya. El género épico gozaba en el Renacimiento de una gran popularidad, tal vez a causa de la decadencia del drama medieval como algunos sugieren, tal vez gracias al prestigio de Virgilio, venerado entonces como poeta, vidente y mago, o porque el espíritu de la época era de conquista y aventura, de viajes y descubrimientos, de guerras y hazañas heroicas. A principios del siglo xvi el ideal épico es todavía *La Eneida* y la teoría estética comúnmente aceptada la de Horacio, así por lo menos se deduce de las poéticas de Vida (anterior a 1520) y de Daniello (1536). En 1563, sin embargo, Trissino introduce las doctrinas aristotélicas de la épica proclamando la unidad de acción —no la de tiempo— y condenando los intentos épicos de Boccaccio, Boiardo y Ariosto. Como ejemplo de épica aristotélica y contra los Orlandos que no cumplían con los preceptos, escribe su *Italia Liberata*.

De manera que mientras los teóricos de las ideas estéticas seguían comentando a Horacio y a Aristóteles, los poetas experimentaban buscando nuevos rumbos para la epopeya. Por algo se indigna Trissino contra los creadores del *romanzo* italiano. A juzgar por el carácter de Ercilla y su obra poética es indudable que estuvo sometido a la influencia de los creadores y no a la de los teóricos.

Los italianos, como se sabe, habían realizado la fusión de los dos ciclos de la epopeya francesa: el carolingio y el bretón. A la poesía nacional, guerrera, cristiana, conyugal de *La Chanson de Roland*, mezclaron el ideal caballeresco, cortesano, la poesía del honor, del amor y la magia de las leyendas *arturianas*. La evolución había sido lenta y parece completarse antes del Renacimiento con *I Reali di Francia* de Andrea de Barberino y el *Morgante Maggiore* de Pulci. Ante la efectividad de tal reforma era inútil seguir predicando la pureza clásica en la ejecución de las epopeyas. Los romances franceses, las novelas de caballería españolas y los poemas cortesanos de Italia se habían ganado el favor del público e imponían sin contrapeso su ideal de aventuras guerreras y galantes. La discusión de los estetas literarios cambia de orientación y es así como Giraldo Cintio escribe su *Discorso intorno al comporre dei Romanzi* (1549)[32] no para atenuar las culpas de los *romanzistas* sino, por el contrario, para oponer su producción a las epopeyas pseudoclásicas a la manera del Trissino. Cintio se pregunta cómo puede aplicarse las leyes aristotélicas a un género que Aristóteles no conoció, ni las leyes de la literatura griega a la toscana, siendo ambas diversas en lenguaje, espíritu, religión, etc. Señalando sus características más importantes nos dice Cintio que los *romanzi* son poemas románticos, cuyas acciones son ficticias pero siempre ilustres, pues tienen el propósito de enseñar la moral y las virtudes.

Pero aún entonces hubo quienes se indignaron ante la revolución literaria que significaba esta mezcla de géneros y de tendencias. Speroni, entre otros, respondió a Cintio con palabras que después han usado mucho críticos de Ercilla:

I *romanzi,* sono eroici se sono poemi,
o sono istorie in verso e non poemi.[33]

Y con igual firmeza demanda unidad orgánica de la composición poética, unidad interna que trascienda a la simple forma exterior.

Torquato Tasso será mucho más gráfico al demandar del poema heroico la compleja unidad del organismo de un animal o de una planta.[34] Tasso atenta en su *Discorsi dell'Arte Poetica* (editado en 1587 pero escrito alrededor de 1564) una reconciliación de las formas épicas y románticas. Según la teoría del Tasso la epopeya es un poema narrativo cuyo tema ha de ser romántico y variado y cuya forma debe ser épica y poseer unidad esencial. El tema será histórico, ni muy antiguo ni muy moderno, los hechos mismos serán nobles y grandiosos; la historia de que trate ha de ser aquella de la verdadera religión: el cristianismo; la acción será una pero variada en la riqueza de sus episodios; los sentimientos dominantes serán la ira y el amor; la estrofa del poema será la octava.[35]

¿Cuáles de estos elementos del poema épico que se han expuesto anteriormente forman parte de la epopeya de Ercilla? Sabemos que Ercilla fué influído por Ariosto y Tasso. Pero también se inspiró en Virgilio y en Lucano. De todas estas corrientes literarias hay huellas en *La Araucana.*

Al *Orlando* de Ariosto le llama Menéndez y Pelayo "novela en verso" y "poema fantástico-irónico", ambas denominaciones indican perfectamente las características principales del género que perfeccionó Ariosto y debieran hacer pensar a quienes relacionan a Ercilla con el autor del *Orlando* sin detenerse a considerar las enormes distancias que les separan. Hay quienes, no contentos con asignarle fuentes italianas, latinas y griegas, llegan hasta relacionarle con el autor de los *Niebelungen.*[36] Otros, como Alfred Coester, creen que todas las composiciones épicas aparecidas después de 1532 son imitaciones del *Orlando furioso* y entre las imitaciones "the most successful" *La Araucana. . .*[37]

Ningún crítico de Ercilla, dicho sea de paso, ha señalado con precisión cuáles son los hechos que prueban la influencia de Ariosto sobre Ercilla. Sería ridículo, por otra parte, negar esta influencia. Tan ridículo, precisamente, como considerar a *La Araucana* una imitación del *Orlando*. Sabemos que la continuación del poema de Boiardo gozó de gran popularidad en la España del siglo XVI y que Ercilla leyó con excelentes resultados algunas de las traducciones que en esa época se hicieron.[38]

Pero la originalidad de Ercilla se salva cuando comparamos el contenido y el espíritu de su obra con la de Ariosto. Éste es un poeta esencialmente imaginativo; verdad es que inventó muy poco ya que la mayor parte de los episodios que cuenta son tomados directamente de Virgilio, de Estacio, de Ovidio, de *La Ilíada*, etc.[39]; por lo menos, trabajó con material de imaginación. Ercilla, en cambio, es fundamentalmente histórico. Ariosto canta el amor, Ercilla rehuye el tema. Por todo el *Orlando* corre una ironía que es como la médula de su contextura. Ercilla es total e inocentemente serio. Ariosto se propone divertir y es, por lo tanto, cortesano; Ercilla produce un poema que encierra un mensaje social y es, a pesar de la forma, popular y guerrero. La influencia de Ariosto y en general de todos los italianos sobre Ercilla es limitada; se manifesta en detalles; es más bien un caso de influencia inicial, un motivo que Ercilla a través de su obra transformó poderosamente hasta llegar a una meta que, tal vez, ni él mismo imaginó.

¿Dónde se halla en *La Araucana* ese espíritu juguetón, esa burla que mueve todo el mundo de fantasías y exageraciones del *Orlando furioso*? La epopeya de Ariosto, como ya se ha dicho, es imaginaria; del Rolando de la canción de gesta Ariosto se ha quedado con una ilusión que ya no es historia ni leyenda, la imagen estilizada —con algo de *marionette*— de un héroe que no apasiona ni emociona sino meramente divierte y entretiene. ¿Cómo podría Ercilla con su carácter tan típicamente español y tan penetrado de la misión de su pueblo y de su época asumir semejante tono burlesco, mofarse del Imperio de Carlos V y Felipe II, ridiculizar los héroes que él mismo combatió, sin hacer escarnio de su propia vida y de todo lo que creyó y defendió peleando en Europa y América? Se habría negado a sí mismo. Cervantes tuvo que reemplazar el mito que destruía con otro de igual tamaño, pero de mayor universalidad y hondura que le ha conferido su trascendencia. Ni los héroes de La Araucana, ni el tono bélico de la poesía, ni la concepción del mundo de Ercilla, tienen que ver gran cosa con Ariosto.

Cuando se habla de la influencia del Tasso se suelen cometer asimismo algunos errores. Tampoco se fundamenta esta influencia con pruebas concretas. Por la cronología de Tasso y Ercilla sólo es posible afirmar que éste conoció La Gerusalemme al regresar de Chile a España, es decir, después de haber escrito la mayor parte de los episodios de La Araucana.[40] Puibusque tiene mucha razón, a mi parecer, cuando dice: "S'il n'eût commencé son poème qu'à cette époque, il est présumable qu'il aurait pris le Tasso pour seul modèle." [41]

Porque la verdad es que había una cierta comunidad espiritual entre ambos. Desde luego, en los dos se mezclaba el ideal religioso y el monárquico en forma de un impulso político de conquista y difusión; para ambos la forma épica de la antigüedad clásica era la única digna de expresar el nacimiento del nuevo mundo que ellos cantaban. Pero Tasso era un intelectual y Ercilla un hombre de acción. Tasso tuvo que escoger un tema del pasado para su obra, ya que, no habiendo tomado parte en las acciones bélicas de su tiempo, carecía de esa ilusión del testigo presencial que le permite atribuir una extraordinaria significación a sus experiencias por muy pequeñas que ellas sean dentro de la perspectiva histórica. El resultado fué que su epopeya se impuso como una obra de arte puro; pero no consiguió interpretar la tragedia de su pueblo —la fatal división política que mantenía postrada a Italia, víctima indefensa de los imperialismos europeos—, no contribuyó a unir y salvar a Italia, pues el símbolo que escogió estaba muy lejano en la historia, muy dormido en los intereses de las masas para ser capaz de producir consecuencias sociales. Rescatada de las tumbas y las cenizas de las Cruzadas, su epopeya nació muerta.

Y de aquí surge la diferencia fundamental entre Tasso y Ercilla, pues la epopeya de éste penetró en lo más íntimo del espíritu de una nación nueva. Ercilla, al entrar en contacto con América, reemplazó ese ideal religioso y monárquico que compartía con el Tasso por el ideal estrictamente político de la lucha por la libertad e independencia de los pueblos. Mientras *La Gerusalemme Liberata* suave y conmovedoramente se desliza de las manos del lector para yacer con toda dignidad en los anaqueles, *La Araucana* se ha hecho parte de la nación chilena y es ahora un mito que no puede desgajarse de su historia.

Melancólico, mesurado y lírico fué el Tasso y, tal vez, si Ercilla se hubiera quedado en España, bajo su égida habría hallado salida a esa vena amorosa que siempre parece a punto de irrumpir en *La Araucana* y que tanto desconcierta al poeta, ocupado tan sólo en contar batallas.

La tendencia histórica, la fe religiosa, la variedad de la acción, la nobleza y grandiosidad de los hechos, son características comunes de Ercilla y Tasso. Pero hay otros elementos en *La Araucana* de diverso origen. La actualidad de los acontecimientos recuerda la *Pharsalia*. El contenido poético que Ercilla descubre en las cosas mínimas y en los animales pequeños, la vitalización y humanización que de ellos hace por medio de hábiles comparaciones, le acercan a la visión primitiva de Homero. El uso de la "máquina", la decoración clásica de sus paisajes, parecen demostrar la influencia de Virgilio. No es mi propósito individualizar coincidencias entre Ercilla y estos autores. No creo en la significación de dos párrafos que se asemejan o en la igualdad de dos frases o la similitud de dos episodios, en cuanto a la naturaleza esencial de un poema se refiere.

Además de los puntos señalados que relacionan la obra de Ercilla con la epopeya clásica y la cortesana del Renacimiento, hay otros que la relacionan con la epopeya primitiva, por ejemplo: el tema, o sea la lucha épica en la formación de una nacionalidad; la definida preponderancia de lo bélico; el amor que es conyugal como en el *Poema del Cid*; recuérdese, además, cómo el anónimo autor de *La Chanson de Roland* rehuye el puro romance sentimental y no hace aparecer a Aude sino al final del poema.

Ercilla canta al amor ocasionalmente y en función de la tarea bélica y heroica que es lo fundamental; Fresia, Guacolda, Glaura aparecen junto a los campos de batallas para engrandecer las hazañas de los héroes en versos apasionados donde se expresa la ternura y el presentimiento fatal —episodio de Lautaro y Guacolda—, el dolor en la soledad de la muerte —Glaura buscando el cuerpo de su esposo—, o la imprecación violenta ante la vergüenza de la derrota— Caupolicán y Fresia.

Como el autor del *Poema del Cid,* Ercilla exhibe un interés mínimo en el paisaje, no describe cosas inanimadas sino por casualidad y se deleita en presentar acción y movimiento. Finalmente, *La Araucana* como toda epopeya primitiva está preñada de un sentido social y político; por toda ella, y especialmente en la actitud de los indios, se admira el patriotismo en ciernes, instintivo y pasional, de un pueblo que no consigue aún organizar sus instituciones pero que presiente a través del amor por su tierra la existencia de un poder superior, un símbolo o un ideal, que expresa a la comunidad y es la síntesis de todos sus esfuerzos.

Pero Ercilla ha llegado mucho más lejos todavía. Hay una clara diferencia entre él y los poetas medievales y cortesanos: Ercilla no se inspira en leyendas; no es el juglar que revive vidas heroicas atesoradas en manuscritos de monasterios, ni es el paje inspirado y retórico que celebra hazañas imaginarias o batallas de un pasado más o menos lejano. Ercilla es un guerrero y canta las acciones en que tomó parte o aquellas que le relataron testigos presenciales. Como los poetas clásicos él pudiera haber mezclado episodios risueños o amorosos a los de guerra, podría tal vez haberse divertido inventando gigantes e islas de ensueño como Ariosto; sin embargo, con cierta amargura y fatalismo que proporcionan la clave más importante para explicar su epopeya, nos ha dejado en *La Araucana* la siguiente confesión:

> Pues como otros han hecho, yo pudiera
> entretejer mil fábulas y amores;
> mas que tan adentro estoy metido
> habré de proseguir lo prometido.
> (Canto XV)

¿Por qué se aleja del ideal clásico y por qué, pudiendo imitar a los italianos en su propio campo, escribe, no obstante, una epopeya diferente y dándose cuenta de su innovación no *puede* evitarla? "...tan adentro estoy metido", dice, y es la verdad. Ercilla juega su propio destino en esa lucha épica de dos mundos. No hay tiempo para retóricas, es el instante en que la historia de América parece precipitarse en una crisis decisiva; cualquier cosa que se escriba resultará ser un "documento humano", será literatura de guerra, poesía histórica si se quiere, épico-social. Por esta razón, Ercilla no pudo encontrar un héroe individual para su poema, porque estaba demasiado ocupado consigo mismo, porque su poema era el testimonio de su propia transformación intelectual y social, de su encarnación en el mito araucano. Si Ercilla no se hubiera "metido tan adentro" habría producido una obra superficial, una imitación más de Ariosto sin trascendencia de ninguna clase. En cambio en su poema, que es de creación espontánea, si se me permite la expresión, y no premeditada, se puede ver el proceso de su adaptación inconsciente al destino del nuevo mundo. Su experiencia en Arauco ha hecho de él un nuevo hombre y este nuevo hombre y la obra poética que crea se quedan definitivamente en América.[42]

No quiere decir esto que Ercilla sea *el* héroe de *La Araucana*. Pues habiendo creado el mito heroico del araucano y siendo su intención inicial exaltar al conquistador español, en realidad tiene su epopeya un héroe colectivo, que no es ni el pueblo araucano ni el pueblo español, sino los dos al mismo tiempo; estas dos fuerzas luchando en el escenario de un continente recién descubierto y en una época cuyos ideales eran precisamente los de unir al hombre por encima de las fronteras convencionales, a través de los océanos y los desiertos, más allá de las cordilleras, unirles bajo el signo superior de la fuerza del espíritu y la cultura. En *La Araucana* no hay vencedores ni vencidos; en ella mueren ciertos hombres; ciertas batallas regalan de gloria a un bando hoy y a otro mañana. El resultado final de esa lucha es una maravillosa unión, el nacimiento épico de un nuevo pueblo hecho con la sangre hispana y la sangre india, cuya mentalidad y cuyo destino mostrará el sello de quienes lo engendraron.

El héroe de *La Araucana* es el pueblo, la masa —de España y Arauco—, en un caso invadiendo para mejorar la suerte del explotado bajo la monarquía absoluta, en el otro repeliendo la invasión para defender la suerte del hombre libre en

un territorio no tocado aún por la civilización. Esta intuición
maravillosa justifica la denominación de vidente que Emerson
aplicara al poeta. Significa que Ercilla presintió la floración
de una cultura en los estados del nuevo mundo y concibió un
sentido superior para esa guerra que otros pudieron considerar
una simple rebelión de bárbaros.

Se ha dicho que el araucano de Ercilla es un mito. Sí es
un mito, pero es uno de esos mitos que por su sola presencia
espiritual han contribuído a través de la historia al desarrollo
de una nación. Un mito activo. Las naciones necesitan del
impulso heroico de las leyendas para mantener esa dinámica
esencial que engendra su progreso.

Ercilla incorporó el mito araucano al arte de América y de
Europa. Al de América Ercilla llega con un mensaje de carácter social, ya que interpretó justamente lo que para nuestro
continente constituye en un momento de su historia el tema
fundamental, el tema épico por excelencia: la lucha por la libertad económica y política contra los imperialismos extranjeros. Al plantear en pleno siglo xvi este problema, tan váli-
do, por lo demás, entonces como ahora, Ercilla contribuye a
la formación de una conciencia americana. A este mensaje
social le dió la forma artística correspondiente: una epopeya
reformada, cuyos caracteres fundamentales son: un héroe colectivo; importancia de lo autobiográfico, el poeta no es ya el
mero cronista, sino el activo militante que une su esfuerzo
al del pueblo para hacer historia; sentido social y político a
través del planteamiento de problemas que atañen al interés
directo del pueblo; expresión realista, que no es improvisada
sino por el contrario viene a ser el resultado de una asimila-
ción perfecta del más distinguido pasado literario, una floración de la épica primitiva —esa que acompaña el nacimiento
de las naciones— en manos de un erudito del Renacimiento.

El todo de esta epopeya se halla animado por la presencia
de un espíritu generoso, de un carácter estoico, de una voluntad activa y un presentimiento de la relatividad de los esfuerzos humanos. Y estas condiciones pudieran darle a Ercilla la
universalidad misma de que gozara Cervantes. La diferencia
es cuestión de genio. Como el Manco de Lepanto nuestro
poeta-guerrero encuentra su destino en el trance de los des-

amparados y los oprimidos. Por la misma razón que ambos expresaron un mensaje formado con la médula de los sueños del pueblo, parece ser que los hombres libres de cualquier parte y de cualquier tiempo responden tan espontáneamente a sus creaciones.

De esto se deduce que la obra de Ercilla podría considerarse como una de las primeras manifestaciones de lo que desearía llamar la epopeya de un humanismo integral. Al decir humanismo no me refiero al interés por revivir la letra muerta ("revival of learning", se dice muy galantemente en inglés). Hablo del interés en el hombre. Y digo *integral* porque no pienso solamente en las formas puras que ofrecen el material para un arte abstracto. Pienso en el artista que concibe al hombre actuando en la sociedad de su época no como un fenómeno descontrolado, sino como un factor consciente del complejo mecanismo de la vida civilizada. El artista que así se enfrenta al mundo tiene un deber con el pasado y el presente. Ercilla nos ha dado un gran ejemplo al nutrirse en la cultura clásica que tuvo a su alcance y recrearla en el choque de una realidad nueva. Interesarse en el hombre no significa aislarlo y disecarlo en una autopsia intelectual; significa considerar los problemas de su vida en sociedad, penetrar y participar en el arduo proceso de su liberación de las cadenas que la naturaleza, la colectividad y él mismo mantienen a su alrededor. He aquí por qué no podemos escandalizarnos ante el poeta que nos da la epopeya de un descubrimiento científico ni ante el poeta que nos muestra las taras psicológicas de una masa al borde de una catástrofe social ni ante el poeta que celebra las victorias políticas —sí, políticas— de un pueblo que lucha por su independencia.

La Araucana con su mezcla de historia y ficción, de arte puro y arte social, con su mensaje político envuelto en galas que no son ni clásicas ni primitivas, sino de un tiempo nuevo, con su visión del hombre combatiendo y soñando, es un antecedente precioso para esos documentos épicos del humanismo moderno, surgidos de la guerra civil o de la guerra imperialista y que comienzan a hacer época no sólo en Europa con la obra de un Mayakovski o un Aragon, sino también en América. Por coincidencia notable Chile es, acaso, entre los países americanos el que da muestras más evidentes de esta floración de la nueva epopeya cuyos principios planteara inadvertidamente don Alonso de Ercilla. Bastaría recordar ahora que entre los innumerables poemas escritos a raíz de la última guerra civil española, los más auténticamente épicos son *España en el corazón* de Pablo Neruda y el *Canto a España viva* de Torres-Ríoseco. Por eso la discusión de *La Araucana* desde el punto de vista de la teoría de la epopeya era indispensable para este ensayo, ya que ofrece un nexo evidente con un sector de la poesía chilena contemporánea.

Valor literario de Ercilla

En las páginas precedentes he intentado caracterizar la clase de epopeya que escribió Ercilla. Manejando ideas y teorizando es fácil perder de vista el valor literario de una obra. Se nos podría preguntar y con mucha justicia: ¿significa todo lo anterior que Ercilla es un gran poeta? El hecho de que sea un precursor de una nueva tendencia no implica que en su obra haya genio poético. Si fuera a responder repitiendo la opinión general de la crítica la contestación sería negativa. Más bien prefiero analizar un tanto los elementos del poema y dejar al lector que juzgue por sí solo. La cualidad de una obra artística siempre permanecerá una materia de índole personal y enteramente relativa. Las grandes obras y los genios muchas veces son el producto de una opinión que se forma oscuramente, se desarrolla como una onda en el agua, toma fuerza y alcance y a través del tiempo se consagra como ley indiscutible. A veces la opinión no ha tocado siquiera la médula de la obra.

La actitud de Ercilla como escritor desconcierta y, en ocasiones, causa desconsuelo. No se sabe si reír o fruncir el ceño ante sus repetidas lamentaciones contra la aridez de su tema. No se puede, en realidad, hallar otro caso de menos malicia en el desempeño del oficio que el de Ercilla cuando nos dice en el prólogo a la Segunda Parte de *La Araucana*:

> Por haber prometido de proseguir esta historia, no con poca dificultad y pesadumbre la he continuado; y aunque esta Segunda Parte de *La Araucana* no muestre el trabajo que me cuesta,

todavía quien la leyere podrá considerar el que se habrá pasado en escribir dos libros de materia tan áspera y de poca variedad, pues desde el principio hasta el fin no contiene sino una misma cosa; y haber de caminar siempre por el rigor de una verdad y camino tan desierto y estéril, paréceme que no habrá gusto que no se canse de seguirme (p. 7).

Después de semejante introducción aun el lector más benevolente siente deseos de cerrar el libro y salir en busca de autor más confiado en sus propios medios y más seguro de la razón de su labor. En el Canto XX vuelve Ercilla a lamentarse de tener que continuar la historia y agrega un nuevo tono a su pesadumbre: la nostalgia de una poesía más risueña, más delicada y lírica:

> ¿Quién me metió entre abrojos y por cuestas
> tras las roncas trompetas y atambores,
> pudiendo ir por jardines y florestas
> cogiendo varias y olorosas flores,
> mezclando en las empresas y recuestas
> cuentos, ficciones, fábulas y amores,
> donde correr sin límite pudiera,
> y, dando gusto, yo lo recibiera?
>
> (p. 82)

La verdad es que Ercilla, dándose cuenta desde un comienzo de las dificultades que ofrecía el tema, prefiere advertir al lector y, luego, disculparse a través de la narración, evadiendo en parte la responsabilidad del primer defecto que nos salta a la vista en su poema: la monotonía. Lucha, se esfuerza y desespera para romper esta corriente de plomo que une batalla tras batalla, duelos y paradas militares. Cuenta la historia de Dido, imagina incidentes amorosos, organiza alegorías como la del mago Fitón en su caverna. Medio sofocado por el polvo que levantan los caballos vuelve sus ojos al mar y —tanto la guerra le había poseído— no se le ocurre sino incluir un relato de la batalla de Lepanto. Obrando deliberadamente no consigue romper esta monotonía; todos los episodios caen sepultados bajo el trote de las caballerías; las quejas de amor no logran cristalizar en medio del estrépito de las espadas; la fantasía se retira decorosamente ante la insistencia de la historia. Sólo al final del poema parece quebrarse este marco de acero. El poeta pierde el control de su obra, hay una precipitación incalculada, una serie de acontecimientos se entremezclan. El poeta olvida la técnica para relatar hechos que atañen demasiado directamente a su propia vida. La acción es rápida; hay sitio hasta para una discusión de los móviles de la guerra. El lector despierta para descubrir que el poema se ha terminado. Los críticos generalmente se enfadan y acusan al poeta de no saber seleccionar su material ni organizarlo.

Insisto en la espontaneidad de Ercilla por cuanto las pocas veces en que se refiere a los móviles de su creación lo hace de manera tan superficial, que no deja dudas acerca de su ignorancia de las proyecciones del poema. En un trozo del Canto XII (pp. 246-7), por ejemplo, tratando de explicar su obra dice que se esfuerza por ser lo más verídico posible y por mantener su expresión clara y desnuda de artificio. Y nada más. En el prólogo a la Segunda Parte anuncia la inclusión de episodios extraños a la materia del poema basándose en la necesidad de dar mayor variedad a la acción.

Todo induce a pensar que Ercilla no tuvo, desde el punto de vista de la técnica literaria, un plan preconcebido y no se dió cuenta de las perspectivas que tenía su poema. Por lo cual pudiera censurársele o, acaso, merecer un elogio si nos atenemos tan sólo a los resultados de su esfuerzo poético. Tantos escritores han expuesto una teoría estética para luego fracasar cuando trataron de hacerla realidad artística. Ercilla, sin dogmatizar, nos dejó los elementos para una teoría de la epopeya al mismo tiempo que una obra de creación admirable.

Otro defecto que se critica en Ercilla es su tendencia a describir lo abominable. La truculencia de algunas descripciones suyas va más allá de todo límite y, aun en un estudio crítico como éste, se resiste la pluma a repetir sus horrores. Podrá ser verdad que Ercilla escribió tales cosas en su afán de mantenerse objetivo y verídico; pero jamás estuvo más lejos de la finalidad del arte. El poeta tiene el deber de conferir grandeza artística a todo lo que toque; Ercilla no siempre lo consigue, pero también es cierto que otros poetas de igual o mayor fama fallaron en iguales circunstancias. Sin embargo, hay una oportunidad, por lo menos, donde Ercilla crea un clima au-

ténticamente poético nombrando y asociando objetos horri-
bles. En este sentido podría señalársele como un precursor
más de la *poesía maldita* que tantos cultores tiene en Europa
y América, especialmente entre los adeptos al surrealismo. El
pasaje a que me refiero se halla en el Canto XXIII y es una
pintura de la cueva del hechicero Fitón:

> Vimos allí del lince preparados
> los penetrantes ojos virtuosos,
> en cierto tiempo y conjunción sacados,
> y los del basilisco ponzoñosos;
> sangre de hombres bermejos enojados,
> espumajos de perros, que rabiosos
> van huyendo del agua, y el pellejo
> del pecoso chersidros cuando es viejo. . .
>
> (pp. 145-6)

La descripción va ganando en intensidad y sus elementos
se hacen cada vez más macabros: "moho de calavera destron-
cada", sangre, huesos, espinas, sierpes, dientes y venenos, se
mezclan formando una atmósfera que nada tiene que envidiar a las páginas más negras del Conde de Lautréamont.

La fantasía de Ercilla felizmente no necesita mucha reivindicación; le reconocen su poder hasta sus más enconados
adversarios. No es el tipo de fantasía ligero y sorprendente
que caracteriza a los poetas líricos; es un trabajo más hondo,
más amplio, que mueve la "máquina" clásica y otros recursos
académicos como la alegoría y el sueño a modo de profecía.
Nada tiene que criticársele a esa alegoría del Canto XXIII
donde Ercilla acompañado de su padrino observa las maravi-
llosas ilustraciones del suelo y las paredes de la vivienda del
mago.

Pero donde más se manifiesta la imaginación de Ercilla
es en sus comparaciones. Con justicia se le iguala a Homero en este respecto. Su mirada es agudísima y la mano dibuja con tres o cuatro líneas una imagen espectacular por lo
gráfica. Su técnica no es la del retratista sino la de una cáma-
ra que toma instantáneas.

No le faltó a Ercilla la gracia milagrosa del poeta puro; su
imagen es limpia y directa sin perder el tono bélico cuando
en medio de una batalla dice:

En un punto los bárbaros formaron
de puntas de diamante una muralla.
(IV, 72)

Color y dinamismo vitalizan esta otra:

Y del primer encuentro hecho un hielo,
Pero Niño tocó la blanca arena,
bañándola de sangre en larga vena.
(VI, 82)

Su poesía guerrera se mantiene adusta y sólida pero brilla
por lo audaz de la expresión y lo desconcertante de sus asocia-
ciones. Entran los españoles en Concepción, por ejemplo, y el
desembarque lo cuenta Ercilla en una estrofa que contiene
como una fuerza eléctrica antes de la descarga. Es el silencio
que precede al ataque, la ira de los elementos y el paso del
hombre, veloz hacia la muerte:

Que el viento ya calmaba, y en poniendo
el pie los españoles en el suelo
cayó un rayo, de súbito volviendo
en viva llama aquel ñubloso velo;
y, en forma de lagarto discurriendo,
se vió hender una cometa el cielo;
el mar bramó, y la tierra resentida
del gran peso gimió como oprimida.
(XVI, 15)

Las descripciones de carácter realista no faltan tampoco
en La Araucana. Es verdad que el paisaje descrito por Ercilla
es, generalmente, convencional; el arroyo clásico dibuja su
sendero cristalino por los prados de Ercilla y es el mismo arroyo de Virgilio, de Petrarca y Garcilaso. A veces, sin embargo,
un relato se graba poderosamente en su memoria y lo recuerda más tarde el poeta con nitidez admirable.

He aquí una octava donde se narra el incendio de Concepción:

Por alto y bajo el fuego se derrama.
Los cielos amenaza el sol horrendo.
De negro humo espeso y viva llama
la infelice ciudad se va cubriendo:

truena la tierra en torno, el fuego brama,
de subir a su esfera presumiendo:
caen de rica labor maderamientos
resumidos en polvos cenicientos.

(VII, 139)

Podría citar sus descripciones de los pantanos (XII, 237)
en la actual región de Curicó o del río Itata y la Cordillera
(XII, 240) o del Archipiélago de Chiloé (XXXVI) o esa
tempestad que concluye la Primera Parte y en la cual el mar y
el viento del sur de Chile se hacen presentes con toda su violencia, para recordarles a los críticos que no siempre viajó Ercilla con un paisaje convencional frente a los ojos. El mismo
Latorre cita en *La literatura de Chile* (p. 42) aquella estrofa
sobre las frutillas que debiera ser el diploma que hace a Ercilla miembro fundador de la academia de los criollistas:

Mas con todo este esfuerzo, a la bajada
de la ribera, en parte montuosa,
hallamos la frutilla coronada
que produce la murta virtuosa;
y aunque agreste, montés, no sazonada
fué a tan buena sazón y tan sabrosa
que el celeste maná y ollas de Egito
no movieran mejor nuestro apetito.

(XXXV, 376)

El tema favorito de sus descripciones es el *alba*. Un poder
mágico tiene ese instante para el poeta: le cautiva y lo describe en diferentes tonos, ensayando siempre nuevas imágenes
con cierto regocijo especial, cierta emoción romántica que indica la presencia real del poeta en el paisaje y el desaparecimiento, por un instante, de toda retórica:

Ya la espaciosa noche declinando
trastornaba al ocaso sus estrellas,
y la Aurora al oriente despuntando
deslustraba la luz de todas ellas,
las flores con su fresco humor rociando,
restituyendo en su color aquellas
que la tiniebla lóbrega importuna
las había reducido a sólo una.

(XXXV, 187)

Es interesante observar, por otra parte, que Ercilla además
de ser un poeta de masas consigue, por lo general, individualizar muy nítidamente sus caracteres. Es difícil olvidar las
escenas de los varios Consejos araucanos; el entusiasmo colectivo, la ansiedad antes de alcanzar una decisión, las disputas
entre los jefes, las celebraciones, los torneos, los gritos y cantos indígenas, la voz de un hechicero o un capitán que se
alza sobre el coro y con emoción sostenida exalta la guerra,
la rebelión, o expresa el terror primitivo ante el peligro de los
malos hados o la furia y el odio ante los avances del enemigo.
Una sinfonía es el poema en donde el coro de las masas asume
el papel de primera importancia. Sin decir nombres, sin penetrar en la psicología de los caracteres, tan sólo a causa de lo
maravilloso de su poder para observar gestos y acciones, Ercilla hace vivir en sus octavas a estos grupos de españoles y de
indios. Hay una escena en el Canto IV, donde los guerreros
toman un descanso después de una violentísima pelea y mientras reponen sus fuerzas se insultan, cuyo realismo es verdaderamente admirable:

> Mirábanse del uno y otro bando
> en el sitio y contrario alojamiento,
> cubiertos de agua y sangre y jadeando,
> que no pueden hartarse del aliento:
> los fatigados miembros regalando,
> el pecho y boca abierta al fresco viento,
> que con templados soplos respiraba,
> mitigando del sol la fuerza brava.
> Y desde allí con lenguas injuriosas
> a falta de las manos se ofendían:
> diciéndose palabras afrentosas
> la muerte con rigor se prometían;
> y a vuelta de esto, flechas peligrosas
> los enemigos arcos despedían. . .
>   (IV, 80)

Se ha visto anteriormente cómo todos los críticos están
de acuerdo en elogiar la maestría de Ercilla en la pintura de
los caracteres araucanos. No hace falta dar aquí ejemplos para
convencernos de la grandeza de un Caupolicán, el tuerto fiero, de un Colo-Colo sabio razonador, de un Lautaro, el capitán por excelencia, de un Tucapel o un Galvarino, sublimes en

su indomable porfía. Hay en el poema caracteres que aparecen brevemente, una o dos veces a lo sumo, hablan poquísimo y, no obstante, se graban en la mente del lector como aguas fuertes de un pintor impresionista. El hechicero Puchecalco es uno de ellos.[43] Andresillo, el traidor, no le va en zaga; su actuación viene relatada en el Canto XXXI y es uno de los aspectos de *La Araucana* donde se nota la cualidad de novelista que estaba latente en Ercilla. El episodio está tejido cuidadosamente. No descuida Ercilla ni el gesto siniestro del renegado al entregar el secreto que causaría la derrota final de Lautaro. Los chilotes aparecen descritos en dos ocasiones (XXXV, 368 y XXXVI, 381) y en ambas la retórica ha sido reemplazada por un realismo que contentaría al más naturalista de los narradores modernos.

Donde más se hace notar la artificialidad de Ercilla, según el consenso general, es en la pintura de los caracteres femeninos. Cuando Ercilla describe la presencia física de las indias es indudable que no está mirando la realidad inmediata... Tiene un ideal clásico frente a los ojos que le oculta la verdad de las cosas. Pero estas mujeres —concedido el hecho de que no son araucanas— por no ser araucanas no dejan de ser mujeres... Lo son y mucho más que ciertas damiselas de las comedias del Siglo de Oro, por ejemplo. No voy a negar que el episodio de Lautaro y Guacolda es mero artificio literario, pero no se dejará de reconocer que la emoción de la esposa que presiente la muerte del héroe está muy auténticamente expresada y que sus lágrimas y sus abrazos en tales circunstancias poco tienen de retórico. Tampoco veo nada falso en estas palabras con que Tegualda describe el nacimiento de su pasión amorosa:

> Sentí una novedad que me apremiaba
> la libre fuerza y el rebelde brío...
> Alcé los ojos tímidos...
> Roto con fuerza súbita y furiosa
> (de la vergüenza y continencia) el freno,
> cebando más la llaga...
>
> (XX, 96)

> No sé si fué su estrella o fué mi hado,
> ni las causas que en esto concurrieron,

> que comencé a temblar, y un fuego ardiendo
> fué por todos mis huesos discurriendo...
>   (XX, 95)

El episodio de Glaura es uno de los pocos trozos de *La
Araucana* donde la poesía sentimental y de pura imaginación
juega un papel tan importante como en los poemas de Ariosto
o Tasso. Lo recuerdo aquí porque considero injusta la crítica
de Medina cuando afirma: "No se justifica, pues, de manera
satisfactoria el desenlace de la aventura que la lleva a unirse
con el joven indígena" (*op. cit.*, p. 11).

Como se recordará Glaura tenía un pretendiente, Freso-
lano, a quien ella no amaba. Muerto éste en una escaramuza,
Glaura huye por el bosque y es atacada por dos negros. A
punto de ser violada, aparece Coriolano, un joven indio, que
la salva y conquista de inmediato su amor. Coriolano cae
prisionero de las huestes de Ercilla; éste, después de oír el
relato que hace Glaura, decide magnánimamente ponerles en
libertad. Los elementos del episodio están sacados, como será
fácil observar, de fuentes italianas y españolas. No sería raro
que Ercilla se hubiese inspirado en la *Aminta* de Tasso para
describir la fuga de Glaura y el ataque de que es víctima[44] y,
tal vez, en la historia de *El Abencerraje y la hermosa Xalifa*
para el desenlace de su breve narración. De más está decir
que las palabras de Medina son de una inocencia sólo comparable a los retoricismos del poeta. Que se discuta la conve-
niencia de un noviazgo de años para legitimar un matrimonio
real o literario parece cosa de catecismo dominical, pero el
distinguido historiador lo discute y seriamente. ¡Qué escan-
daloso y absurdo le parecería al señor Medina entonces el caso
de Angélica que huye a través de todas las páginas del *Orlando
furioso* rechazando a su novio y otros interesados para entregarse, al fin, en los brazos de Medoro, el anónimo soldado a
quien encuentra herido en el campo de batalla!

La actitud de Ercilla con respecto a la mujer es, a través
de todo el poema, respetuosa y llena de dignidad varonil. En
la polémica de su época acerca de los méritos y defectos del
sexo femenino Ercilla se encuentra sin lugar a dudas en el bando del Condestable de Luna, Rodríguez del Padrón y Diego

de Valera, y una buena prueba es la siguiente estrofa, sin mayor mérito poético pero clara en sus intenciones.

> Cese el uso dañoso y ejercicio
> de las mordaces lenguas ponzoñosas,
> que tienen de costumbre y por oficio
> ofender las mujeres virtuosas;
> pues, mirándolo bien, sólo este indicio
> sin haber en contrario tantas cosas,
> confunde su malicia y las condena
> a duro freno y vergonzosa pena.
>
> (XXI, 103)

El episodio de la reina Dido, insertado con el objeto de "reivindicarla" es un testimonio más de la galantería del poeta y una prueba, si hemos de creer a M. Ducamin, de su devoción por Petrarca, quien le había precedido ya en la empresa.[45] No se crea que don Alonso de Ercilla es muy ingenuo tampoco, ya que sus cuadros de mujeres enfurecidas —las araucanas en la batalla, doña Mencia en Concepción— indican a las claras un conocimiento más completo del sexo "débil" por su parte. La ironía tampoco la desconoce Ercilla y en un rasgo que le hubiera celebrado el Arcipreste de Talavera inserta la siguiente octava en medio del relato de una batalla:

> Otro, pues, que de Córdoba se llama,
> mozo de grande esfuerzo y valentía,
> tanta sangre araucana allí derrama,
> que hizo más de cien viudas aquel día:
> por una que venganza al cielo clama,
> saltan todas las otras de alegría:
> que al fin son las mujeres variables,
> amigas de mudanzas y mudables.
>
> (IV, 76)

No es raro hallar en Ercilla otros incidentes en que se revela a la vez ingenuo y socarrón, desplegando ese humorismo tan candoroso y al mismo tiempo tan de taberna medieval que presta sabroso encanto a ciertas páginas del Cid, de Berceo, del Arcipreste de Hita y del Romancero. Por ejemplo, hay en el Canto IX el relato de una milagrosa aparición de la Virgen María y de un anciano que supongo sea San José. El poeta inicia el Canto disculpándose en todos los tonos por lo que va relatar. Si no se ven milagros en nuestra época, dice, "es causa de haber agora pocos santos". Para todo halla el hombre una explicación natural, y sin embargo la divinidad permite en ocasiones que el orden natural se exceda aunque no sea más que para reducir a la fe a este puñado de indios atacando a la Imperial. Los españoles, pues, van perdiendo la batalla y parecen a punto de rendirse. En medio de una tempestad de agua y granizo el demonio se había aparecido en el campo araucano inspirándoles un desesperado heroísmo. Para no ser menos, el cielo, haciendo gala de mayores recursos, acaba de pronto con truenos y relámpagos y viste el campo de alegría:

> ...con claro y presuroso vuelo
> en una nube una mujer venía
> cubierta de un hermoso y limpio velo,
> con tanto resplandor, que al medio día
> la claridad del sol delante della
> es la que cerca dél tiene una estrella.
> (p. 164)

La visión se completa con la presencia del anciano. La Virgen María con manera gentil y ternura maternal les dice a los acobardados araucanos:

> ...¿Adónde andáis, gente perdida?
> Volved, volved el paso a vuestra tierra,
> no vais a la Imperial a mover guerra.
> (pp. 164-5)

Después de pronunciar otras pocas frases "por el aire espacioso subió al cielo". Ercilla no vió el milagro pero ¿por qué no contarlo en su poema cuando "los indios no dejan de afirmarlo"? Para mayor autoridad el poeta estampa la fecha:

> A veintitrés de abril, que hoy es mediado,
> hará cuatro años, cierta y justamente,
> que el caso milagroso aquí contado
> aconteció...
> (p. 165)

Consecuencia de la aparición fué una deplorable ruina, "hambre, dolencia y otros daños", los indios se tornaron caníbales, "inorme introducción, caso inhumano", el hermano se comió al hermano,

> tal madre hubo, que al hijo muy querido
> al vientre le volvió do había salido...
>
> (p. 166)

Se podrá creer que Ercilla escribía esto en serio, pero al leerle no puedo dejar de pensar en esos corridos tradicionales en los cuales el versificador relata sus barbaridades con la maliciosa mirada puesta en las gentes ignorantes y supersticiosas que se solazan en la truculencia.

La poesía chilena desde la Colonia hasta el presente ha manifestado una clara tendencia hacia lo ideológico y esa tendencia tiene un magnífico principio en *La Araucana*. Digo magnífico pensando en la universalidad y la grandeza del mensaje de Ercilla. Mayor belleza lírica se encontrará más tarde en Oña, muchos le superaron en la propiedad del lenguaje o en la sabia distribución de la rima; su imaginación es casi insignificante si se piensa en algunos de sus contemporáneos, en Lope, Cervantes o Camoens. No obstante, Ercilla es para nosotros, hispanoamericanos, el fundador. A través de nuestro ensayo su nombre se repetirá una y otra vez, pues su sombra se halla presente en los más distintos ambientes, populares o cultos, de la poesía chilena. Para el mundo de hoy un poeta como Ercilla posee el valor de una consigna. Se hace necesario que el intelectual aprenda a defender su patrimonio del modo que todos los hombres defienden lo que es suyo: por medio de la militancia, de la integridad y valentía personal, por medio de la palabra tanto como de la acción. No pretendo justificar la transformación del poema en un panfleto. No podría negarse que en *La Araucana* se pierde grandemente la fuerza de la idea fundamental del poeta —la lucha por la libertad— a causa de la pobre inspiración que la sostiene. Es el caso de mucha poesía moderna hecha de frases sueltas de cartel o de volantes que no mueve a los hombres ni como prosa ni como poesía, porque no es ni lo uno ni lo otro, sino el balbuceo de una mente bien intencionada pero desprovista de genio artístico.

Hispanoamérica y Chile en particular deben estudiar una
lección de política y de moral, ya que no tanto de arte puro,
en la obra de Ercilla. Su doctrina es sencilla y está expuesta
con gran elocuencia en las arengas de Colo-Colo (Canto II),
de Lautaro (Canto III) y de Galvarino (Canto XXVI), y
en las introducciones a cada canto. Ercilla es católico y de
este modo sus prédicas, en cuanto a moral se refieren, son
todas inspiradas en el catecismo cristiano. No pierde de vista
a su auditorio y constantemente está atacando los vicios que
más caracterizaban a los españoles de su compañía: la avaricia,
como ningún otro. Su actitud moral frente a la vida —producto de una fe aceptada por tradición tal vez y por lo tanto
de escasa trascendencia filosófica— es típica de su siglo: es
amargo el paso por este mundo, es necesario tener resignación
estoica y mantener viva la esperanza en la recompensa divina.
Su adhesión al Rey no ha de ponerse en duda pero es, a mi
juicio, de la misma naturaleza que su cristianismo: con mucho
de retórica y de conformismo por tradición.

Las páginas vivas de *La Araucana* son aquellas en las
que el poeta deja correr libre su entusiasmo y expone su credo
libertario y patriótico; allí está su verdadera concepción de la
vida. Colo-Colo afirma en su arenga que no lo mueve la ambición de cosas terrenas, no lo mueve la ambición del mando,
sino el puro amor que siente por la tierra y sus hijos, y luego
se pregunta cómo un pueblo que ha sido derrotado en el campo de batalla cayendo víctima del invasor extranjero, puede
perder su energía en luchas intestinas en vez de unirse y
volver airado un solo frente para expulsar al enemigo y romper
las cadenas de la esclavitud. Esto puede parecer retórica al
erudito para quien el mundo acaba más allá de su gabinete;
puede parecer retórica a un mal ciudadano que transige con
el invasor para salvar su comodidad personal, a un mal inten-
cionado crítico que esconde su impotencia detrás de un arte
puro. A las generaciones de hoy educadas en la metralla, en
la traición, en el abuso, en la violencia de una guerra sin ideales, las palabras de Colo-Colo son más que una arenga, son
un emblema. Como lo es también la encendida requisitoria
a combatir que pronuncia Lautaro al comienzo de la batalla
de Tucapel. El tono épico más genuino la enaltece:

¡Oh ciega gente del temor guiada!
¿A dó volvéis los temerosos pechos?
Que la fama en mil años alcanzada
aquí perece y todos vuestros hechos...
De señores, de libres, de temidos,
quedáis siervos, sujetos y abatidos...
Mirad de los contrarios la impotencia,
la falta del aliento, y el fogoso
latir de los caballos, las ijadas
llenas de sangre y de sudor bañadas...
Fijad esto que digo en la memoria,
que el ciego y torpe miedo os va turbando;
dejad de vos al mundo eterna historia,
vuestra sujeta patria libertando:
volved, no rehuséis tan gran victoria,
que os está el hado próspero llamando:
a lo menos firmad el pie ligero,
a ver cómo en defensa vuestra muero. (III, 54)

La vida entera del joven capitán es a través de *La Araucana* una empresa de aventura y gloria en aras de la libertad de la patria; una empresa basada en el vigor y las esperanzas del pueblo, porque con el pueblo se moviliza por las selvas
de Arauco, por las llanuras del Valle Central y en las inmediaciones de Santiago. Su muerte marca el comienzo de la gran
derrota araucana, el desaparecimiento de una nación que revive en un mito. Y es Galvarino quien expresa esta amargura,
que es otro gran presentimiento de Ercilla, pues Arauco después de entregar su esencia a la formación del nuevo pueblo
de Chile, cae víctima de otra explotación, más cruel y más
imperdonable, la del criollo transformado en latifundista quien
lo acorrala y lo combate en los últimos rincones de la selva
hasta acabar con él sofocando sus rebeliones en sangre y apoderándose de sus postreros reductos:

No penséis que la muerte rehusamos
que en ella estriba ya nuestra esperanza:
que si la odiosa vida dilatamos
es por hacer mayor nuestra venganza:
que, cuando el justo fin no consigamos,
tenemos en la espada confianza,
que os quitará (en nosotros convertida)
la gloria de poder darnos la vida. (XXVI, 209)

II. *Oña, el Arauco Domado*

Guay, guay, amada patria, Arauco triste
¡cuán otro te verás del que te viste!
Arauco domado, Canto II

"Arauco domado"

Con Pedro de Oña se inicia la poesía lírica chilena. Con él, que trató, por todos los medios posibles, de ser un gran poeta épico. Juzgar sus obras dentro de los cánones de la epopeya es un error, puesto que su adhesión a la épica es meramente circunstancial y en nada atañe a la naturaleza íntima de su poesía. Me atrevería a decir que no es preciso considerar toda su obra para apreciarle, sino por el contrario, que sería muy conveniente formar una restringida selección de ella y a su luz tan sólo reconstruir la contextura eminentemente lírica de su genio. Pues la verdad es que si Oña hubiese vivido en otra época no habría intentado la ejecución de un vasto poema, sino que habría vertido su inspiración en moldes pequeños y refinados, en un florilegio de poemas líricos, épicos y místicos, cuyo título ideal habría sido *El vaso de oro*.

Este será, pues, mi punto de vista para estudiar a Oña. Nada me importa que el *Arauco domado* o *El vasauro* sean en su conjunto un fracaso como epopeya. Mucho más me interesa destacar aquellos pasajes aislados donde se siente la originalidad de su expresión y a través de los cuales puede organizarse una concepción de su poética, la misma que vendrá a revivir en las más recientes generaciones de poetas cultistas de Chile.

Un español nacido en Chile

Solar Correa ha dicho refiriéndose al *Arauco domado*: "Un estudio crítico del poema será siempre, por eso, un constante parangonar, un perpetuo ir y venir de Ercilla a Oña y de Oña a Ercilla."[1]

Semejante criterio conduce inevitablemente a conclusiones desfavorables para Oña, pues cuando éste imita a Ercilla se pierde en un medio que le es totalmente extraño. Si su obra no fuera sino una mediocre imitación de *La Araucana*, Oña no tendría un lugar en la historia de la literatura; su valor y su trascendencia dependen exclusivamente de la medida en que se aleja de su maestro, y se basan en el vigor subconsciente de su temperamento lírico que a ratos logra romper los marcos del modelo heroico y se despliega jubilosamente en un ambiente pastoril típico del Renacimiento.

La mala fama de Oña se debe a que ha sido víctima de las comparaciones; de comparaciones erradas deberíamos decir. La crítica española ni siquiera se ha detenido a estudiar su caso. Se le condena sin leérsele a veces o, en el mejor de los casos, sin tratar de hendir la superficie de sus imitaciones para sacar a resplandecer su propio tesoro. En Chile ha tenido suerte variada. En la mayoría de los casos se le acepta por costumbre[2] o con cierta condescendencia —Solar Correa— o como un precursor —Gerardo Seguel.[3] Solar Correa ha escrito la mejor apreciación general de Oña; Seguel la más aguda e interesante. El ensayo de Solar Correa es enteramente objetivo y posee una importancia más bien pedagógica, por eso no lo discutiré en estas páginas. Al de Seguel no quisiera poner reparos; el deseo de ser imparcial, no obstante, me impide estar completamente de acuerdo con su interpretación.

Seguel peca por sus buenas intenciones; se empeña en convencer a sus jóvenes lectores de que Oña fué un adalid de la democracia y del progreso y un ferviente enamorado de las cosas de Chile. "Sólo la justicia y el progreso pudieron y pueden contarlo entre sus adherentes incondicionales" (p. 53).

Querría estar de acuerdo con esta afirmación y aceptar a Oña junto a Ercilla como un precursor de los movimientos libertarios de ayer y de hoy en nuestro país, pero es imposible. Solar Correa, Seguel y otros siguen pensando que Oña al decir patria se estaba refiriendo a "Chile". La verdad es que pensaba en su rey, en la suerte de España y en el bien que significaría para ellos la derrota de los araucanos y la victoria de los conquistadores.

"Amigo incondicional de los araucanos" fué Oña, según Seguel. Nótese su amistad en los siguientes versos:

> ¿Qué víbora, qué sierpe ni culebra
> se puede comparar al araucano?[4]
>
> (XI, 396)

Cuando trata de la revolución de Quito se pone incondicionalmente al servicio de Felipe II. El pueblo es para él "vil canalla", "vulgo malhechor y pueblo ingrato". El secreto de la revolución se averigua:

> Por ser efecto propio de traidores
> que venga su secreto a revelarse
> así como pretenden rebelarse.
>
> (XV, 517)

Hay otros aspectos de su poema en que su desprecio por el indio aparece un tanto más disimulado pero no menos agudo. Se recordará que en *La Araucana* los indios constantemente se reúnen en Consejos para pronunciar arengas donde se incita a la guerra y se templa el ánimo en ideas de libertad y amor patrio. En el *Arauco domado* los araucanos reciben la inspiración a pelear de parte de los infiernos; Caupolicán les llama con un cuerno pero no les habla. De Tucapel nos da una caricatura. De feroz se transforma en truculento; herido y acosado da en martirizarse aumentándose las llagas y entregándose, a la postre, al llanto más desconsolado... Gualema, su mujer, tanto se emociona ante el espectáculo que:

> Doblósele por ello la tristeza,
> y de rosada púsose amarilla
> haciendo de sus ojos dos vertientes
> de cristalinas lágrimas calientes.
>
> (XIII, 472)

Esto es *guignol* de mala alcurnia. Tucapel no es la sola víctima de Oña; arremete por allí con Galvarino, el mártir soberbio de *La Araucana* de quien nos dice que es un traidor que ataca a mansalva, en un retrato que acaba con esta octava:

> Era este Galbarín de mal respeto,
> de mala inclinación, enorme y crudo,
> así para lo bueno torpe y rudo,
> como en lo malo plático y discreto;
> de quien jamás se tuvo buen conceto,
> doblado, contumaz y cabezudo,
> soberbio en condición, humilde en casta,
> y a todo bien ingrato, que esto basta.
>
> (X, 362)

Ni duda cabe de que basta; pero sigue la serie y su víctima, a continuación, es Lautaro. Aparece éste en calidad de fantasma en una escena que está copiada del Libro II de *La Eneida*. He aquí algunos rasgos del joven héroe aparecido de ultratumba:

Vi su cabeza casi un casco mondo
con cuál y cuál por ella largo pelo. . .
Su boca, ya de lobo y más escura
lanzaba espeso humo por aliento;
sudaba un engrosado humor sangriento
su laso cuerpo y lóbrega figura. . .
(XIII, 460)

Es verdad que más adelante reconoce que tuvo un corazón muy bravo pero la introducción es suficiente para hacerse una imagen un tanto desconsoladora del joven capitán. Por lo demás, no desperdicia oportunidad de escarnecer su memoria y el episodio mismo de su amor con Guacolda, que en términos tan sublimes se interrumpe en *La Araucana*, le da pábulo para inventar un melodrama enteramente ridículo. Lautaro cuenta que su muerte se debió a la traición de Catiray, pretendiente secreto de Guacolda. Desaparecido el esposo, Catiray la persigue haciéndose pasar por su pariente; ella, sin embargo, le rechaza.

Mas, ¡Ay amor de hembra! ¡Burla y juego!

anota Oña y luego el fantasma de Lautaro añade:

Al yugo de un hispano sometiste
el cuello de que siempre me colgaste. . .
En vida solamente me seguiste,
y en muerte, como sombra, me dejaste. . .
(XIII, 468)

El resultado, pues, se concreta en la siguiente nota que Oña muy doctoralmente puso al pie de la página de la edición madrileña:[5] "En este tiempo se había ya Guacolda casado con un español." [6]

Pero no sería hacer justicia a Oña el citar solamente sus ofensas al mito araucano que creara Ercilla; también pudo en ocasiones ser independiente y progresista, atacar sin timideces los abusos del encomendero español y defender al indio explotado con actitud que recuerda la generosidad del padre Valdivia y sus discípulos. No nos ceguemos, sin embargo, y equivoquemos sus móviles. Para Oña hay una obligación suprema a través de todo el *Arauco domado*: elogiar a don García Hurtado de Mendoza. Se le estaba pagando para que lo hiciera.[7] Cuando el "joven sabio" llega a costas chilenas nada más oportuno y conveniente que hacerle enfrentarse a una situación injusta y presentarle de inmediato deshaciendo entuertos. Cuenta Oña, por lo tanto, las miserias que sufre el indio bajo la dominación de inescrupulosos encomenderos, especialmente en las minas.

> El siervo no ha de ser tan mal tratado
> que siempre sus espaldas mida un leño...
>
> (III, 98)

dice sentenciosamente. Don García pone drásticos remedios al mal:

> Él fué moderador de tanto exceso,
> de tanta libertad y exorbitancia...
> Aligeró a los pobres de su peso,
> solicitando en todo su ganancia...
>
> (III, 99)

Mandó que sólo a los varones se permitiera tomar parte en las duras faenas de la mina, excluyendo a los niños y ancianos; que se diera al indio una remuneración por su trabajo; que hubiese alcaldes en las minas; que la comida fuera transportada por medio de bestias, evitando a las mujeres ese esfuerzo.

> Así dejó a los pobres redimidos
> de tantas insolentes vejaciones
> y de tan insufribles afliccionẹs
> a llevadera vida conducidos...
>
> (III,106)

Es preciso notar que a través de todo este pasaje Oña no demuestra sino una simpatía piadosa a favor del indio; se conduele de su suerte en actitud simplemente cristiana:

¡Oh, qué desaforado desafuero
usado con los pobres naturales!
(III, 104)

Y es que su personalidad, su formación cultural, sus intereses todos le impiden sentirse nativo de su tierra en el sentido que a nosotros nos hubiera gustado y le impulsan y le mantienen dentro de la órbita del Imperio español que es, sin lugar a dudas, su única y verdadera patria. Oña no logra identificarse con el indio, ni siquiera con el criollo de la manera que lo harían, por ejemplo, el padre Isla o Gómez de Vidaurre. De un hombre así se diría hoy que era un aristócrata, en más de un sentido, pues lo era en el arte tanto o más que en la vida social.

Lástima que no conozcamos en detalle su biografía. Sabemos solamente que nació en Angol —un puesto avanzado en la guerra de Arauco— por los años de 1560 a 1570; que en 1590 se hallaba estudiando en el Real Colegio Mayor de San Felipe y San Marcos en Lima; que en 1592 fué a Quito con las huestes que sofocaron la revolución contra las alcabalas; que al siguiente año entraba en el curso de Teología en Lima y en 1596 publicaba la primera edición de su *Arauco domado* en la misma ciudad. Sabemos además la fecha de publicación de sus obras menores, y es todo.

Que haya nacido en Angol es una mera circunstancia en su vida. Más importante puede ser el hecho de que fué allí en medio de la guerra misma donde los mapuches le mataron a su padre. Oña era entonces un niño y quién sabe qué efecto poderoso ejerció en su espíritu esta tragedia. Pudiera ser que desde entonces haya empezado su desarraigamiento de Chile. Del paisaje de esa tierra austral nada le quedó en su recuerdo; rápidamente lo reemplazó por un paisaje convencional y renacentista; vió a la Arcadia mirando a Arauco. Como con disgusto recuerda las costumbres y supersticiones de los indios, aunque se enorgullezca de su conocimiento de primera mano.[8] Se deleita en hacerles hablar como humanistas, rivalizando con Garcilaso en el trato que le da a sus pastores. Huye de la tierra,[9] se cobija en el eterno paisaje de una poesía del cielo, del aire, de los colores. Su fuga de la realidad habrá de consumarse en *El vasauro*, una magnífica "epopeya" de ilustres fantasmas.

Hay un solo trozo del *Arauco domado* donde Oña parece sentir honda y genuinamente un fervor por Chile y la suerte de los chilenos. Es en la arenga que pronuncia Galvarino en el Canto XII (pp. 417-9). Difícilmente podrá hallarse una expresión más poderosa y henchida de genuina indignación en otro poeta español de cualquier época. Hace pensar en los versos más combativos de los tiempos modernos, en el odio social de un César Vallejo, en los anatemas de Neruda contra los generales fascistas, en la poesía de los anónimos combatientes españoles de la guerra civil después de la derrota. Su tono es épico y nada tiene que envidiar a lo mejor de Ercilla.

> ¿Pensáis que por llevarme desta suerte
> ya me tenéis vencido, vil canalla,
> o que forzado voy a la batalla
> y riguroso trance de la muerte?

dice Galvarino dirigiéndose a los esclavos indios que le llevan al suplicio, y agrega:

> ¿De qué nación tan bárbara se sabe
> que ofenda su linaje y propia tierra
> por excusar el peso de la guerra,
> juzgando que el servir es menos grave?
> ¡Traidores! en vosotros sólo cabe
> y en esos pechos pérfidos se encierra,
> según lo que tenemos hoy delante,
> atrocidad y crimen semejante...
>
> (XII, 417)

A su tierra se refiere con dulzura herida:

> Mas, aunque no lo puede hacer mi diestra,
> no dejo de morir con alegría,
> muriendo por la dulce patria mía,
> que es una misma cosa con la vuestra;
> y no es mi voluntad llamarla nuestra,
> por no contarme en vuestra compañía,
> ni conceder ¡oh Chile! que te llames
> engendrador de hijos tan infames.
>
> (XII, 417)

La estrofa final posee un acento varonil que se torna sublime en la derrota:

> Yo muero, casta vil, porque defiendo
> la tierra que pisáis y os ha engendrado;
> vosotros, por haber degenerado,
> pensando que vivís, estáis muriendo...
>   (XII, 419)

¿Cómo conciliar conceptos tan dignos con la actitud general de su obra y su persona? Es verdad que al iniciar la arenga
se ha propuesto seguir imitando a Ercilla (Galvarino pronuncia una arenga en semejantes circunstancias en *La Araucana*,
Canto XXVI), ¿pero cómo explicar el fervor que le coge de
pronto y la emoción que va creciendo gradualmente, y la palabra sincera y dura, absolutamente extraña en su vocabulario
humanista y pastoril? Razón suficiente ha tenido Seguel al seleccionar este trozo e incluirlo en su antología bajo el título
de "Poesía social de Pedro de Oña". Se trata de una excepción en la obra, pero es un fragmento que vivirá entre lo más
digno de la poesía chilena. En él, quizás, se reivindica el poeta por ese comportamiento suyo tan servil y tan menguado en
sus relaciones con el Conquistador.

Tampoco puede sostenerse que su escapatoria de la realidad ambiente es completa. Tradicionalmente se ha pensado
que en Oña no existen ni rastros del paisaje ni del hombre de
Chile. La siguiente opinión de Mariano Latorre puede considerarse como típica: "...la visión de la tierra y el verdadero
carácter de los araucanos están en sus octavas más falseados
aun que en el poema de su maestro" (*op. cit.*, p. 44).

Pero la verdad es que también Oña supo a veces mirar con
objetividad. Démonos el trabajo de leer en el Canto II del
Arauco domado el relato de la fiesta araucana y nos parecerá
difícil justificar el cargo de artificioso que se le hace a Oña.
Sus indios aparecen aquí realísticamente presentados. Nótese,
por ejemplo, la siguiente descripción de unas indias bailando:

> ...en cuadrilla
> andan con sus hijuelos dando vueltas,
> todas en bacanal furor envueltas,
> desnudo el medio pecho y la rodilla,

> al modo que las yeguas en la trilla
> con sus potrancas chúcaras a vueltas
> por la colmada parva escaramuzan
> y en granos las espigas desmenuzan...
>
> (II, 72-3)

Cuando Latorre le niega a Oña toda significación en el estudio de la realidad chilena le está condenando por no ser chileno en una edad en que ese Chile al cual se refiere no existía aún. Para Oña Chile era la Colonia. No podemos exigirle que reproduzca el paisaje de su tierra porque no tenía conciencia de ella; si la hubiera representado en su poema lo habría hecho con mirada de extranjero, sin reflejar en su esfuerzo ninguna experiencia interior; su paisaje habría sido exánime, tan artificial, quizás, como los paisajes americanos de Voltaire en *Candide*. No puede pedírsele a un autor clásico a la manera de Oña una reacción romántica o naturalista frente a la naturaleza. Oña no pone el alma en sus imágenes, pero no deja por eso de crear un mundo con ellas, como se verá más adelante.

Lo nativo se hallaba para él al otro lado de la frontera. Era hombre cuya patria radicaba en los confines de la cultura; alma del Renacimiento, humanista, llevaba una patria especial en su fantasía, una patria que podía incluir el mediodía de Francia o las praderas griegas o la meseta castellana. La mayor parte de los poetas humanistas se movían entonces por Europa como esos fotógrafos de plaza de hoy en día: con un telón de fondo en el cual florece un prado y corre un manantial y se estiran los álamos con alborozo. Frente a ese telón posaron Orlando, Angélica, Medoro, Rinaldo, Tancredi, Erminia, Lautaro, Guacolda, y muchos otros. Oña tenía también su telón particular y, a mi juicio, lleno a veces de maravilla ni más ni menos que el *Retablo* de Cervantes. El telón ese era el paisaje de su patria intelectual.

No en vano he traído a mientes aquellos nombres de los *romanzi* de Italia. Nutrido en la cultura renacentista, saturada la imaginación de aventuras leídas en clásicos y humanistas Oña, en realidad, ha escrito poesía épica en el *Arauco domado* tanto como en *El vasauro*. Pero no ha sido la épica del Cid ni la de Roland, en la cual parecen pensar nuestros críticos cuando le censuran. La épica de Oña —en un grado muchísimo mayor que la de Ercilla— es la de Boiardo, Ariosto y Tasso; la caballeresca, amorosa y aventurera, que mezcla los ciclos Carolingio y Bretón y les agrega la poesía bucólica de la Arcadia.[10]

Con una conciencia de su tierra y de su nacionalidad americana Oña a lo mejor hubiera escrito un Cid criollo. Pero esto es absurdo; sería como preguntar a la Providencia por qué no le hizo araucano de una vez y no hijo de español. Oña era un juglar extraviado en una corte remota de Indias; un caballero poeta que sentía a la par de los renacentistas italianos el gozo de la creación poética pura, del escribir como un goce más de la vida espiritual y bastante material si la suerte proporcionaba un Mecenas generoso. ¿Cómo pedirle que se interese en el detalle realista, en la nota social o en el elemento folklórico? La belleza del *Arauco domado* ha de considerarse parte de esa sinfonía heroico-caballeresca del *Cinquecento*. No es un producto de Chile sino en cuanto Chile se ofrece como fondo para una fábula de cualquier parte; la guerra de Arauco es para Oña lo que la Cruzada para el Tasso o Roncesvalles para Ariosto: el trozo de tierra para afirmar un pie, mientras el otro hace filigranas en el vacío.

Su oficio poético

A juzgar por la diferencia que existe entre sus dos obras mayores es indudable que Oña no sólo tomó muy en serio su arte sino que parece haber sufrido un proceso intenso de elaboración poética en el cual trató de purificar su expresión, tal vez con miras a la creación de un estilo suyo, a la estructuración de un lenguaje donde el uso original de la imagen, la gramática y la métrica formasen la base de su reforma.

En el *Arauco domado* Oña usó un nuevo tipo de *ottava rima* en la que consuenan el primer verso con el cuarto y quinto, el segundo con el tercero y el sexto, mientras los dos últimos son pareados. Aun Menéndez y Pelayo le alaba a Oña su innovación diciendo que esta estrofa es "más graciosa y ligera" que la tradicional. Algo le indicó a Oña, sin embargo, que su nueva octava no acordaría con los temas pseudoépicos que

iba a usar, pues la abandona en El temblor de Lima (1609)
y en sus obras posteriores, incluso en El vasauro. Tal experi-
mentación técnica forma parte de este proceso a que me refiero. Desde el punto de vista de la gramática su transformación es aún más violenta.

El Arauco domado se lee con cierta facilidad y sus avances
culteranistas son más bien reducidos:

> Ultra de que mirándose la obra
> veráse la materia ser tan alta
> que todo lo que en vista y pluma falta,
> sin falta en lo que ve y escribe sobra;
> por donde sobresalto ni zozobra,
> no me zozobra ya ni sobresalta...
>
> (Exordio, 30)

Allá por el Canto XIV su expresión da muestras de retor-
cerse y, como se trata del comienzo de una crisis, su estrofa
tiene la apariencia de un espasmo en que la belleza lírica ha
sido sacrificada:

> "Conténtese que en ser después le sigo
> por que en amarte no hay a quien yo siga,
> que tan primera soy en cuanto amiga
> como él lo puede ser en cuanto amigo."
> "Yo, dice la de Talgue, así lo digo,
> aunque ninguno habrá que no lo diga...
>
> (XIV, 491)

En El vasauro el poeta habrá alcanzado un pleno dominio
de los diversos elementos que van integrando su estilo; el lenguaje se encrespa y afina, el valor de la palabra es ahora incal-
culable, a través de cristales de mil colores se presiente, apenas, la intención escondida. Un ejemplo solo bastará por ahora ya que de esta obra me ocuparé más adelante en capítulo
especial. Beatriz acaba de hablar con inusitada violencia, se
ruboriza y el poeta así la describe:

> Dixo resuelta; dos abriendo rosas
> por nieve pura en dos planicies bellas,
> i despidiendo lumbres mil fogosas
> de un verde par: si verdes ay estrellas...[11]
>
> (IX, 242)

En el *Arauco domado* la imagen es audaz pero sencilla; nada de arriesgadas acrobacias con sustantivos y adjetivos todavía. La fantasía de Oña es juvenil y alegra; vibra al contacto de todo lo que es etéreo, celestial y cristalino. Cuando su palabra pinta el mar, por ejemplo, es la sonoridad lo que más impresiona, una resonancia de gran caracol:

> Oíd, pues, cómo ronca el mar hinchado
> con la espumosa quiebra de sus ondas,
> y allá en las partes ínfimas y hondas
> notad aquel hervor apresurado;
> el recio golpe de agua quebrantado
> en lisas piedras, largas y redondas,
> aquella sucesión de la resaca...
>
> (II, 78)

Pero es al contacto del aire como su verso especialmente se anima. Poeta de las banderas, podría llamársele a Oña. Difícil sería hallar una descripción más diáfana y a la vez dinámica, que ésta del *Arauco domado* en que la imagen flamea:

> ¡Cuán bien desde la tierra parecían
> las flámulas tendidas por el viento!
> y tantos gallardetes que contento
> causaban con las ondas que hacían!
> Parece que con ansia pretendían
> soltarse todos a una de su asiento
> por irse tras el aire libremente,
> llevados al amor de su corriente.
> Bien como si el arroyo cristalino
> a su raudal entrega la ramilla,
> que estaba remirándose en su orilla
> sin ver por dónde o cómo el agua vino;
> veréis que por llevarla de camino
> él hace su poder por desasilla,
> y ella, según se tiende y se recrea,
> parece que otra cosa no desea:
> lo mismo hace el viento delicado
> con todos los gallardos tremolantes,
> llevándolos tan sesgos y volantes
> que no se mueven a uno ni a otro lado...
>
> (I, 61-2)

Es evidente que Oña se solaza en esta descripción y por eso, tal vez, la alarga más de la cuenta. Ya maduro y concen-

trado, en *El vasauro,* su predilección por las banderas seguirá
manifestándose pero sin dilaciones, en imágenes breves, grá-
ficas, muy concisas:

> . . .Ya el mar escucha trompas; Ya vanderas
> hacen al río sombra en sus riberas. . .
>
> (VI, 148)

> Conoce las vanderas Don Rodrigo,
> muchas en copia, raras en belleza.
> Menos alegres ondas haze el trigo
> jugando con la Zéfira nobleza.
>
> (VI, 158)

Cuando describe la llegada del invierno en el *Arauco domado* sus imágenes muestran la misma elasticidad, esa belleza
en movimiento que parece caracterizar cada una de sus pin-
celadas:

> A la sazón, que ya por toda parte
> viene de monte a monte el raudo río,
> y al blanco amanecer se ven los prados
> envueltos en vellones escarchados. . .
>
> (III, 115)

Es dinámico su dibujo y de puro dinamismo logra crear
efectos que son enteramente nuevos en la poesía americana,
ya que Ercilla jamás soñó siquiera llegar a tanta audacia en el
decir. Demasiado ocupado estaba con batallas para preocuparse de palabras. En los siguientes versos hallamos ese lirismo puro, basado enteramente en el valor de la palabra que
parece ser su mayor virtud:

> Grande es la refracción, grande el ruido
> cuando los torbellinos procelosos
> sacuden gruesos árboles frondosos
> en el opaco bosque entretejido. . .
>
> (III, 128)

Este maravilloso vocabulario de Oña luce como un joyel
cada vez que toca el mar, el cielo o el aire:

> Ya el engañoso tiempo los aleja
> de la arenosa playa y sus orillas,

ya surcan alta mar las bajas quillas,
ya cada cual de espuma el rastro deja;
el cielo, por cubrir lo que apareja,
se escombra y barre bien de nubecillas,
bordándose de escamas y celajes,
de rubios arreboles y follajes.

(III, 117)

Y cuando describe paradas militares:

. . .Mil aguas hacen cotas enlucidas,
rayos de fuego brotan las cimeras;
ya la pajiza pluma y roja banda
jugando por cabeza y pechos anda.
Ya salen de las tiendas los brocados
y sedas mil, distintas en colores;
ya sacan vistosísimas labores,
vestidos y jaeces recamados;
por otra parte petos acerados,
y adargas, ya de cuadros, ya de flores. . .

(I, 48-9)

Naturalmente, el lector no puede dejar de pensar en Góngora a propósito de tanto color y tanto brillo. Oña, sin embargo, no podía estar entonces sometido a la influencia del autor de las *Soledades*. Como hace notar Seguel "el Góngora que podemos encontrar en Oña no es el juvenil de las letrillas y romances, sino el maduro poeta de los sonetos aparecidos allá por el año 1590. Sólo cinco años después escribía el hijo de Angol su primera obra" (*Pedro de Oña*, etc., p. 37). Por su parte don Rodolfo Oroz en su introducción a *El vasauro* dice:

La influencia de Góngora, a nuestro juicio, no es perceptible todavía en el *Arauco domado*. . . Todas las peculiaridades estilísticas que adoptó Oña de Góngora aparecen sólo en sus últimas obras y, principalmente, en *El vasauro* (xcvii).

El mérito de Oña es grande, pues; su aventura en el mundo de la creación pura es original, sus modelos abundaban en retórica pero ninguno había conseguido independizar la palabra de su contenido conceptual del modo que él lo intenta. No quiere esto decir, por supuesto, que Oña sea el primero en incursionar por una realidad mágica dentro de la poesía. En la atmósfera de su época se hallaba, desde luego, esa especie de locura verbal que echa a Ronsard, Lyly y Marino contra el conservatismo académico, y en medio de neologismos, de aliteraciones y juegos de palabras prepara el camino para la poesía pura de don Luis de Góngora. No puede hablarse en este caso de precedencias. Nadie en particular ha creado el *Secentismo*, el *Euphuismo* o el *Gongorismo*. Antes que Marino hubo varios cultistas y conceptistas en la poesía italiana; Sannazaro, Bembo, della Casa, por ejemplo. John Skelton precedió a Lyly en Inglaterra en el uso y glorificación del disparate literario. España ha tenido "gongoristas" desde el siglo XIII. En las *Cantigas de Santa María* (1226-1284) hay suficientes acrobacias lingüísticas para proveer a muchos poetas modernos. Villasandino, Juan de Mena, el Arcipreste de Hita y, sobre todo, el autor de *La pícara Justina* ofrecen antecedentes que podrían competir con las audacias más notables de Góngora.

Oña no iba solo en sus campañas *creacionistas*. Hay toda una línea sostenida a través de los siglos uniendo la obra de ciertos poetas que lucharon por crear con los elementos tradicionales del lenguaje una expresión nueva, auténtica y únicamente poética, un idioma cuyo significado vale tan sólo en el mundo de la poesía. Hombres que admiramos, generalmente, por su sentido común participaron con entusiasmo en esta experiencia revolucionaria. Lucano ofrece en la *Pharsalia* ciertas "fantasías" que para nada acuerdan con su fama de poeta histórico o civil y de precursor de Ercilla y sus discípulos en el arte de la crónica rimada. Hay trozos de Arnaut Daniel, el mago del *trobar clus*, en Dante, en el *Relox de príncipes* de Luis de Guevara, en Rabelais, en Cervantes y Shakespeare, que se tienen merecido no sólo un lugar en los manifiestos surrealistas, sino en la doctrina toda de la poesía contemporánea más avanzada.

A Oña le corresponde un lugar entre esos precursores. El poeta de *El vasauro*, especialmente, es el antecedente innegable de la poesía preciosista chilena de hoy. No voy a citar íntegra la escena del baño de Caupolicán y Fresia en el *Arauco domado* por ser ya demasiado conocida. Es uno de los frag-

mentos más hermosos en toda la obra de Oña. La pura belleza de la expresión, el ritmo perfecto de los versos que parecen
acomodarse a la agilidad de los nadadores, las imágenes que
saltan como chispas en medio de la paz arcádica del paisaje,
todo se une para producir la quintaesencia de la retórica. No
hay allí ni una palabra casi que desentone. El poeta juega
con el contraste de volúmenes:

> ...El hijo de Leocán gallardamente
> descubre la corpórea compostura;
> espalda y pechos anchos, muslo grueso,
> proporcionada carne y fuerte hueso.
> Desnudo al agua súbito se arroja,
> la cual con alboroto encanecido
> al recebirle forma aquel rüido
> que el árbol sacudiéndole la hoja...
>
> (V, 172)

Se olvida un momento de su pasión por los colores brillantes y el cuadro entero lo envuelve en una tonalidad de plata.
Parece que la transparencia del agua afina cada uno de sus
versos. Pero la nota sensual arrebata de pronto su inspiración
y hace arder hasta la misma agua:

> Su regalada Fresia, que lo atiende,
> y sola no se puede sufrir tanto,
> con ademán airoso lanza el manto
> y la delgada túnica desprende;
> las mismas aguas frígidas enciende,
> al ofuscado bosque pone espanto...
>
> (V, 172-3)

Se deleita en la descripción de una mujer ideal: una mujer hecha de nieve, de rubí, de cisne, de garza, de ... sin vida,
claro está, pero tan hermosa. Los críticos chilenos se enojan
de que la siguiente descripción no corresponda a la de una
india araucana:

> Es el cabello liso y ondeado,
> su frente, cuello y mano son de nieve,
> su boca de rubí, graciosa y breve,
> la vista garza, el pecho relevado;
> de torno el brazo, el vientre jaspeado...
>
> (V, 173)

Seguramente habrían preferido una nota al pie con información antropológica en vez del candoroso ardor de don Pedro, el bachiller. La insistencia en la nota sensual inquietó un tanto, se recordará, a Menéndez y Pelayo. Mucho tiempo se queda Oña imaginando el cuerpo de Fresia mientras discurre por la claridad submarina:

> Va zabullendo el cuerpo sumergido,
> que muestra por debajo el agua pura
> del cándido alabastro la blancura,
> si tiene sobre sí cristal bruñido...
>   (V, 173)

Y como si no pudiera soportar la tensión, saca, de repente, la hermosura al aire y la entrega jubilosamente al vigor del héroe:

> Hasta que da en los pies de su querido,
> adonde con el agua a la cintura,
> se inhiesta sacudiéndose el cabello
> y echándole los brazos por el cuello.
> Los pechos...
> Ya que se les prohibe el penetrarse,
> procuran lo que pueden estrecharse
> con reciprocación de ciegos nudos...
>   (V, 174)

Es el punto culminante. Como en un poema sinfónico se ha venido desarrollando aquí la pasión. La paz parece descender nuevamente sobre el lago:

> ...el nudo se desata
> y ella se finge esquiva y se escabulle...

pero el fuego no se ha extinguido:

> ...el galán, siguiéndola, zabulle,
> y por el pie nevado la arrebata;
> el agua salta arriba vuelta en plata,
> y abajo la menuda arena bulle...
>   (V, 174)

El final de la escena es un toque maestro de retórica. La ternura apacible y sentimental pone como un pudoroso man-

to frente a los amantes. Y es una tórtola de San Juan o Santa
Teresa, melancólica de santidad y deseo, la que corre primorosamente el telón...

> La tórtola envidiosa que los mira,
> más triste por su pájaro suspira...
> (V, 174)

Difícil es resistir a la tentación de citar tratándose de un
poeta como Oña a quien, por lo general, no se lee a causa de
la extensión de sus obras. Espigando aquí y allá en el *Arauco
domado* y en *El vasauro* rápidamente puede formarse una antología que le reivindicaría ampliamente ante los lectores modernos. Su poesía está llena de revelaciones; de la masa histórica y mitológica que en apariencia llena sus páginas, saltan a
la vista deslumbrada del lector verbos de uso extraño, raras
combinaciones de sustantivos y adjetivos y un conjunto de
imágenes que dan un sabor típico a todo lo que describe, sea
paisajes o seres animados. Sus pinturas de caballos dejarían
opaco el trabajo de cualquier maestro del moderno impresio-
nismo:

> Sobre un caballo rucio, poderoso,
> de rodezuelas cárdenas manchado,
> que por el firme rostro y enarcado
> cuello sacude anhélito espumoso,
> midiendo con las manos de fogoso
> lo que desde las cinchas hay al prado...
> (IX, 317)

Dice una vez y, más tarde, cuando don García pasa revista
a su gente aprovecha para demostrar todo su poder en el arte
de animar sus descripciones:

> A la jineta en un castizo bayo,
> que al mar y al aire altera su bufido,
> y con oreja viva punza el cielo,
> barriendo con la cola todo el suelo...
> (IX, 321)

Su afición a los caballos le hace convertirlos en término
de comparación para cualquier objeto, aun de un barco, en
esta imagen sorprendente:

Al punto comenzó la blanca vela
a recoger al Céfiro en su seno,
y con el soplo dél, hinchado y lleno,
rompe el naval caballo por la tela;
el aire va sirviéndole de espuela,
el sólido timón en vez de freno,
conque fogoso, rápido y lozano,
seguramente corre el mar insano.[12]

(I, 63)

Así como consigue animar paisajes y animales, así también puede Oña aniquilar una acción privándola de toda realidad. Sus batallas son cosa de zarzuelas; carecen de grandiosidad, no hay en ellas el movimiento maravilloso que sabía desplegar Ercilla; a Oña le falta la frase corta, el verbo elástico que aceleran cada acción de los héroes de *La Araucana*. Ercilla podía mover masas de soldados con agilidad asombrosa y sabía detenerse un momento y escoger con ojo privilegiado el duelo singular que rompería la monotonía del relato. Poseía el talento de un director de escena. Oña fracasa cuando se trata de hacer pelear muchedumbres y en cuanto a los duelos singulares, mientras Ercilla los desarrollaba en una, dos o hasta tres estrofas, Oña sólo toma la acción en el golpe final y no logra, pues, dar la sensación del movimiento, no alcanza a captar nuestro interés en el episodio y ya nos da otro y otro; al fin, nos cansa y desespera, el conjunto no parece más que una pesada enumeración de nombres; como la lista de muertos que publicaría hoy el periódico después de una batalla. Igual falta de grandeza caracteriza a la mayor parte de sus arengas. La suya era pluma ligera, de azor acaso, audaz y directa en las alturas, torpe en el bregar a ras de tierra.

TÉCNICA DEL RELATO

Es injusto criticar a Oña basándose solamente en estos sus defectos. Por eso rehuyo, en lo posible, compararle con Ercilla, pues aunque Oña empezó por imitarle, la verdad es que pronto le olvidó y, acogiéndose a nuevas influencias, alejóse de la preocupación épica y social para venir a retirarse en la bóveda de un conceptismo decadente. Más poeta es Oña que

Ercilla, podría decirse, usando un criterio de los valores que tiene escasa significación en el mundo del arte. Hay un punto de comparación, sin embargo, en el cual se puede insistir con el propósito de dar un poco más de brillo al nombre de nuestro compatriota cuando se le coloque junto al de Ercilla. Hablo del arte de narrar: la técnica de organizar los elementos de un relato para obtener unidad y, al mismo tiempo, interés en el desarrollo de la acción. Tanto Ercilla como Oña declaran explícitamente en varios pasajes su preocupación por romper la monotonía de la historia. Ambos tratan de introducir variedad, inventando, recreando episodios del pasado, usando el sueño como profecía, copiando a clásicos y contemporáneos en el manejo de lo sobrenatural, mezclando lo amoroso y lo heroico, la moral y la crónica. Dice Oña en el Canto XVII del *Arauco domado:*

> Pues yo, que voy siguiendo historia larga,
> si nunca me apartase de un sendero,
> ¿qué cuerpo bruto, qué ánima de acero
> pudiera tolerar tan grave carga?...
> ...Que como la verdad desnuda amarga
> si no la viste el blando lisonjero,
> así cualquiera historia sale fea
> si con la variedad no se hermosea.
>
> (XVII, 582)

Se recordará que Ercilla después de exponer conceptos semejantes daba en quejarse amargamente de no tener sino un tema: la guerra y, luego, con el objeto de introducir variedad y entretener al lector, contaba ¡otra batalla!, la de Lepanto o San Quintín. Oña, en cambio, además de su poesía pastoril que ofrece un amable descanso y verdadera belleza retórica en descripciones como la de Caupolicán y Fresia en el baño, introduce varios episodios de gran interés y en perfecta armonía con su tema central: las aventuras de Tucapel, Talgüeno, Gualema y Quindora podrán no tener el brillo imaginativo de las de Tancredo, Erminia, Rinaldo, podrán a veces ser grotescas, pero divierten y no rompen, en general, la unidad del poema.

La manera de relatar estos incidentes ofrece un buen ejemplo del talento narrativo de Oña. En el Canto XII inte-

rrumpe la acción y empieza a contar las aventuras de las dos
parejas. En el Canto XVII termina esta narración y reasume
el hilo de la guerra introduciendo a un emisario indio quien
continúa lo que Galvarino había comenzado a decir en el
Canto XII. No olvida, pues, los detalles de la narración,
como tan a menudo acontece en poemas de largo aliento; por
el contrario, parece tener siempre presente el conjunto de su
obra y construye con toda conciencia, disponiendo los elementos con precisión matemática, agregando lentamente los azu-
lejos que formarán el cuadro final.

El episodio del corsario inglés Richard Hawkins (Richarte
Aquines) le sirve asimismo para aligerar admirablemente el
tono de la historia y desplegar su habilidad para novelar. Lo
enlaza de la siguiente manera: Quindora cuenta al final del
Canto XVI un sueño misterioso detrás del cual se presiente
una alegoría. En el Canto XVII Llarea interpreta, por fin,
la alegoría diciendo que el Dragón es el corsario Hawkins y
luego "profetiza" las aventuras de éste y su derrota a manos
de don García, Virrey del Perú. Oña toma entonces la palabra y nos encanta con las peripecias del pirata; torna la acción
tan veloz, que las últimas páginas del volumen vuelan y por
esa razón la falta de un desenlace llega a ser más notoria y lamentable.

Igual pericia demuestra al intercalar el episodio de la revolución de Quito. Quindora sueña y relata. En uno de los
momentos más emocionantes, cuando ya hemos llegado a
preocuparnos seriamente por la suerte del Presidente Barros,
quien trata de escapar de los revolucionarios que han asaltado
su palacio a medianoche, Oña suspende bruscamente la narración y acaba el Canto para que los oyentes de Quindora duer-
man... Y no puede negarse que lo hace con un sentido muy
acertado de aquello que los ingleses llaman *suspense*. Sin embargo, la narración de Quindora —ocupa desde la página 502
hasta la 576— llega a hacerse intolerable. Oña se da cuenta
de su error y se critica con una franqueza que bien pudiera
servir de modelo para otros escritores:

> Con esto dió la bárbara hermosa
> remate, conclusión y finiquito

al cuento o cuentas frívolas de Quito,
que no debió de serle fácil cosa;
a mí mismo ha sido bien dificultosa,
por ser de cuanto falta y queda escrito,
el reventón más áspero y fragoso,
estéril, intricado y peligroso.
(XVI, 576)

Lo sorprendente en la técnica de Oña es el uso que hace de las acciones simultáneas, de esa manera de contar que el novelista inglés Aldous Huxley puso de moda designándola con el nombre musical de "contrapunto". Jamás se suspende la acción que, a pesar de la variedad de episodios, es una sola. Nada más realista que semejante estilo que imita, en verdad, la vida diaria. En un canto queda el personaje con la palabra en los labios; cien páginas más adelante reanuda el autor su gesto y acaba su frase; mientras tanto, en el mismo plano temporal si así pudiera decirse, en esas cien páginas se ha desarrollado un conjunto de incidentes que no pueden excluirse con la acción central, pues le son inmanentes. Presentarlos todos en forma simultánea, como en un gran fresco o en una sinfonía donde cada instrumento se expresa individualmente produciendo, lógicamente, asonancia pero también realidad, es el problema que un novelista como Huxley intenta solucionar conscientemente, mientras que nuestro Pedro de Oña, hace cuatro siglos, le convierte en objeto de su más pura intuición.

Admiremos, por otra parte, la unidad retórica que Oña mantiene con una pericia que le faltó indudablemente a Ercilla. En el *Arauco domado* el héroe, la época y el escenario americano permanecen a través de los variados episodios que he mencionado. Este hecho no es casual, sino parte de un plan suyo que se manifiesta, por ejemplo, en estos versos:

Que para no salir de mi discurso
fué necesario enredo semejante
con que ni del Pirú las cosas dejo,
ni de mi Chile, que es el fin, me alejo.[13]
(XVIII, 619)

La falta de un desenlace en el *Arauco domado* no es más que un accidente. El poeta vivía bajo la presión constante de sus amos, que deseaban ver la obra terminada; debió entregarla cuando todavía se hallaba inconclusa y esto no debe haberle parecido un pecado capital, pues su maestro tampoco había terminado *La Araucana*, y eso no por falta de tiempo sino por cansancio, hastío del tema, y deseos de usarla pronto en favor de su propia carrera política. Inconscientemente imitó Oña a Ercilla en ese descuido muy poético que se observa en sus páginas finales donde parece notarse hasta cierta coquetería en la falta de un broche final de acuerdo con el tono épico de la obra. Cuando alcance su madurez no cometerá Oña igual irreverencia; *El vasauro* acaba de acuerdo con todas las reglas de la epopeya.

Pienso que Oña fué un artista razonador y muy apto de someterse a los principios generales de su oficio. Parece poseer un concepto muy claro de su profesión que le individualiza en el panorama de la literatura colonial de América. Desde luego, es posible que haya escrito siempre por dinero, y como escribir era su oficio, procuraba disciplinarse y perfeccionarse a medida que producía sus obras. Da la impresión de que planeaba sus creaciones y medía cuidadosamente los efectos que iba a producir. Por eso un juicio como el de Henríquez Ureña me parece apresurado y sin fundamento cuando declara: "Oña writes fluent and at times very elegant verse; while he lacks the architectural power of his eminent rival, he is a master of artificial scenes, etc., etc." (*op. cit.*, p. 51.)

Basta una lectura de *El vasauro* y un examen cuidadoso del *Arauco domado* para advertir la ligereza de tal afirmación. Este último poema sobresale precisamente por esos detalles de construcción que ya he señalado y que dan firme y atrayente estructura al conjunto. El efecto final no es grandioso, ciertamente, pero no se debe ello a falta de calidad artística, sino a la pobreza del tema, a la errada concepción política del autor y al contrasentido violento que se produce entre la figura real de su héroe y el retrato que de él nos presenta Oña. Elementos opuestos fueron los que dieron nobleza y trascendencia a *La Araucana*, a pesar de la mediocridad lírica de Ercilla: su concepción democrática, el sublime sacrificio de los araucanos y la universalidad de su héroe constituído por los pueblos de España y América.

IDEOLOGÍA

En el *Arauco domado* Oña muestra ser el producto de una casta social que no había conseguido definirse aún ni política ni económicamente. Era criollo por nacimiento, por educación era peninsular. Crecido en un cuartel español, aprendió muy temprano a mirar al nativo como enemigo y al latifundista como a su salvador. No había en él conciencia de una patria independiente; súbdito de un imperio, su mentalidad era colonial. Su arte es producto de esta actitud social. En el *Arauco domado* Oña se encarga de glorificar la Conquista y de elogiar a su amo como sólo puede hacerlo un servidor que se enorgullece de su papel:

> Ya sale de su Roma el Africano,
> ya va de Tebas Hércules famoso,
> de Grecia parte el Griego valeroso,
> a Troya deja el célebre Troyano;
> del cielo baja Marte soberano,
> de Lima se despide presuroso
> nuestro Caudillo, el último postrero,
> por ser de todos éstos el primero.
> (I, 57)

Pero no se puede condenar a Oña por esta actitud; no podemos pedirle a todo el mundo que sea un héroe o un vidente. Amaba a *su* Chile amando al Imperio y el resto de la Colonia pensaba como él. Habría que esperar dos siglos, la revolución filosófica de los franceses y la invasión napoleónica de España, para que las primeras manifestaciones de independencia nacional se hicieran notar.

Oña podría hoy ser tildado de reaccionario, de anti-chileno a pesar de todas sus protestas de amor patrio, pero quien lo hiciera pecaría por falta de perspectiva histórica. Lo más que podemos culparle es la pobreza de su visión que no presintió el destino del nuevo pueblo que nacía con él y junto a él; la unilateralidad de su genio que le permitió trabajar maravillosamente en el mundo de las imágenes y fantasías pero que le falló en el mundo de las ideas y realidades. Por otra parte, a lo sumo, puede elogiársele por su ataque indirecto al imperialismo de la época, ataque que se halla implícito en su descripción de las condiciones económicas de los indios mineros, en su relato de la revolución de Quito y en los denuestos contra los españoles que aparecen de vez en cuando a través del poema.

La impresión que nos deja el *Arauco domado* no es optimista, sino más bien deprimente. La historia se lee con interés, a pesar de ser una simple imitación de *La Araucana*. El lenguaje nos deslumbra a veces, nos extraña otras y nos hace reír francamente en varias ocasiones. No siempre predomina el buen gusto. Oña es serio y el júbilo que a ratos le anima es de carácter puramente sensual: goce de un cuerpo hermoso o de la belleza tangible de un paisaje. Su juventud le salva de ser pesimista.

Medina ha intentado construir una imagen viva del poeta a base de las confesiones personales que en muy contadas oportunidades deja aparecer en su obra. Nos dice que era religioso, que participa del dogma de "la majestad real" en el cual Medina ve dos cosas mezcladas: la sumisión absoluta e irracional al rey y el patriotismo español de su amor por la tierra. "Seriedad respira todo el poema", agrega. Oña era reservado, un cristiano estoico, escéptico, en cierta medida, y Medina achaca este escepticismo a experiencias amargas... Pero se cuida muy bien de añadir: "No llevaba, pues, su escepticismo como sistema... su buen sentido le hacía solamente reconocer que en la vida del Señor hai de lo bueno i de lo malo..." (*Historia*, p. 189.)

Lo más probable me parece ser que Oña fuera un buen católico y que las características señaladas por Medina y que aparecen en el *Arauco domado* no sean más que fórmulas literarias muy de moda en su época. Ya sabemos que Medina es dado a imaginar razones románticas para todas las quejas y a tomar al pie de la letra todos los retoricismos de los poetas renacentistas. Nos asegura que Oña canta a la amistad y que al hablar del amor no abandona el tono lastimero y pesimista. Por mi parte no veo nada de lastimero ni pesimista y sí mucho de buen sentido en versos como éstos:

> Oh ¡bienaventurada aquella jente
> de pecho limpio i ánimo sincero,

do vive amor tan puro i verdadero
que no publica más de lo que siente!
(Medina, p. 190)

Verdad es que, por lo general, su opinión sobre las mujeres es adversa y que no pierde oportunidad de escarnecerlas con observaciones sarcásticas (*Arauco*, XV, p. 538, XVII, p. 599, por ejemplo), pero esto, como el mismo Medina observa, puede haber sido resultado de su educación y no necesariamente de su experiencia y si hubiera sido lo último, en buena hora se desahogue ... bastante hipocresía cuelga del Siglo de Oro y buena falta le hicieron ilustres discípulos al Arcipreste de Talavera.

También nos dice Medina que Oña se complace "en tomar las cosas bajo su aspecto sombrío, que es, a no dudarlo, también donde alcanza más éxito. Tras el invierno, la noche; después de la noche, la tempestad. .." (p. 176). De lo triste, dice, llega a lo lúgubre, y cita el Canto III del *Arauco domado* donde se halla el relato de los abusos que se cometían en Chile contra los indios. Oña parece gozar en la pintura de los dolores morales. "En esta senda del dolor, Oña se ha complacido en seguir caminando despacio, mui despacio" (p. 179).

Mi primera tendencia es la de aceptar estas ideas, ya que semejante predilección por lo sombrío y lúgubre harían de Oña el precursor de un aspecto importante de la poesía chilena posterior; pero la verdad es que tal predilección no es en Oña ni tan persistente ni tan notable como dice Medina. Oña no es poeta trágico. Ni siquiera triste. El tema social ocurre como por casualidad en su obra y, con la excepción del trozo señalado por Medina (Canto III), le sirve, como ya he indicado, no para defender a los nativos sino, por el contrario, para denigrarlos y ensalzar el poder de los españoles, lo cual es particularmente notable en su narración de las revueltas de las Alcabalas. En cuanto a sus penas de amor no son más reales que los suspiros de la tórtola que "envidiosa" miraba a Caupolicán y Fresia en el baño.

Más que hundirse en la reflexión moral o en el estudio de las almas a Oña le interesaba retozar en sus quimeras. Huye de lo humano y de lo real como si en ello no hubiera poesía;

tal vez era un defecto de visión adquirido junto con otros prejuicios y dogmas en sus años de colegio. Este "escapismo" se realizará plenamente en la obra de su madurez: *El vasauro,* y como con un presentimiento de lo que va a pasar dice en cierta parte del *Arauco domado:*

> Huir es menester a vela y remo,
> por no me ver con ellos en mal trance,
> y quiero más volverme a los pastores
> que dar en manos de estos pecadores...
> (XIV, 484)

"EL VASAURO"

En 1941, gracias a la diligencia del profesor Rodolfo Oroz, apareció por primera vez a la luz pública una edición completa de *El vasauro,*[14] poema del cual afirmara Diego Barros Arana: "Merece ser salvado del olvido como una producción que honra a la literatura nacional, y como una muestra del talento y de la fecundidad del más grande de nuestros poetas de la era colonial."[15]

Con anterioridad a la obra del profesor Oroz el mismo Barros Arana había publicado un extracto del poema en su *Historia general de Chile,* y Medina una noticia del argumento y algunas selecciones en la introducción a su edición *El temblor de Lima.*[16]

La edición de Oroz es definitiva; significa un esfuerzo admirable de paciencia y de buen gusto. En trescientas treinta y cuatro páginas ofrece una descripción e historia del manuscrito, analiza la estructura del poema, los elementos históricos y ficticios, los caracteres, las descripciones, algunos aspectos del estilo y la versificación. Siguen al texto unas notas gramaticales y un índice de las voces comentadas.

Argumento. Antes de hacer un estudio del poema y una crítica de la edición de Oroz me parece conveniente resumir el argumento de la obra. En nueve mil ochocientos cuarenta versos —once Cantos— Oña relata un cuarto de siglo de la historia de España, desde la guerra dinástica de Castilla hasta la toma de Granada por los Reyes Católicos (1465-1492). Se inicia el poema con la invasión portuguesa de Castilla y ataque a Toro y Zamora, durante el reinado de Enrique IV. Andrés Cabrera —uno de los héroes del poema y no "el" héroe— defiende el alcázar de Segovia y consigue la reconciliación del Rey con su hermana Isabel. A la muerte de Enrique, Isabel ocupa el trono de Castilla; Cabrera le rinde homenaje y le entrega las llaves de Segovia que la reina devuelve. Por consejos de Cabrera se establece la armonía entre Isabel y Fernando de Aragón; Cabrera, además ayuda a Fernando entregándole los fondos de Segovia. En premio, los reyes le hacen Marqués de Moya y ponen a la Infanta bajo su cuidado. Alfonso de Portugal toma Zamora y Toro mientras Fernando alista su ejército y no se decide a atacar. Cabrera acaba de convencerle, se libra la batalla y Fernando recupera las dos ciudades que había perdido. Agradece a Cabrera su ayuda y le envía a Segovia donde se encuentra la Infanta. El príncipe Juan de Portugal vuelve a su reino con doña Juana (la Beltraneja), la cual entra en la Orden de Santa Clara de Coimbra. Ríndense otros pueblos ante el avance castellano. Isabel llama a Cabrera, quien deja el alcázar en poder del Marqués de Bobadilla, su suegro. Durante su ausencia se produce una revuelta en Segovia; su esposa, Beatriz, defiende el Alcázar. El poeta cuenta cómo nació Beatriz "al pie de un risco" y cómo la amamantó una leona. Cabrera y la Reina regresan; se castiga a los revolucionarios y, admirada de su heroísmo, la Reina promete llevar a Beatriz a todas sus campañas.

Beatriz cuenta un sueño en que se ve a la Reina muerta y a Fernando Cabrera —hijo de Beatriz y de don Andrés— defendiendo el Alcázar contra los comuneros sublevados. Su esposo cuenta otro sueño que da la casualidad de ser la continuación del de su mujer. Fernando Cabrera victorioso recibe el título de Conde. Termina la guerra dinástica y se hace la paz con los portugueses.

El ejército cristiano prosigue la guerra contra los moros. Oña aprovecha para hacer un elogio de la Inquisición y da cuenta de la fundación de la Santa Hermandad. En Madrid las Cortes piden que se recompense a Cabrera. El Rey, después de imponerse de la muerte de su padre, va a Zaragoza a jurar los fueros de Aragón, vuelve a Castilla y en el día de

Santa Lucía ofrece un gran banquete con ocasión del cual regala a Cabrera un "vaso de oro" en el que se hallan grabadas las hazañas de éste y de su mujer, doña Beatriz.

El Libro VII del poema contiene la llegada de la primavera y una revista de los ejércitos; Oña hace, a este propósito, un elogio de las regiones de España. Introduce en este canto a un nuevo personaje: Fátima, una mora que había sido hecha prisionera en Alhama. Fátima se enamora del hijo de los Cabrera, Fernando, quien apenas tiene diez años. Con variada suerte sigue la guerra. Málaga es cercada por mar y tierra. Un moro trata de asesinar a los Reyes; Beatriz le desarma y le mata. Zaide, alcaide de Málaga, reta al Rey en singular duelo; éste envía como su campeón al hijo de Cabrera, quien vence y sale herido del combate. Fátima le cuida y, al ver que su amor no es correspondido, huye y se refugia con unos pastores. Fernando va en su busca, llega a la cueva de un viejo, el Tiempo, que le muestra el futuro de los Cabrera en un espejo. Guiado por un pastor, Fernando encuentra a Fátima y la convence de que un casamiento entre ambos es imposible. El poema se concluye con la toma de Granada, la solemne entrada en la ciudad de los Reyes Católicos y las bodas de Fátima con el Zegrí, un amante de última hora.

Naturaleza del poema. A comienzos del Libro VI el poeta expone su ideal estético muy en acuerdo, por lo demás, con las doctrinas de Lucano a quien Oña mismo rinde pleitesía:

> El que verdad siguiendo va notoria,
> ser dulce con sus versos no presuma;
> si en lo áspero, i forçoso de la historia,
> agrios tropiecos dió aun la fácil pluma...
> ...Yo sobre asperezas duras;
> donde el cansado espíritu hijadea;
> rompiendo iré con pies poco suaves;
> que con liviana pluma en cosas graves.
> Lugar daré con tiempo (si supiere)
> a que se adorne, a que se ostente bella
> la heroica virgen Musa; que no quiere
> ser vista, si gallarda no se huella:
> pero consigo en tierra da, i aun muere;
> si arrimos de verdad no van con ella:

i antes querrá seguir las de un Lucano,
que al impío, fabulante Luciano.
(VI, 145)

A pesar del entusiasmo con que Oña se refiere a la poesía
histórica, *El vasauro* demuestra que su temperamento lo traicionó, pues sólo alcanza verdadera grandeza artística en los
pasajes donde su imaginación puede desplegarse ampliamente
y es en esta clase de inspiración lírica en que halla el goce genuino de la creación. Cuando se trata de relatar los detalles
históricos de las campañas de Fernando e Isabel, Oña se torna
conciso y no gasta ni una palabra en divagaciones. Su estilo
tiene algo de telegráfico, carece entonces de toda sensibilidad
y da la impresión de que ansía terminar lo más pronto posible
con el asunto para dejarse tomar de nuevo por las corrientes
sensuales del amor o del paisaje y experimentar con su alambicado estro gongorista. He aquí un ejemplo típico de su estilo "histórico":

Fernando queda Rey, Fernando gana
el obstinado alcázar de Zamora,
i los demás después Fernando allana.
Luego será el que vence, ¿quién lo ignora?
(III, 85)

No voy a discutir si con esta mezcla de crónica y ficción
Oña ha conseguido estructurar una epopeya de acuerdo con
las reglas clásicas. La unidad, desde luego, se resiente en varias partes y el héroe, Andrés Cabrera, sólo es héroe a ratos.
Lo es en el Libro III donde combate por su Rey, se celebran
sus hazañas y vuelve victorioso a su hogar, donde la entrevista
que tiene con su esposa e hijos recuerda escenas similares en
el *Poema del Cid*; pero no es un héroe a comienzos del poema, pues su acción es solamente indirecta y se limita a ayudar
al Rey con su intervención oportuna en diferentes empresas.
Hacia el final de la obra, es su hijo Fernando quien le reemplaza en el primer plano de la acción y en el último libro los
Chinchones desaparecen hacia el telón de fondo y los Reyes
Católicos ocupan con todo esplendor el centro del escenario.

Lo sobrenatural no tiene mayor cabida en el poema, pero
sí lo extravagante, por ejemplo, el nacimiento de Beatriz en

unas peñas y la leona que le sirve de ama; los amores de Fernando —¡diez años de edad!— y de Fátima que cuenta dieciocho; el duelo de este niño prodigio con Zaide, alcalde de Málaga. Otros episodios que Oña introduce en El vasauro son de tradición clásica, como los sueños de Andrés y Beatriz en que se anuncia acontecimientos futuros, la visita de uno de los personajes a la caverna del Tiempo y el mismo tema del Vaso Áureo en que se hallan grabadas las hazañas de los Chinchones.

En general, El vasauro significa un progreso en la carrera artística de Oña; no quiero decir que sea su obra maestra, porque Oña no produjo una obra maestra sino trozos sobresalientes y líneas que muy bien pudieran aceptarse como geniales. Es un progreso porque en ella demuestra más dominio del idioma, mayor profundidad en la caracterización de sus personajes, o sea, un entendimiento más directo de la psicología humana, y una conciencia muy clara de sus propias limitaciones.

Oña, además, exhibe una habilidad para manejar su material histórico que no se observa en el Arauco domado. Da la impresión de haber asimilado mejor sus lecturas que, dicho sea de paso, los críticos no han conseguido determinar con precisión.[17] El desarrollo de las campañas contra los moros va ganando en emoción e interés a medida que los Reyes Católicos se acercan a su objetivo final; y los episodios de carácter romántico como los amores de Fátima y Fernando y el duelo de éste con Zaide, así como la historia de Guzmán el Bueno que se introduce en el Libro VII (p. 190), sirven como de entreactos al drama político y social de la reconquista española. El poeta se esfuerza por interpretar cada hecho de acuerdo con el credo absolutista y católico que impulsaba esta campaña; lo cual no era para él difícil, ya que ambos conceptos —el político, referente al absolutismo; y el religioso, a la intolerancia en materia de fe— eran parte fundamental de su propia concepción de la vida. A quien agrade pensar que Oña tuvo alguna conciencia americana o chilena en el sentido que las guerras de independencia definirían esa conciencia, la lectura de El vasauro le causará una grave decepción; en este poema Oña es entera y conscientemente peninsular; con su obra se

incorpora regiamente a la decadencia española que se manifiesta ya en el siglo xvii.[18]

El tema morisco. No obstante, Oña era más artista que
religioso y por eso su concepción del mundo árabe, por ejemplo, carece del fanatismo cruel y odioso de la Inquisición y
está directamente emparentado, en cambio, con esa visión brillante y romántica del tema morisco que luce en *Las guerras
civiles de Granada* de Ginés Pérez de Hita y en sus imitaciones francesas y españolas y, por encima de todo, en los romances fronterizos de los cuales Oña debe haber conocido algunas
muestras. Recuérdese, a propósito, la escena del duelo que se
narra en el Libro IX. La entrada de Fernando a la palestra
mientras Fátima, su enamorada, le sigue con los ojos, muy
bien pudiera estar contada en octosílabos y adornaría cualquier flor de romances:

> Dio le su padre aquel castizo bayo,
> dos albo, escura clin, i estrella blanca;
> hijo del viento bien, o bien del rayo
> con cinta negra de la cruz al ¡anca!
> mas Fátima, teniendo algún desmayo
> del coracon, que triste se le arranca;
> éste le da; i se alexa donde a solas
> su amarga pena es mal, sus ojos olas.
> Él ya la silla ocupa, el freno ataca...
> De azul matiz, i blanco la casaca
> sobre las armas va jugando ayrosa;
> su armada frente adornan rizas plumas
> con el color del mar, i sus espumas...
>   (IX, 243)

El moro entra, luego, y con soberbia dice a su contrincante:

> ...Hola, pregunto,
> ¿eres hombre? ¿o muger? ¿o todo junto?
> Si eres muger; no vengo a enamorar me,
> si eres muchacho, cursa más la escuela:
> i dí a tu Rey, que tigres a de echar me
> de Hircania, damas no de su Isabela...
>   (IX, 245)

Se sigue el combate que Oña describe dificultosamente;
el endecasílabo yámbico de la octava real parece trabarle el

movimiento: se llena demasiado de palabras. Hacia el final del combate, cuando el moro ya herido tiene un chispazo más de furia, la imagen luce nuevamente:

> . . .i la vena, ya de humor vazía,
> buelue a llenar de cólera fogosa.
> Qual vela; que al morir, más alta embía
> la llama, i se despide luminosa;
> tal, a su fin hallando se vezino,
> da un alto resplandor el Sarracino.
>
> (IX, 250)

El episodio entero del amor de Fátima por Fernando es una demostración excelente de este arabismo renacentista que hermana a Oña y a los anónimos orfebres de romances moriscos. No estoy de acuerdo con el profesor Oroz en considerar a los jóvenes como personajes de segundo orden. Su romance se destaca del poema con verdadero encanto novelesco, muy a la moda de las novelistas de amor del Renacimiento español e italiano y del preciosismo francés: amores apasionados, con un fondo espléndido de armas y de palacios, de rápido esbozo y brusco desenlace. La de Oña tiene un final deliciosamente absurdo que trae a la memoria esa delicada pieza de pornografía que bajo el título de *Historia de duobus amantibus* escribiera su Santidad Pius II, conocido en el mundo de los pecadores con el nombre de Aeneas Silvius Piccolomini. Anteriormente dije, por lo demás, que en buena porción del poema este Fernando se apodera de la escena y asume caracteres heroicos y parece que Oña le deja de mano muy a pesar suyo y tan sólo porque su obra requería un final tan grandioso como la toma de Granada y personajes tan ilustres como los Reyes Católicos. Fátima, por otra parte, es la mejor figura femenina que creara Oña. Nada hay en *La Araucana* que pueda comparársele. Es graciosa y delicada y la triste dulzura de su amor no correspondido nada tiene de retórico:

> Tal Fátima, en amor ardiendo toda,
> ya por la orilla va del fresco río,
> ya el cuerpo en margen húmido acomoda;
> *labio clauel* abriendo al soplo frío:
> o sobre yerto escollo se recoda

triste vagando, agena de aluedrío;
o por el bosque al son de viento, i rama
con *cisne cuello* el nombre amado llama.

(IX, 254)

La audacia del estilo de Oña no debe quedar inadvertida, aunque tenga que interrumpir mi exposición. Pasarán siglos antes de que una adjetivación de dos sustantivos como la que he subrayado llegue a ser característica de una escuela poética que aun hoy se considera "experimentalista".

De origen morisco tal vez sea otra de las grandes cualidades de Oña: su sensualismo. Porque Oña, tratándose de amores, es en verdad sensual y no retórico como sus maestros humanistas. Recuérdese cómo impresionó la escena del baño de Caupolicán y Fresia a Menéndez y Pelayo. Al distinguido crítico español no se le escapó la presencia del demonio detrás de tantas sutilezas pastoriles. Si alguien se interesa por un precursor de García Lorca en la América Hispana del siglo XVII, he aquí unos versos de Oña que pudieran ayudarle. Fátima va huyendo de Fernando, cae sobre la yerba y el joven se inclina sobre ella:

Ella le mira lánguida; i el seno
muda le riega, i débil se desmaya...
...Dexa caer la dama el albo cuello;
como acucena flor, no bien cortada;
Él al ceñido talle, al hombro bello
su izquierdo braço, da por almohada,
la desabrocha el pecho; a que la nieue
quisiera compararse, i no se atreue.
La diestra mano deste officio trata;
i de coger...

(X, 280-1)

Dejamos aquí la cita que entrecortada acaso pudiera recordarnos la escabrosa escena de *La casada infiel*. La verdad es que en su conjunto la historia no pasa de ser una escaramuza más de poesía bucólica. La doncella huye, cae y llora; el mancebo la sigue, se inclina, la desabrocha y... llora también. Hay algo en los versos de Oña, no obstante, algo de equívoco, de sensual y audaz en el modo de usar ciertas palabras, que no cuadra con el estilo pastoril del Renacimiento, algo que me hizo pensar en algunos romances moriscos, en García Lorca y en un pastor sorprendentemente malicioso.

En las páginas finales de *El vasauro* —Libro XI— Oña ofrece otro ejemplo de poesía morisca. Esta vez su narración sigue de cerca al *Romance del Rey Chico que perdió a Granada*[19] y es muy posible que Oña compusiera estas octavas siguiendo paso a paso los octosílabos del romance, ya sea que lo supiese de memoria o que le viese manuscrito o publicado.[20] Su lenguaje, claro está, nada tiene que ver con el dramatismo y precisión del original. Oña no desperdicia ocasión para hacer juegos de palabras:

El Chico Rey (mas dando gran caída)...
(XI, 306)

Ni de usar la mitología. Pero, aunque la escena se prolonga por esta causa indebidamente, en líneas generales, es la misma del romance fronterizo.[21] El Rey Chico abandona la ciudad en compañía de su madre y de su gente.

No aguarda más el Chico Rey depuesto...
...Vezino del Padul está un recuesto;
de donde caminando a l'Alpuxarra,
con la ciudad se ve su valle verde...
Allí el que rey no es oy, si ayer lo era,
yendo con él su madre, i poca gente...
allí la vista quiso dar postrera
a la ciudad mirando la eminente...
(XI, 307)

Con riqueza de detalle nos describe luego Oña la visión que se ofreció a la vista del infortunado monarca; entre otras cosas vió:

...las torres descolladas,
miró los empinados capiteles...
...Vió su Albaycin, i Alhambra: ya no suya:
que suyos ya no son, sino los daños...
(XI, 308)

Su corazón no puede soportar el dolor de la derrota y entonces el Rey prorrumpe en llanto. Aquí el poeta recuerda la frase famosa que proporciona el final admirable del romance:

La madre; que siguiendo va su lado;
le dize a rostro enxuto desta suerte.
Hijo, llorad assí, que es acertado;
i un Rey ser razón que en algo acierte:
que pues dexáis perdido vuestro Estado,
por no lo defender, qual hombre fuerte;
deuéis como muger llorar lo flaca;
si bien con esso un rey dolor se aplaca.

(XI, 308-9)

Oña, desgraciadamente, de trágico se torna melodramático: el rey reprime las lágrimas "de sus corridos ojos" y "luego
en tierra —los clava, i qual vencido toro, gime. . ."

Los caracteres. Pero no sólo romances moriscos parece haber leído Oña. Uno de sus personajes más sólidamente logra-
dos, Beatriz, recuerda en muchos rasgos a una figura típica de
los romances novelescos surgidos de la decadencia española.
Se trata de una mujer marcial, fiera, de resoluciones firmes y
ánimo valeroso; nació entre peñas y la amamantó una leona.
Mujer tan brava no deja, sin embargo, de esconder un fondo
de ternura y en sus relaciones familiares es dulce, apasionada
y sensible. Oña nos la describe en medio de una batalla y
dice:

. . .i qual ciprés, de mimbres rodeado
entre los que le ciñen, se descuella.

(IV, 108)

Y ante la imagen de su esposo palidece con tal femenina
emoción, que el poeta recurre a delicados términos para des-
cribirla:

. . .robado ve el color, de que vestir se,
vemos a l'alua el rosicler de oriente:
i que se va granando, aunque serena,
de un bel sudor su frente de açucena.

(III, 93)

Contraste con esta suavidad ofrece la siguiente estrofa que,
a mi juicio, retrata el personaje de cuerpo entero. En cierta
ocasión antes que Andrés fuera su esposo, Beatriz le amenazó
de este modo:

Selle la boca, o vaya se Cabrera;
por que si no; aunque sea mayordomo
del Rey; a de rodar por la escalera
con su temida espada: mire cómo.
Mas él; que un ángel vió mudado en fiera;
atrauesó la usada mano al pomo,
i os dixo: "Ésta consagro a vuestro nombre:
porque en mi vida vi muger tan hombre".
(IV, 111)

Tales ímpetus nos hacen pensar en este tipo de mujer-ban-dido o mujer-guerrera cuya popularidad fué grande entre au-tores de romances y dramaturgos del Siglo de Oro. Es verdad que Beatriz no sale disfrazada de hombre para buscar a su en-gañador o para conseguir venganza pero, en cambio, lucha con sin igual coraje defendiendo el Alcázar contra los rebeldes durante la ausencia de su marido, libra a sus Reyes de un ase-sino a quien córtale ella misma la cabeza y acompaña a Isabel en todas sus hazañas. En la constitución de su carácter se ve una mezcla de la amazona clásica, la heroína de las epopeyas italianas y la aventurera del romance y la comedia de España.

No es raro que a su lado la figura de la Reina Católica pierda todo relieve y no resulte sino una sombra vaguísima del personaje que, en realidad, fué y la leyenda ha inmortal-izado. No tiene disculpas en este sentido Oña, especialmente cuando se piensa que en su caracterización de los personajes masculinos tuvo semejante problema y consiguió salir airoso. En efecto, el Rey Fernando puede aparecer débil y vacilante y depender demasiado de Andrés, pero, a causa de sus mismas fallas y de esos gestos de magnanimidad y de justicia implaca-ble que luce a veces, logra aparecer humano. Su psicología se enriquece por esta combinación de variados elementos y nada pierde en comparación con el mayor brillo y la heroicidad del Conde de Chinchón. La Reina Isabel, en cambio, es en el poema de Oña un personaje sin complejidades, casi, diríamos, decorativo, especialmente si recordamos el colorido maravillo-so con que Oña la describe a través del poema:

En ábito Real con pompa illustre
al corredor aguarda la Princesa,
cércala en torno gente de alto lustre

que de admirarse viéndola, no cessa.
La blanca mano al verde balaustre
con un descuydo bello tiene presa
qual nieve sobre trébol, y se atreve
a ser igual el trébol, no la nieve.

(I, 29)

Nada hay que nos sugiera su voluntad asombrosa y el fanatismo implacable de su fe católica. Si no fuera por ciertas escenas que Oña aprovecha para iluminar a la Reina con un amor conyugal que se siente verdadero, su imagen carecería completamente de humanidad.

Pero no se crea que Oña es convencional en la creación de sus caracteres. Beatriz puede ser un tanto melodramática y los jóvenes amantes un poco quintaesenciados. Sin embargo, Oña consigue a veces expresar ciertas sutilezas del alma que, en verdad, asombran en un poeta de una época de artificialidades. Es una manera sobria y honda de sugerir un sentimiento, una pasión, la huella de una idea. ¡Tantos artistas del Renacimiento expresaban la psicología de sus caracteres a gritos! La frase corría como un torrente arrastrando alusiones clásicas, figuras retóricas, dioses de la mitología y obscuros conceptos. Esta supersensibilidad caracteriza a los extrovertidos héroes de la novela pastoril, a los extrovertidos-introvertidos héroes de las novelas lloradas de Mlle. de Scudéry. Oña, en varias ocasiones, demuestra poseer el equilibrio de la sobriedad. Cuando Fernando recibe la fausta nueva de la coronación de Isabel no prorrumpe en aclamaciones ni latinadas:

. . .recibió la
con frente igual, ni plácida ni altiva:
porque la essaltación del cuerpo sola
es una grata sombra fugitiva. . .

(II, 50)

Sus matices realistas y psicológicos hacen pensar en el trabajo de algunos maestros pintores de su época, en la sonrisa velada de una dama, en la santidad sensual de una madona.

El uso de la palabra. Oña consigue la mayor parte de sus efectos por medio de un uso inteligente y novedoso de los vocablos. No es un poeta de ideas, apenas si lo es de sentimientos, pero es un gran poeta de palabras. Su emblema podría ser, en efecto, la *palabra por la palabra*. El señor Oroz tiene razón, entonces, al decir que el mayor mérito de *El vasauro* reside en el estilo, no en su argumento ni en su composición.

Tan grande es el valor de la palabra en manos de Oña, que hasta consigue dar vida a un paisaje que en la poesía de su época era el esqueleto de una tradición clásica. Solar Correa ha dicho que Oña fué el primero de los autores coloniales en convertir la naturaleza en motivo poético, y es verdad; pues, aunque su paisaje sea renacentista y su realidad "poco menos que abstracta, desligada de la externa", y la naturaleza la vea "a través de las impresiones que de ella han recogido otros," [22] Oña realizó el milagro de inventarse un paisaje propio por el uso exclusivo de imágenes originales, de palabras usadas en un sentido nuevo jamás previsto por sus predecesores. Naturalmente la afirmación de Solar Correa no se sostiene por sí sola. Oña es un poeta de la naturaleza —nos dice— pero no define lo que debe entenderse por "naturaleza" en este caso. Bastante le han echado en cara al pobre Oña la ausencia de un paisaje autóctono en sus obras para que perdamos más tiempo en discutir el asunto en detalle. Oña no es un poeta de la naturaleza en el sentido que los escritores regionalistas de hoy lo son. No describe la realidad externa en forma objetiva; la transforma y le da una significación y una apariencia diferentes. Si nos guiáramos por las palabras del señor Oroz, por otra parte, tendríamos que considerar a Oña como un simple repetidor de lugares comunes.

Estoy de acuerdo en que Oña tiende a intelectualizar lo que ve y que "su" realidad, por lo tanto, es "poco menos que abstracta" a pesar del equívoco de los términos. Pero, como he dicho, es a base de este proceso de abstracción como consigue independizarse de sus maestros, creando nuevos valores y obteniendo, por lo menos, novedad cuando no resiste la tentación de repetir e imitar.

El profesor Oroz inmediatamente piensa en la influencia de Góngora al presentir esta deshumanización de la poesía de Oña y, muy acertadamente, dice:

Acude a Góngora, en quien encuentra a la vez la antigüedad
que tanto amaba, en los moldes que requería su arte para evadir-
se de este mundo y refugiarse en otro más bello, donde su fantasía podía moverse con más soltura (*op. cit.*, p. XCVII).

En este mundo especial de su creación Oña vivifica las
cosas y los elementos naturales:

> ...el Campo da una boz, el muro un grito;
> que suenan...
>
> (IX, 251)

Personifica a los ríos, como Góngora... Y a pesar de seguir este camino tan apropiado el señor Oroz no llega a plantearse como una realidad estética el hecho de que puede exis-
tir en la poesía un *paisaje* que no sea la reflexión de un paisaje real. Por eso recuerda que Oña no describe a Chile en
el *Arauco domado* ni a España en *El vasauro* y, volviendo
rápidamente atrás en su razonamiento, dice, con premura,
que *El vasauro* no refleja ni la atmósfera ni la naturaleza en
las que vivió el poeta y llega a la triste conclusión, finalmente,
de que "Oña no es innovador, no es original" (XCVII).

Ciertamente, ni Chile ni España se hallan descritos en su
obra; Oña no fué un realista. Pero en su obra hay un paisaje
de su invención, como dije antes, que yace en el reino del
intelecto. Su estilo podría llamarse realismo mágico o crea-
cionismo. He aquí un ejemplo:

> En su región sublime, de admiradas
> frenan las aues el bolante brío,
> los valles, applaudentes dan palmadas,
> baylan un árbol, i otro al son del río:
> las frentes de los montes enramadas
> quieren como chocar en desafío;
> i el Betis, de sus húmidas alcovas
> la testa saca, enbuelto en verdes ovas.
>
> (VI, 169)

Y otro:

> De pardo el sol con turbia luz visita
> al signo, que primero fué Amaltea;
> de donde gruesas lanças precipita,
> cruzadas por los vientos en pelea.

Ronda enojado el tiempo, i armas quita,
prende al crista; por sólo que passea
su misma calle; o bien porque murmura:
que aun agua, murmurando, no ay segura.

(VI, 163)

Oña vivifica asimismo los objetos y al describir "un salón
de techo artesonado/entre molduras bellas de oro ardiente"
donde se hallan los retratos de la familia Chinchón dirá:

i por el alto friso va un hermoso
orden de quadros casi con aliento...

(I, 35)

Es necesario recordar que en la poesía de Oña se realiza
una batalla entre el conceptismo y el gongorismo. En ciertas
ocasiones su estilo parece aclararse un tanto pero, como resultado, pierde evidentemente brillo. La imagen deja de ser
su único objetivo y, de pronto, el concepto cobra una importancia fundamental en la expresión del poeta. Se aclaran
entonces las palabras, la descripción se torna directa y simple,
pero, en cambio, se oscurece el pensamiento y Oña entra a
martirizarse entre mundos de ideas que concibe dolorosamente
y que expresa con dificultad. Este descanso que su estilo nos
proporciona cuando las imágenes apagan sus luces es, pues,
momentáneo y más bien aparente; es casi una ilusión óptica.
La siguiente descripción de un paisaje de bonanza tiene la
familiaridad y la sencillez de una poesía naturalista:

Llega os a ver (Señor) por esta reja,
como en el tiempo alegre del verano
no tan azul el cielo se despeja,
ni assí relumbra el sol en monte, i llano:
ni quando allá por julio su bermeja
espiga occupa la segante mano...
Mirad cómo el oriente se arrebola,
cómo belleza en él ninguna falta;
ni nubes hallo, eceto aquella sola,
que de oro biuo, i púrpura se esmalta...

(VI, 165)

Esta claridad parece romper a través de los nubarrones
conceptistas que obscuren el romance de Andrés y Beatriz,

construído sobre una retórica nueva que no logra despojarse enteramente de la inspiración bucólica. Un dejo filosófico, petrarquista acaso, parece alejar a Oña del simple convencionalismo pastoril del Siglo de Oro. Oña se debate en un proceso de alquimia poética, preso entre la retórica gongorista, confusa la mente por el conceptismo que sigue al preciosismo de las imágenes, situado en el punto crítico de una gran decadencia: cuando la pureza lírica del Renacimiento, ya gastados los recursos de una belleza puramente formal, cede el paso a una angustiosa preocupación sobre el destino del hombre que llena el arte de tinieblas y convierte el estilo poético en un laberinto metafísico.

El vasauro, en general, se caracteriza por una falta de humanidad en el contenido y por una fría belleza de la forma. Oña intelectualiza todas sus experiencias. No describe directamente la naturaleza sino por excepción; crea a base de imágenes un paisaje que sólo tiene realidad en su poesía. La naturaleza que él usa como elemento aparece enjoyada preciosamente y, una vez transformada en poesía, brilla en medio de luces y colores, gracias a la admirable riqueza de su vocabulario. La expresión de esta hermosura es retorcida y casi metálica, carece en absoluto de elasticidad. Cada octava es como una armadura donde las piezas han sido caprichosamente desordenadas. Así es el pensamiento además. Por eso Oña tiene de Góngora el misterio de la palabra o de la imagen y, asimismo, los gérmenes del misterio de la idea que en Gracián florecería impetuosamente. Ejemplos de sus milagrosas imágenes podrían reunirse hasta el cansancio y en cuanto a las peculiaridades de su lenguaje, ofrecen un campo tentador para el filólogo y el gramático. El profesor Oroz ha probado que la tentación, a veces, puede ser demasiado grande.[23]

La urna del poeta. Hay en *El vasauro* tanto artificio que, en verdad, la vida parece haber sido suspendida. Aunque la historia no es de la antigüedad, tanto ha retocado el autor cada uno de sus personajes y todos los ambientes, que su obra es una especie de cuento fantástico en el que figurillas de porcelana posan en diferentes actitudes para sugerir una acción que no sucede en el tiempo.

En ésta sala pues, aguarda el coro,
(no sino cielo) i el sarao comiença
dançan un Grande, i otro al son canoro;
temiendo, (i bien) que salga quien los vença;
brilla Isabel entre diamantes, i oro
i dos abriendo rosas de vergüença;
por agradar al Rey, que assí lo quiso;
sale a dançar, i a ver la el Paraíso.

Con ella va Fernando, el mismo ruego,
que de carmín también el rostro esmalta.
Élla la Baxa pide; i tocan luego:
si baxa en tal chapín se vió más alta,
compás ayroso entre imperial sossiego,
templados en su punto, no les falta.
Presenta les vencido el Rey despojos
de su contento en platos de los ojos.

(I, 42)

En compañía de tales muñecos Oña se embelesa ejercitando la pluma. Bailando la Baxa, carmín encendiendo sus mejillas, entre brillantes perlas y gotas de rocío, bajo un cielo de cristal en medio de jardines inmaculados donde capitanes, pastores y cortesanos discuten los méritos de la reina Dido, tal vez se soñaba Pedro de Oña mientras descendían los años de su vejez. Gran mérito es crear un mundo, aunque descanse sobre celajes y lo habiten solamente figuras de porcelana. Oña ha transitado a través de los siglos con tal creación como credencial.

¿Por qué escribió Oña *El vasauro*? ¿Qué motivo le indujo a escoger la gesta de los Reyes Católicos como telón de fondo para su "epopeya"? Probablemente sólo tuvo razones económicas, algún Chinchón le recompensaría. La verdad es que al leer el poema hoy notamos que le caracteriza una inactualidad trágica, un despego tremendo entre el autor, la historia y el ambiente que se describe. Es una obra hermosa en su falta de vida. Es una bella muerte. *El vasauro* se me figura más que un vaso, un cofre de exterior lujosísimo que abrimos con ansiedad esperando hallar un tesoro y nos desilusiona luego con un interior vacío; o bien, un tapiz de figuras animadas que actúan en el aire con acciones mecánicas y sobre un lejano telón de fondo recargado de ornamento.

En ninguna figura del poema, en ningún episodio, en ninguna idea se ve el nexo que una a esta historia con la humanidad del porvenir. Mérito inmenso tiene Oña como poeta abstracto y en esta condición habrá que aceptársele, anunciando la poesía creacionista y preciosista chilena del presente. Técnicamente experimentó de modo muy productivo para quienes le estudiarán más tarde. Pero Oña es un poeta que no tuvo la urgencia de comprender el mundo que le rodeaba ni de expresarlo y definirlo. Jamás intentó siquiera concebir una teoría de sí mismo y de la vida que ayudase a quienes le leyeran. Vivió solo en medio de fantasmas históricos. *La Araucana* vive porque toca la eternidad al plantear un tema que es parte íntima del destino del hombre: la lucha por la libertad, y a esto agrega la exaltación del patriotismo. Oña hace pensar en el Cavalier Marino que hace vivir su *Adone* por la sola belleza externa de su expresión. En *El vasauro* se aleja definitivamente de su maestro Ercilla y de la épica americana para construir un poema cortesano, con un héroe traído de los cabellos. Cabrera es, más o menos, la secuencia de Hurtado de Mendoza, siendo ambos lo que hoy llamaríamos héroes "sintéticos". Cabrera es más simpático y más humano, sin duda, porque Oña no recurrió a ese fantástico arte de adular que se nota en el *Arauco domado*; pero, con todo, nunca llega a cobrar relieve de auténtica figura épica.

Por otra parte, da la impresión de que el poeta echó mano de los Reyes Católicos, las guerras contra el Portugal y la campaña contra los moros, en la desesperación de creerse poeta épico y no tener batallas que contar. El mismo fenómeno ocurrió a los demás cronistas en verso del Siglo de Oro. Todos lucharon por hacer de una época cercana a la decadencia el marco de heroicas empresas. La España del siglo XVII se desliza ya por la pendiente y no podía ofrecerles auténtica inspiración a poetas como Oña que, deslumbrados con el fulgor renacentista italiano y ensordecidos por el barullo pseudoguerrero de los héroes carolingios y arturianos, se empeñaban en mantener viva la quimera y buscaban ansiosamente el hecho histórico que pudiera dar vida a una epopeya más.

Oña, el chileno, tuvo ese hecho histórico y el escenario apropiado, pero no vió ni sintió a América y, por lo tanto, se perdió. Se entregó en cuerpo y alma a la civilización de los conquistadores y, al hacerlo, se entregó a la decadencia, pues mientras aquéllos mezclaban su sangre con los nativos y se eternizaban en la creación de un nuevo pueblo, él sólo recogía las cenizas del pasado y enterraba sus obras en un limbo de donde no habrían de resucitar. Ejemplar es el caso de este poeta de preciosas cualidades que se desarraiga de su tierra, se engalana con un atavío extranjero, encaja su mente en el pensamiento religioso, aristocrático, oligarca e imperialista de una nación decadente y desciende, después, a la tumba enterrado en doble urna poética —el *Arauco domado* y *El vasauro*— bajo un pesado túmulo de flores que huelen demasiado intensamente, rodeado de una barroca multitud de poetas arcádicos, de ancianos dioses de la mitología —un tanto rengos—, bellezas griegas de un museo de cera, indios y animales, finalmente, incómodos y asombrados en medio de un cortejo al cual no pertenecen.

Obras menores de Oña y otras imitaciones de "La araucana"

Por el interés puramente bibliográfico y para completar el panorama de la poesía colonial anotaré aquí algunos detalles sobre las obras menores de don Pedro de Oña y sobre las demás imitaciones de *La Araucana*.

Oña escribió, el mismo año en que sucedió el acontecimiento, un poema sobre *El temblor de tierra de Lima de 1609*, en un canto y dividido en octavas. A mi juicio carece de mérito literario y sólo debe recordarse a causa de la interesante *Noticia preliminar* que le ha dedicado don J. T. Medina en su edición del poema de 1909.

En 1636 Oña publicó su *Ignacio de Cantabria* en edición lujosa, según Medina, adornada de láminas y viñetas; la obra había sido encargada por la Compañía de Jesús y el autor tardó quince años en acabarla. Las aprobaciones con los elogios tradicionales fueron obra de Calderón de la Barca y de Juan Pérez de Montalván. Lope de Vega alabó el poema, además, en el *Laurel de Apolo*.[24] En esta obra de Oña hay una curiosa mezcla de elementos clásicos, medievales y renacentistas. Medina le ha censurado a Oña que en sus pinturas del Infierno recurra, en busca de inspiración, a poetas paganos como Virgilio olvidándose de que otro poeta católico no sólo se inspiró en Virgilio para describir iguales circunstancias sino que se hizo acompañar de él en persona durante su jira por el otro mundo... Lo más probable es que Oña estuviera bajo la influencia de Dante y de la poesía alegórica europea de la Edad Media cuando introduce personajes como Amor Propio, Tedio, etc. Por lo demás, para determinar exactamente sus fuentes sería necesario comparar el poema con el *San Ignacio de Loyola* de Alonso Díaz que se publicó en 1613 y con el poema de igual título publicado en 1617 por Antonio de Escobar y Mendoza, y acaso ayudaría también la lectura del *San Ignacio de Loyola* por Hernando Domínguez de Camargo (1666).

El poema de Oña está escrito en octavas y cuenta la peregrinación de Ignacio por el mundo, las pruebas a que fué sometido, las visiones y milagros que adornan su vida. Consciente del verdadero sentido que la lucha religiosa adquiría en esos instantes, Oña dirige sus fuegos contra Lutero y usa toda su imaginación para cantar las instituciones fundamentales de la Iglesia católica: por un milagro de Dios recibe un mensaje divino; con un moro discute el misterio de la concepción de María; después de vencer las tentaciones del demonio, Dios le premia con una visión del nacimiento del mundo; en otra visión se le presenta la Eucaristía y ángeles son quienes le resuelven sus dudas, etc. Tampoco deja Oña de exaltar la Casa de Austria y, en forma de profecía, una voz celestial predice la batalla de Lepanto. La imaginación excesiva le hace caer en absurdos: un caballo se detiene por allí y le habla postrado de hinojos... un ruiseñor le anuncia sus descendientes... M. L. Amunátegui ha calificado el poema como "opio en páginas"...

Además de algunos sonetos sin mayor importancia, Oña escribió una oda, *Río Lima al río Tibre*, que puede leerse en la *Historia* de Medina (pp. 228-37). Nada agrega a sus méritos literarios y sí demuestra que el culteranismo le había dominado ya por completo. El poema celebra los milagros de Fray Francisco Solano y sirvió de prólogo al libro *Vida, virtudes y milagros del santo padre fray Francisco Solano* del padre Alfonso Mendieta.[25]

Un año después de la aparición del *Arauco domado*, es decir en 1597, publicó Diego de Santistevan Osorio su continuación de *La Araucana* bajo el título de *La Araucana, Quarta y Quinta Parte, en que se prosigue, y se acaba, la historia de Don Alonso de Ercilla, hasta la reducción del valle de Arauco, en el Reyno de Chile.*

Del autor únicamente sabemos que nació en León y que era muy joven cuando escribió su obra. Apreciando la dificultad de la empresa que acometía, Osorio se disculpa en todos los tonos y suplica la benevolencia de sus lectores. Su narración empieza después de la muerte de Caupolicán con un Consejo de caciques donde se elige sucesor al toqui de la guerra. Con criterio muy folletinesco, Osorio inventa un Caupolicán II que gana la elección pero conduce después a sus ejércitos de derrota en derrota. Con igual fiebre de aventuras insólitas, el poeta introduce como personaje importante a Ercilla y Zúñiga. El plan general tanto como los detalles son una imitación más bien torpe de *La Araucana* y, en realidad, el autor se hizo plena justicia, cuando pidiendo clemencia al público afirmó:

Que me falta el caudal i falta el arte. . .

Otra imitación de *La Araucana* es el poema sin título, de once cantos, cerca de ocho mil versos en octavas reales, cuyo manuscrito fué hallado por Diego Barros Arana en la Biblioteca Nacional de Madrid y que José Toribio Medina atribuye a Juan de Mendoza. Para mayor comodidad los críticos se refieren a él con el título de *Poema sobre las guerras de Chile.* La trama es simple: entre otras cosas cuenta un Consejo de los araucanos, batallas entre españoles e indios, los aprestos que se realizan en el Perú para enviar un convoy a cargo de Francisco de Quiñones, la llegada de estos refuerzos a Talcahuano; la descripción de una sequía en Chile y la llegada a las riberas de Castro de los holandeses mandados por Simón de Cordes a quienes un cacique cuenta la odiosa tiranía de los españoles al mismo tiempo que les pide ayuda. La acción se interrumpe y es probable que el poeta intentara escribir una continuación.

Medina se basa en una estrofa del *Purén indómito* en que Álvarez de Toledo se refiere a Juan de Mendoza por haber escrito sobre las guerras de Chile, para atribuirle a éste el poema. La crítica de Medina es contradictoria. En una página dice que "La ejecución del plan se resiente de demasiado desarrollo en los accesorios..." (243), que el autor "pudo cortar muchísimo" (244) y se queja de los "episodios que abultan la narración" (244), pero luego, ocupado en hacer el panegírico, olvida tales afirmaciones y asegura que el poema tiene "acción bastante bien circunscrita" (253).

Por las estrofas que reproduce Medina se colige que el poema pertenece a la escuela popular y progresista de Ercilla más bien que a la gongorista y cortesana de Oña. Hay chispazos de expresión que es bueno recordar aunque no sea sino para olvidar los efectos del servilismo de Oña:

¡Oh! mal haya el primero que ambiciando
la ajena patria i libre señoría
salió a hierro... trasgresando
la lei universal de la paz pía;
causa a quien peregrinos miserando
hecha costumbre, i a la tiranía
buscando los ajenos i sus males
imitan hoi los míseros mortales.
(Medina, 259)

En 1598 escribió Hernando Álvarez de Toledo su *Purén indómito*, que permaneció inédito hasta 1862 cuando Barros Arana lo editó en París.

Álvarez de Toledo se propuso imitar a Oña, pero su temperamento era tan diferente, que la imitación se reduce a lo exterior mientras, en el contenido ideológico de la obra, llega a conclusiones que ni Oña ni Ercilla se plantearon. Desde luego fué más verídico que sus maestros: el padre Ovalle y el padre Rosales usaron su obra como fuente de información e investigadores modernos como Barros Arana y Amunátegui han dado testimonio de su veracidad histórica. Siguiendo las huellas de Ercilla y Oña, no dudó Álvarez de Toledo en censurar agudamente a los conquistadores, pero su mente más perspicaz, su ironía andaluza y el filo peligrosísimo de su frase le hicieron escribir estrofas que debieran permanecer en nuestras antologías como fieles retratos de los pueblos que lucharon en las guerras de Arauco. Porque no sólo vió claro en la mentalidad de sus compatriotas, también se dió cuenta de las fallas del indio y a ambos denunció y condenó con igual firmeza.

Hay un retrato de los colonizadores en esta crónica en verso que es necesario señalar especialmente. Lo citó ya Medina, pero se halla tan cubierto de polvo y cenizas que no resisto a la tentación de sacudirlo y ofrecerlo de nuevo a los lectores:

> ...Dicen que a su Dios de ellos que le amemos
> i nunca jamás vemos que ellos le aman,
> i que su santo nombre no juremos
> i ellos solos le juran i difaman:
> el día santo mandan que guardemos;
> mas para trabajar ellos nos llaman;
> a nuestro padre i madre que le honremos
> i a los suyos honrarlos nunca vemos.
>
> Alegan que a ninguno no se mate
> i a todos nuestros deudos nos han muerto,
> que no hai ninguno, no, que bien los trate
> maltratándoles siempre sin concierto:
> dicen que el fornicar que no se trate,
> i ellos fornican siempre al descubierto,
> i está la tierra llena de mestizos,
> hijos bastardos de esos venedizos;
>
> Manda su lei católica i ordena,
> según ellos continuo nos predican,
> que no se tome alguna cosa ajena
> i aqueste por verdad lo certifican:
> la lei la tengo yo por santa i buena
> i por buena ellos todos la publican;
> mas son de nuestra sangre chupadores
> i de nuestras haciendas robadores.
> . . . . .
> A la mujer casada la desean,
> con mandarlos no tengan tal deseo;
> las calles donde viven la pasean
> pensando enamorar con su paseo,

que piensan no hai ningunos que los vean
como ellos nunca ven su devaneo;
a cuantas ven a todas las codician
i en verlas solamente se delician.
. . . .
Veréislos en el templo pasar cuentas
a todos a gran priesa en sus rosarios,
que parece que rezan, i hacen cuentas
de los indios que tienen tributarios;
i cuando habrán crecido más sus rentas
o menguado los gastos ordinarios:
en el oro maquinan que atesoran,
i nos dan a entender que a Dios adoran.
(Canto III, Medina, 282-3)

Podrá faltar gracia poética e inspiración en esta poesía,
pero la fuerza de su crítica social le redime de todos sus pecados. El *Purén indómito* contiene quince mil versos. El amor
está excluído totalmente y la única diversión en que el poeta
condesciende es la de jugar con estrofas en que sólo hay verbos, sustantivos o nombres propios. El padre Ovalle se refiere
en su historia a otro poema de Álvarez de Toledo llamado *La
Araucana* del cual transcribe algunas estrofas. Medina ha
sabido expresar muy bien la grandeza de espíritu que demuestra el poeta en algunos trozos de su obra:

> Sentimos en esos versos la enerjía que brota, un alma que
> no escluye el sentimiento i que sabe trasmitir al lector todo el
> fuego de la pasión que lo domina, i hasta el odio i el desprecio
> que una conducta soez e indigna inspira a los corazones hon-
> rados (p. 283).

No se completa el grupo de imitaciones de *La Araucana*
sin nombrar el *Compendio historial del descubrimiento, conquista y guerra del Reyno de Chile*, etc., de que es autor el
Capitán Melchor Xufré del Águila y que apareció en Lima
en 1630 editado por Francisco Gómez Pastrana. Se trata de
una curiosidad bibliográfica; las pocas estrofas de que él conocemos son las citadas por Gayangos y Ticknor en la *Historia
de la literatura española.*[26]
Existe un ejemplar de la obra en la biblioteca pública de
Boston pero, a juzgar por las muestras a que me refiero, no me
parece acertado recomendar su reimpresión como lo hace

Medina. El capitán Xufré del Águila fué un soldado valiente
y generoso, vino a América en 1587, costeándose sus propios
gastos y en los cuarenta años que residió en Chile gastó una
fortuna en organizar sus campañas, en mantener su casa y
séquito y en ayudar a la Colonia cuando se vió en apuros.
Esta grandeza de carácter lo distingue ciertamente en una época en que no todas las empresas heroicas obedecían a ideales
tan románticos; pero no le salva en su calidad de escritor. Ni
su poema ni sus dos otros libros: *Discurso de lo que católica-
mente se deve sentir de la astrología* y *Avisos prudenciales en
materias de gobierno y guerra*, contienen suficiente mérito
artístico para rescatarle de los desvanes bibliográficos a que
se le ha justamente relegado.

III. *Los repentistas y otra poesía de circunstancia*

El preciosismo de Oña hizo escuela en nuestra poesía colonial. Verdad es que sus discípulos no supieron desplegar igual inspiración ni maestría en el manejo de las metáforas y que si las alas del maestro estaban recortadas por su absoluta sumisión a los ideales decadentistas del conceptismo español, las de estos poetas menores sencillamente no funcionaban. Oña condujo la poesía colonial chilena a un callejón sin salida. Yo le creo sincero en su búsqueda de un estilo propio, de un lenguaje irreal que completara la ausencia de sentimientos y, sobre todo, de ideología que caracteriza toda su obra; pero en esta búsqueda se perdió por los aleros de la abstracción y, como ya se ha dicho, ni representó la imagen de su tierra ni interpretó el alma de sus hombres. Se quedó en un éter poético que solamente su imaginación prodigiosa consiguió hacer brillar.

Oña malgastó buenas dotes de narrador en una historia que carecía de vitalidad —*El vasauro*— y en otra que Ercilla había hecho inigualable, *El Arauco domado*. Su poder de crear imágenes era necesariamente limitado. La palabra es un arma de dos filos como pocas: ha resultado la muerte de todos los poetas que, de instrumento, la convirtieron en finalidad esencial. El vacío aterrador de la obra de Oña, el preciosismo absolutamente inerte de su concepción poética, se impone durante dos siglos sobre la poesía de Chile y es como una grande y espesa tiniebla que habría necesitado el genio de un Góngora para resplandecer.

El vacío poético que caracteriza nuestra literatura de los siglos XVII y XVIII es tragicómico. Uno se pregunta: ¿qué clase de vida social llevaba esta gente que podía permitirse el lujo de llenar libros sin decir nada, que jamás pareció sentir la urgencia de pensar sobre temas trascendentales, para quien la perspectiva del tiempo no se media sino en términos de la realidad más inmediata y de significación puramente local? El contraste entre la realidad social en que ellos se movían y el artificio de sus versificaciones es tan violento, que casi siente uno la necesidad de enunciar una ley socioestética que pudiera explicar este fenómeno y otros de igual naturaleza.

A fines del siglo XVII Chile tenía una población de 80 mil habitantes, más o menos, en que el europeo, el indio y el negro se habían fundido para producir una unidad racial de características particulares. Esta masa de mestizos —raíz inmediata del pueblo chileno actual— desde el punto de vista social se diferenciaba en clases que eran la resultante de la situación económica de la Colonia. Los historiadores de aquella época tanto como la mayoría de los modernos consideran a esta masa como el telón de fondo frente al cual se realizan las proezas del encomendero y del jesuíta. Al historiar las batallas se nos dirá qué capitán español dirigió cuál campaña, qué gobernador firmó cuál tratado; al estudiarse la organización del poder político y del sistema económico se enumerarán las tasas o decretos con que un gobernador trataba, sin ningún éxito, de proteger al indígena; al analizar la historia literaria se nos destacará la figura del jesuíta o del militar que se ocupó de su tierra y sus habitantes con el objeto de darlos a conocer en Europa.

En general, el pueblo aparece fuera de foco, atrás, en la sombra. Por casualidad se advierte, de pronto, que las vajillas de plata, los artesonados de las casas, las hebillas y los cordobanes, los cañones del ejército y el altar de las iglesias, eran la obra del anónimo obrero mestizo. Había, pues, un proletariado: el indio, el mestizo, el mulato, el negro o el español pobre. A esta masa llegaba a veces la instrucción jesuítica. Acaso no pensaran los padres que al combatir el régimen de las encomiendas y proteger la salud del indio con el objeto de asegurar el mejor funcionamiento de sus propias fundaciones, estaban cimentando la base del movimiento revolucionario del siglo XIX, sembrando las semillas que el pensamiento enciclopedista francés fertilizaría y vendría a dar sus frutos en la guerra de la emancipación.

El desarrollo de este proletariado y de esta corriente revolucionaria está oculto bajo el peso de los documentos notariales que forman el núcleo de los relatos que dejaron nuestros historiadores. La pobreza del pueblo, producto de una or-

ganización económica injusta, y el grado de opresión política
a que las autoridades le tenían sometido eran tan grandes, que
hasta un hombre de ideas conservadoras como Barros Arana
no puede dejar de reconocerlo:

> Los gastos ostentosos de algunas familias formaban en Chile
> en aquella época el más chocante contraste con la pobreza ge-
> neral del país. La miseria espantosa que en la segunda mitad
> del siglo xvii se hizo sentir en la metrópoli como consecuencia
> del mal gobierno, de las guerras dispendiosas e insensatas y de
> los errores políticos y económicos que produjeron el aniquila-
> miento de la industria nacional se había reflejado en las co-
> lonias.[1]

La industria chilena estaba atrasada, la agricultura no con-
seguía avanzar a causa de la falta de brazos y la escasez de
los mercados, la explotación de la minería se había reducido
en un grado lamentable; el comercio, coartado por toda clase
de trabas, impuestos y monopolios, no podía desarrollarse.
Las condiciones de trabajo bajo la dominación española fueron indignas y llena de asombro ver cómo un historiador y
crítico de la reputación de don Domingo Amunátegui justifica tal régimen en varios trozos de *La Sociedad de Santiago
en el siglo xvii.*[2] Un ejemplo basta para mostrar su ideología:

> *Felizmente,* Felipe III, a solicitud de los vecinos de la Capi-
> tanía General, como se ha leído, adoptó una medida que debía
> proveer con abundancia a los dueños de encomienda de cuan-
> tos trabajadores necesitaran. Por real cédula de 26 de mayo de
> 1608 condenó a la esclavitud a los indígenas chilenos apresados
> en la guerra; y de esta suerte permitió a los militares hacer el
> comercio de naturales en grande escala (p. 60).

"Felizmente." ¡Dios le perdone! A cada paso nos repite
que las llamadas tasas o conjuntos de ordenanzas dictadas por
los gobernadores con el objeto de "proteger" los intereses
de los indios son muy comparables a las modernas leyes del
trabajo.[3] La verdad es, como él mismo lo reconoce, que ninguna de estas tasas fué cumplida por los encomenderos y que
aun la tan mentada tasa del Príncipe de Esquilache, inspirada por el padre Valdivia, no es sino otra burla y escarnio
a la miseria del pueblo chileno de aquella época.[4]

Si, como el señor Amunátegui, diéramos por sentado que el nativo americano debía obediencia absoluta al Conquistador sin haber necesidad de aducir razones de derecho, las condiciones de trabajo del jornalero chileno no nos llamarían demasiado la atención. Por razones divinas o por razones tan problemáticas como la superioridad racional que plantearan los discípulos españoles de Aristóteles al discutir las relaciones entre el español-católico, europeo y civilizado, y el indio-infiel, americano y salvaje, se consideró la conquista de América un acto de justicia. Cuando el Conquistador se convirtió en encomendero esta noción de su derecho divino sobre el dominio de la tierra y el hombre americano llegó a ser el principio teórico fundamental del nuevo régimen económico. El proletario y el campesino chilenos fueron adjudicados y luego mantenidos en calidad de instrumentos del capital, ni más ni menos que la tierra y los útiles de labranza. El encomendero español, primero, y luego su descendencia de latifundistas criollos jamás abandonaron este convencimiento de que una razón superior o divina les confería el derecho a usufructuar de la tierra y del hombre americanos, sin otra obligación que velar por la salvación espiritual de sus esclavos y de proporcionarles los medios de subsistencia más elementales. Semejante doctrina explica la historia económica y política de Chile desde la Colonia hasta el presente, pues la independencia de 1810 no es sino una fase de naturaleza fundamentalmente política en el proceso de emancipación del pueblo chileno: las cadenas económicas que le esclavizan a los dueños de la tierra permanecieron intocadas en la revolución contra el Imperio español. La dictadura económica criolla hacía tiempo ya que había cortado sus lazos con el Imperio y era en el siglo XIX, como lo es ahora, una institución nacional cuyos intereses y cuyas ambiciones no dependían de España sino que constituían un nuevo poder en América, el poder de una oligarquía agrícola y de una burguesía industrial alzándose paulatinamente como un rival más para las potencias europeas. El pueblo ganó una libertad política aparente a consecuencia de las luchas de 1810. La oligarquía, por su parte, había conquistado su propia independencia económica mucho antes y, nacionalizando el régimen de la encomienda y explotación, se mantuvo en el poder después de 1810 mientras el pueblo seguiría padeciendo la esclavitud bajo diferentes banderas.

La producción intelectual chilena de los siglos xvii y xviii refleja muy bien esta indiferencia por la suerte de las clases trabajadoras. Entiéndase bien, no pretendo decir que por no ocuparse de problemas sociales y económicos la poesía de aquella época carezca de valor; de ninguna manera. Se puede ser tan poeta escribiendo sobre la rosa como sobre el martillo. Pero es necesario ocuparse del hombre, y el hombre de la Colonia tenía problemas gravísimos que iban moldeando su mentalidad y dándole una concepción particularísima de su existencia. Este proceso espiritual no nos ha sido interpretado por los escritores de entonces y de ahí que los acontecimientos políticos de 1810 y los intelectuales de 1842 se nos aparezcan a veces como fenómenos inesperados, hechos inexplicables de acuerdo con la tradición histórica. Aun los historiadores de la Conquista nos dejan un testimonio unilateral pues sólo plantean sus ideas personales y no tratan en ninguna parte de comprender la mentalidad de ese hombre nuevo que iba surgiendo de la Colonia. La lucha por la libertad de trabajo y la liberación del régimen político sostenida por algunos jesuítas se basa en un concepto moralista limitadísimo y, fuera de no producir resultados inmediatos, llega en ciertos casos a ser intolerable por lo inconsciente.

Suspendidos en una atmósfera desprovista por completo de humanidad versifican los poetas coloniales sobre la llegada de un gobernador, la muerte de un obispo o el santo del virrey. Sus versos reflejan la vida de los salones y las peripecias de los cabildos. ¿Qué puede citarse en la producción poética de los siglos xvii y xviii que tenga un valor no digamos permanente sino apenas en relación con el desarrollo posterior de la poesía chilena? Fuera de Oña, casi nada. Medina ha perdido energías y tiempo recopilando tiradas de versos que deben ser "tiradas" muy pronto al canasto y olvidadas para siempre pues nada significan en la historia literaria de Chile.[5] Algunos son versos laudatorios dirigidos al padre Rosales, a Pineda Bascuñán y otros, los más, demostraciones del oscuro servilismo y pacatería propios de la Colonia.

Sabido es que Pineda y Bascuñán insertó poesías a lo largo de su narración sobre *El cautiverio feliz*.[6] En ellas expresa la nostalgia del cautivo, su admiración por el paisaje o, simplemente, expone pensamientos de la doctrina cristiana. Lo mejor de su poesía me parecen ser las traducciones del latín y, entre ellas, la del Salmo VI de David que empieza:

> Que no me arguyas pido
> Señor, a tu grandeza,
> ni en tu rigor airado
> me pidas larga cuenta...

Sus traducciones de Ovidio, Virgilio, Silio Itálico y Marcial son también sobresalientes. En cuanto a sus romances, creo que carecen de agilidad y son más bien prosaicos; la idea mística no calza bien en sus cuartetas que no son ni elegantes ni lo suficientemente ingenuas y espontáneas para pasar por populares. ¡A Pineda Bascuñán, un prosista, es necesario volverse en busca de poesía en la era colonial! Como tenía visión de artista y su imaginación y sensibilidad eran poderosas cada vez que recurrió a la versificación lo hizo, a pesar de los defectos que he señalado, con mayor gracia y finura que todos los improvisadores que le siguieron.

Otro prosista, Juan Barrenechea y Albis, también incluye poesías en su novela *Restauración de la Imperial* (1693); pero más valiera que no lo hubiese hecho porque sus octavas reales son de cuarto orden, sus ideas son vulgares, su sentimentalismo es ramplón y su lenguaje grandilocuente.

Una producción que Medina alaba mucho y publica con entusiasmo en su *Historia* es la epopeya burlesca *La tucapelina* firmada con el pseudónimo de Pancho Millaleubu y escrita en 1783. Según Medina, es un

> poema satírico destinado a burlarse de don Ambrosio Benavides, Capitán General del Reino i de sus tenientes D. Ambrosio O'Higgins i D. Domingo Tirapegui con motivo de las fiestas que se celebraron en la frontera en la restauración de la iglesia i misión de Tucapel en 1783 (p. 324).

La verdad es que Medina debe haber usado un sexto sentido para captar la "sátira". Personalmente, me pareció la intención del poema tan vaga, a fuerza de mal expresada, el tono tan sin gracia y vulgar, que no vacilo en recomendar su omisión definitiva de nuestras historias literarias.

LOS REPENTISTAS

Ningún antólogo de la poesía colonial chilena deja de mencionar los nombres del padre López, el padre Oteíza y el capitán Lorenzo Mujica. No porque sean grandes poetas ni porque hayan tenido alguna influencia en nuestra literatura sino, simplemente, porque se les compara con la pobre inspiración de sus contemporáneos y se aprecia la gracia auténtica de tres o cuatro de sus improvisaciones. Los tres son poetas de circunstancia; poetas de sobremesa, se diría mejor. Lucían su talento en las tertulias y celebraciones y su mayor orgullo consistía en improvisar una décima sobre el más absurdo pie quebrado. Sus ocurrencias son patrimonio popular y tanto se han difundido que una revista salvadoreña publicaba en 1945 la famosa décima del capitán Mujica "El amor de la mujer, etc." atribuyéndosela a un prócer de las letras centroamericanas...

No es posible, pues, desdeñar estos versos, ya que expresan una sabiduría y lucen un buen humor que al público le gusta y, la mayor parte de ellos, no dejan de encerrar una cierta crítica a las costumbres de la época.

Del padre López se cuenta, por ejemplo, que injustamente le encarcelaron y al recibir la visita del guardián de su convento, dijo:

En esta casa, señor,
nos castigan al revés:
los yerros de la cabeza
nos los ponen en los pies.

El dominico es agudo e ingenioso para expresarse y, a veces, su crítica tiene el filo de un estilete como en aquella quintilla suya improvisada mientras pasaba frente a la iglesia de la Compañía. El reloj marcó las dos y tres cuartos y el fraile, que tenía sus ideas acerca de la usura ejercida por los teatinos, exclamó:

Tres cuartos para las tres
ha dado el reloj vecino,
i lo que me admira es
que, siendo reló teatino,
dé cuartos sin interés.

También dedicada a la misma orden es la siguiente estrofa compuesta frente a la imagen de un santo de cuya boca se escapa la palabra *satis:*

Un satis de amor divino
en esa boca se engasta
será el primer teatino
que, dándole, dijo basta.

Tal vez la más graciosa de sus improvisaciones es una quintilla que dedicó a una dama en una reunión social. El padre López le había pedido un "pie forzado" para improvisarle una quintilla y la señora, dándoselas de ingeniosa, dijo: "Aquí tiene usted", mientras mostraba la punta de su propio pie. La réplica no se hizo esperar:

Os hacéis mui poco honor,
pues viéndoos en tal postura,
señora, se me figura
que yo soi el herrador
i vos la cabalgadura.

El padre López sostuvo una polémica en verso con un cura coquimbano de nombre Clemente Durán; las cartas de Durán a López no las conocemos, pero sí las de éste que han sido recogidas por Valderrama.[7] Estas décimas son de un tono típicamente popular y hermanan a su autor con aquellos payadores campesinos que improvisaban al son del guitarrón. En una de ellas censura el padre López a su contrincante por su vida santurrona y le canta de la siguiente manera:

¿Qué le importa a tu simpleza
que te hallen en ese cuarto
metido como lagarto,
asomada la cabeza?
Deja el poncho i la pereza,
ponte de chatre cabal,

gasta todo tu caudal
en vida gustosa i tierna
pues ya que pierdes la eterna,
no pierdas la temporal.

En otra décima su humor hiere con una agudeza que hace
recordar a Quevedo:

A sus apóstoles Cristo
les lavó los pies postrado,
no sé si hubiera lavado
a éste si lo hubiera visto.
En creer esto me resisto
no por discurso ilusorio
sino por ser mui notorio
que si esto hubiera querido,
estuviera entretenido
hasta ahora en el lavatorio.

Habiendo recibido una contestación de su adversario se
desata su ira y desciende al insulto:

¿No te dije mono envuelto
que a Coquimbo llenaría
de versos el mismo día
que me escribieras resuelto?
. . .Si hombre de conducta fueras
no hablaras de porquería
i puntos de teología
conmigo controvertieras. . .
No pienses que yo conteste
a tu mucha suciedad
pues tú, para esta ciudad,
no eres nada más que peste. . .

No se puede alabar la piedad cristiana de los versos del
dominico, pero sí se admira la pasión que los anima; es lástima que no haya aplicado su arte poético a una mejor causa.
¿Qué imágenes de la vida social de su tiempo no pudo haber-
nos dejado un hombre de su talento que puede ser maestro de
la caricatura como lo prueba la siguiente estrofa?

Sacó un mono hecho pedazos
de una figura infeliz
con una sobrepelliz
compuesta de mil retazos;

> tenía por embarazos
> sotana, poncho i gabán,
> en fin, era un charquicán
> de inservible trapería,
> i un letrero que decía:
> éste es el doctor Morán.

O en esta décima dedicada a un sacristán que padecía de gota y a quien llamaban Capón:

> Capón gotoso, procura
> curarte que no es razón
> que el cura tenga capón
> i el capón no tenga cura;
> i si la gota te apura,
> ven a mi pescuezo i nota
> que ya a esta pequeña bota
> entre yo i mi compañero,
> sólo a fuerza de garguero
> la hemos dejado sin gota.

Hay algo del Arcipreste en este cura popular y picaresco que, si hemos de creer a la leyenda, anduvo preso y frecuentaba las tertulias donde se bebía y comía bien y en abundancia. Es de lamentar que no se haya conservado un número más grande de sus composiciones. Valderrama asegura que el padre López escribió "varios sainetes que se representaron en algunos conventos de monjas"[8] los cuales, desgraciadamente, se han perdido. A su pluma también se debe un poema titulado A *mi hermana que perdió su hermosura por las viruelas*, que no tiene nada de burlesco, sino, por el contrario, se alumbra de una suave ternura y melancolía. El sentimiento del autor es auténtico y le salva de aparecer vulgar expresando verdades tan viejas como el tiempo:

> Flor es la deidad humana
> que al instante se deshoja,
> celaje que rayo arroja,
> perdiendo su luz temprana,
> sombra pasajera i vana
> o débil i fugaz humo;
> por esto es que me consumo
> de ver al hombre querer
> lo que a un tiempo viene a ser
> flor, celaje, sombra i humo.[9]

Se podrá advertir que el tono popular de esta poesía es más bien aparente. Cuando el padre López se irrita y embiste a sus enemigos con sus décimas afiladas el chilenismo le salta de la palabra y el concepto, pero cuando la serenidad suaviza su versos y con delicadeza expone el fraile un cariño verdadero, su vocabulario se transforma, la imagen se engalana y el pensamiento se torna diáfano. El conjunto es una variación de un tema calderoniano como sugiere Valderrama, pero expresado con una simplicidad que más le acerca a la poesía de Fray Luis de León.

De Lorenzo Mujica, capitán de artillería durante la dominación española, sólo se conocen tres décimas publicadas por Valderrama.[10] Con un poco de imaginación la figura del capitán Mujica podría adornar cualquier novela histórica de la época: romántico, ingenioso, rápido en la improvisación, debe haber participado en aventuras galantes que servirían de complemento a sus hazañas guerreras. Como soldado, un hecho se encarga de reivindicarle en la historia patria: se unió a las fuerzas de José Miguel Carrera y acompañó a éste a la Argentina, y según afirma Valderrama, "sufrió tanto en el paso de la Cordillera que conservó siempre las huellas de aquel viaje desgraciado, viviendo enfermo hasta su muerte".[11] Una de sus décimas se ha hecho famosa en América y el pueblo la repite saboreando todavía la habilidad y el ingenio que en ella luce su autor. Fué una improvisación cuyo pie quebrado consistía en la siguiente frase carente, al parecer, de todo sentido: *Salero sin sal sin o.* He aquí la improvisación de Mujica:

> La mujer que da en querer,
> para todos tiene sal,
> i es salero universal
> el amor de la mujer;
> mas si da en aborrecer
> aquello que más amó,
> no tiene sal diré yo;
> por cuya razón se infiere:
> salero es con sal si quiere,
> *salero sin sal, si nó.*

Célebre por una sola composición de circunstancias es el agustino Manuel Oteíza que vivió a mediados del siglo XVIII.

Si no fuera por esa décima que improvisó, según la tradición, en un cementerio frente a una flor que crecía dentro de un cráneo medio desenterrado, Oteíza no tendría un puesto ni siquiera en el panorama de la poesía del siglo XVIII tan pobre como es en realidad.[12]

La décima que hizo famoso a Oteíza es conocida en varias versiones, la que recoge Valderrama y repite Medina me parece inferior a esta variante, en forma de octava:

> ¡Oh flor, qué mal naciste,
> y qué fatal fué tu suerte!
> Al primer paso que diste
> te encontraste con la muerte.
> El dejarte es cosa triste
> el cortarte es cosa fuerte,
> pues dejarte con la vida
> es dejarte con la muerte.

Ni siquiera se habrá de discutir la pobreza de toda esta poesía de los llamados "repentistas". Una circunstancia trivial casi siempre les sirve de inspiración y, como si el autor sintiera recortados sus medios por lo efímero de su tarea, jamás consigue elevarse al plano de la verdadera belleza artística. Estos versos, de brillo fugaz y que tanto han cautivado la imaginación popular, deberían, en realidad, considerarse junto a las payas, corridos y tonadas de autores anónimos como parte de la tradición chilena, donde no hubiera necesidad de aplicarles un juicio estético.

MONJITAS, MINEROS Y COMEDIANTES

No puede llamarse poesía a esas tiradas de octosílabos en que frailes y monjas disputaban sobre insignificantes escándalos de la vida eclesiástica, sobre dos jesuítas que pretenden cambiar de hábito, sobre una monja que se atreve a pronunciar un sermón, o sobre la muerte del Obispo de Santiago don Manuel Alday. Medina ha recogido ejemplos de todas ellas y únicamente admiramos su paciencia y verdadera piedad cristiana.[13] ¿Cómo puede uno tomar en serio versos del siguiente calibre?

¿Qué se hizo Alday? Falleció!
¿Quién lo destruyó? La muerte!
¿I él qué adquirió? Mejor suerte!
¿I murió su fama? No!
¿Pues dónde está? Se esculpió!

La mentalidad de estos versificadores era, más o menos, la
de un redactor de crónica roja. Con qué golosa satisfacción
recuentan los méritos del difunto y las circunstancias de la
muerte; cómo detallan el terremoto, para variar de tema, o el
alud o la catástrofe en una mina.

Uno hay que demuestra más perspicacia de periodista que
el resto, pero su mediocridad e ignorancia son también mayores. Se trata del autor de las *Décimas joco-serias i lúdrico-for-*
males que compuso un numen poético, i sin licencia de Dios,
a la Comedia Francesa, a sus farsantes, comparsa, música, es-
presiones i sentimientos, como asimismo a sus espectadores
nacionales intrusos, supositicios por razón de moda i estado,
con lo demás que verá el curioso lector, como dice ño Pedro
Lozano.[14]

La época es a comienzos del siglo XIX y la oportunidad
una visita de ciertos comediantes franceses a Santiago. El autor no logra entender lo que sucede en la escena y las embiste
contra los actores y el espectáculo en general. Dirige sus sar-
casmos primero contra el público de afrancesados, lo cual nos
proporciona una observación curiosa de las costumbres de esa
época e indica hasta qué punto la Colonia imitaba a la Metrópoli en su admiración por lo francés, sólo que tardíamente,
por supuesto.

I en su concurrencia toda
observé lo mismo, pues
es ya el parecer francés
parte esencial de la moda. . .
. . .Allí se ven a manojos
hombres tan estraños, que
por ponerse a la garée
un pie se descoyuntaban;
de puro estirarlos daban
un vaivén y otro vaivén. . .
. . .Visto, pues, todo este gran
invento de Belcebú,

> i harto de oír ui monsiur
> votre serviteur trois an
> con vigilante ademán
> volví al teatro mi zozobra. . .

Presenta, luego, a la primera figura a quien denomina Madama Quiriquiquí y a su comparsa de "franceses aceiteros vestidos de caniquí!" El autor no cree que ninguno de ellos sea francés auténtico y no tiene reparo en proclamarlo:

> Cuantas francesas soletas
> andan por los baratillos,
> o ya amolando cuchillos,
> o ya adobando silletas,
> salen a dar zapatetas
> en esta comedia rara,
> de conformidad que para
> los fines que llevo espuestos
> no se hallará un francés de éstos
> por un ojo de la cara.

A continuación arremete contra el héroe, a quien halla delgado de pantorrillas pero gordo de entendimiento, y contra sus acompañantes, "sabandijas de mal año". Se burla del *maquillage*:

> Traían estos postizos
> cómicos de estilo nuevo,
> arroba i media de sebo
> entre pindajos de rizos. . .

Y en cuanto al idioma francés dice:

> I hablaba en tono de ciego
> por tono de letanía,
> empezó su algarabía
> que ni pude percibir,
> ni es fácil de definir;
> porque era tal, que a mi ver
> no la pudiera entender
> quien no supiera gruñir. . .

En igual vena prosigue el autor describiendo el desarrollo de la pieza, las peculiaridades de los actores y la sutileza de su mímica que a él le parece ridícula.[15]

En cuanto a las demás composiciones de tono menor de la misma época solamente dos me parecen dignas de recordarse: la *Visión de Petorca* y la *Relación de la inundación que hizo el río Mapocho*,[16] de inspiración auténticamente popular, a pesar de haber sido escritas por poetas semicultos.

"Visión de Petorca"

El autor de la *Visión* es —según el presbítero Elías Lizana— fray Bernardo Guevara, y —según Enrique del Solar— el fraile agustino y español de nacimiento Sebastián de la Cueva. Poco interesa, en verdad, dirimir la cuestión, ya que se trata de una obrita de escasísimo valor y que me atrevo a mencionar tan sólo en su calidad de antecedente para otras composiciones populares de semejante estilo.

El romance está escrito en tono pedantesco de indudable mal gusto, pero el autor demuestra habilidad para narrar y mantener viva al atención del lector. El uso de los detalles melodramáticos tal vez ayudó a cautivar la fantasía del pueblo que ha repetido estos versos a través de los años sin aburrirse jamás de la historia ni perder su respeto por el fondo supersticioso que la anima.

Digo que vale como antecedente histórico porque, si se hace abstracción del cultismo del lenguaje, pertenece a ese mismo tipo de poesía sensacionalista que explotarán más tarde los autores de corridos como Bernardino Gajardo o el Ciego Peralta. El suceso que relata tiene en sí un marcado tinte novelesco. En la ciudad de Petorca un grupo de siete mineros descubre un rico yacimiento de oro en la mina de un tal Rosario Muchastegui; una noche entran furtivamente en las galerías dispuestos a llevarse una cantidad del precioso metal que habían dejado oculto. Hay un accidente, las lámparas se apagan, los hombres huyen en la oscuridad dando voces de terror y mueren antes de encontrar la salida. El pueblo repite la historia, la transforma, la adorna; un fraile decide darle la natural moraleja y el poeta, finalmente, la romancea como un ejemplo de la justicia divina.

La popularidad de esta narración en verso fué enorme, como se ha dicho, y el ya citado presbítero Lizana cuenta que

"los antiguos petorquinos, con el deletreo de la cartilla y con
el aprendizaje del rezo y de las *Alabanzas*, estudiaban de memoria el popular corrido. Se lo enseñaban sus padres al calor
del brasero del mate, o a la luz del candil de la cuadra, en las
largas noches de invierno".[17]

"La inundación del Mapocho"

Interesa esta composición por semejantes motivos. Fué
escrita por una monja carmelita quien, tal vez con un cálido
rubor en las mejillas, nos relata cómo entraron los "hombres"
en el convento para librar a las monjitas de la muerte y cómo
atravesaron las aguas con ellas en los brazos:

> Pero es lo menos sensible,
> comparándolo al tormento
> que toleramos, al ver
> el gentío tan atento,
> cuando en brazos de los peones
> nos transportaban sin tiento.
> Y a unas las tomaban mal,
> Y a otras echaban al suelo,
> y algunas bien embarradas,
> eran de la risa objeto.

A través de todo este romance luce una sincera ingenuidad
que se prende a veces con un rubor o palidece para expresar
de manera muy femenina el temor de las enclaustradas ante
los ataques del río y la impertinencia de las gentes:

> Dadme voces, santo cielo,
> para narrar un asunto
> en que desfallece el eco,
> en que en trémulos suspiros
> agonizando el aliento,
> respira sólo pesares,
> anima sólo tormentos. . .
> . . .El susto sólo les fué
> activo medicamento
> para recuperar fuerzas
> y corroborar aliento;
> y tomando sus vestidos
> para ponerse á cubierto,

enderezaron sus pasos
con trémulo movimiento
al coro, donde esperaban
fuese su fallecimiento.

¿Cómo no han de tener mayor encanto estos rubores y
estas carreras de las monjitas de San Rafael que las tiradas in-
soportables del *Dibujo de un alma* o la extrema vulgaridad de
esa *Ensalada poética* que Medina califica como "la más notable producción de su especie en toda la historia colonial"?

La primera composición a que me refiero data de 1798 y
se encuentra en el tomo cuarenta y tres de la segunda serie de
manuscritos de la Biblioteca Nacional de Santiago. Contiene
verso y prosa. Su fundamento es la doctrina de la fe, la esperanza y la caridad; la intención inmediata del autor es enseñar
la penitencia y el sufrimiento del alma con el fin de ganar
una gloria eterna.

Al lector que juzgue el poema con objetividad el pretendi-
do misticismo de esta obra le parecerá simple y elemental doctrina cristiana. El lenguaje, por lo demás, es vulgar y carente
en absoluto de contenido poético; las ideas, de trilladas, parecen haber perdido todo significado.

El autor de la *Ensalada poética* es el español Manuel Fernández Hortelano; la escribió en 1804 y sólo habrá de mencionarse aquí para borrar el equívoco que pudieran causar las
palabras de Medina citadas anteriormente. ¡Llamar a esto una
"obra notable"! El "poeta" cuenta la historia de un tal Plácido, que se rompe la cabeza; un médico le desahucia y una cu-
randera le salva con ruda. Por allí dice la bruja:

Si tienes a tu hijo
rota la testa
ponle emplaste de ruda
que poco cuesta...

El emplaste indudablemente se lo merece el autor. Pero
Hortelano no sólo fué infeliz como versificador, también tuvo
sus tropezones en su carrera política. Cuando Chile se inde-
pendizó no quiso el poeta perder semejante oportunidad y escribió una composición patriótica en la que decía:

> ... ¡Pobre Chile! ...
> Tiempos también tuviste, en que comprabas
> tan caros los efectos del vestido,
> que no usabas camisa, o si la usabas
> quitabas a tu boca el pan debido...

Le eligieron, naturalmente, miembro del primer Congreso Nacional. Pero lo extraordinario sucedió a continuación, cuando la Reconquista española triunfó y Hortelano tuvo que explicar su poema revolucionario. Según cuenta Medina: "el infeliz fué obligado a cantar la palinodia, publicando una *Explicación* (que corre impresa) *del objeto que se propuso para escribir la canción*, en la cual hace esfuerzos inauditos para trocar el sentido de lo que dijera..." (p. 418).

Leyendo a Hortelano y los elogios que le dedica su crítico no he podido dejar de pensar en estas palabras que pronuncia una vieja en la propia *Ensalada*:

> ¿Cómo no se ha estorbado
> el que tales sonseras
> al público haya dado?

EL ROMANCERO ESPAÑOL EN CHILE

Estas versificaciones del siglo XVIII que he comentado hasta ahora son el producto de una mentalidad semiculta y de una inspiración popular. El estilo es casi siempre atildado. Se observa que los autores poseían un conocimiento de la literatura clásica española y se esforzaban por mantener lo castizo de la expresión sin preocuparse mayormente de si la forma iba a corresponder con el contenido típico y, no pocas veces, vulgar. El contraste de la forma y el fondo es constante en esta literatura. Cuando el autor es un fraile y su tema es de índole religiosa la forma se torna especialmente rebuscada dejando claramente al descubierto la pobreza del contenido ideológico. En el caso de los "repentistas" y polemizadores de la Colonia la contradicción se halla entre lo alambicado del concepto y de la forma métrica y lo grosero del motivo poético.

Fuera de los salones y de los conventos, más allá de la influencia oficial, se desarrolló, sin embargo, una poesía de naturaleza muy distinta y que es la única a la cual podemos conferir el nombre de *popular*. Me refiero a los corridos, a las payas o contrapuntos, los cantos "a lo divino" y a las crónicas en verso, a toda esa corriente de creación colectiva que es la descendencia chilena del Romancero español.

Cuando los conquistadores invadieron nuestro continente el Romancero atravesaba por su período de mayor difusión. Era el Romancero como una flor de cambiantes colores y contextura complejísima que expuesta a la más mínima diferencia de clima respondía con matices insospechados interpretando la nueva ocasión. No en vano se han llamado *flores* las colecciones de romances más famosas de entonces y de hoy. Como lo ha comprobado Menéndez Pidal, el Romancero al difundirse cambia y es en este cambiar constante que le imprime la tradición oral donde reside la razón del término "creación colectiva", pues aunque el romance haya tenido en una lejana fecha un autor que lo "compuso", es el pueblo quien, al fin y a la postre, le da su forma definitiva mudándolo, ya sea al cortarle o agregarle versos, al suprimir o variar palabras, al modificar el desenlace o alterar caprichosamente el orden de los acontecimientos y hasta las acciones de los personajes.

El Romancero llegó a América en labios de los conquistadores. Difícil es, no obstante, aducir pruebas que fundamenten este aserto. Menéndez Pidal recuerda muy oportunamente en su ensayo sobre los *Romances de América*[18] el testimonio de Bernal Díaz del Castillo quien, en un pasaje de su famosa crónica, dice lo siguiente:

> Acuérdome que llegó un caballero que se decía Alonso Hernández Puertocarrero, y dijo a Cortés: Paréceme señor, que os han venido diciendo estos caballeros que han venido otras dos veces a esta tierra:
>
> *Cata Francia, Montesinos, cata París la ciudad*
> *cata las aguas del Duero do van a dar a la mar;*
>
> yo digo que miréis las tierras ricas, y sabeos bien gobernar. Luego Cortés bien entendió a qué fin fueron aquellas palabras dichas y respondió:
>
> *Dénos Dios ventura en armas*
> *como al paladín Roldán,*

que en lo demás, teniendo a vuestra merced y a otros caballeros por señores, bien me sabré entender.[19]

En el pueblo de los tiempos de la Conquista y la Colonia la leyenda poética de las hazañas de Carlo Magno, de Bernardo del Carpio y del Cid, la historia de los Infantes de Lara, de Pedro el Cruel, de don Juan de Austria, las figuras románticas del Conde Alarcos o de Gerifalte, la nostalgia y el brillo dramático de los romances moriscos, todo este universo poético cobró una vida renovada, vida maravillosa en que los acontecimientos históricos considerados desde una nueva perspectiva se hicieron ficción y se confundieron y entrelazaron en la fantasía popular.

Lo indio y lo negro aportaron, por otra parte, el fuego de las leyendas primitivas y la tradición; quizá obedeciendo a tendencias subconscientes, el pueblo seleccionó aquello que debía reflorecer sin respeto a los principios consagrados del arte. La historia sagrada del Viejo Testamento es tan importante en el fondo de nuestra poesía popular como la historia de la Edad Media europea o el folklore religioso africano o la crónica roja de los periódicos.

Durante la Colonia y a medida que el carácter criollo se iba definiendo con mayor claridad ciertas tendencias comienzan a predominar en el gusto del pueblo y el romancero chileno asume sus características propias. Vicuña Cifuentes expresa este proceso de transición en forma muy acertada:

Puede asegurarase, en presencia de lo que nos queda, que del copioso romancero tradicional que en diversas épocas, ya remotas, se difundió entre nosotros, se olvidaron los romances históricos, que celebran héroes y hazañas que nuestro pueblo desconocía; se olvidaron por igual motivo los de asuntos clásicos y los fronterizos y moriscos; se olvidaron, por sosos y descoloridos, los que contaban amores y aventuras que no rebalsan los límites de la cortés galantería, y sólo fueron quedando aquellos de asuntos fuertes, a las veces sangrientos y pecaminosos, y algunos sobre temas bíblicos y devotos. . .[20]

Desgraciadamente, es imposible seguir paso a paso la gestión de nuestro romancero. Los historiadores de la Colonia no registraron sino ocasionalmente el paso de la poesía popular española a América y, en todo caso, nunca llegaron más allá de citar uno o dos versos que, en la boca de un soldado, sonaban más bien como un refrán. Ya se ha visto en qué clase de proezas poéticas se entretenían los bardos del siglo xviii. Ninguno de ellos deja entrever un contacto verdadero con el pueblo. Es difícil decir si durante la Colonia, por ejemplo, existían ya los payadores y si eran corrientes esas justas poéticas que, como la de don Javier de la Rosa y el Mulato Taguada, constituyen lo más interesante de la tradición poética chilena. Investigadores de nuestro folklore como Lenz, Vicuña, Lizana y otros se inclinan a pensar que los payadores ya entonaban sus cuartetas y décimas a los acordes del guitarrón antes del advenimiento de la República. Es de lamentar que ese pequeño tesoro de humorismo e ingenio criollos se haya perdido para siempre debido, en parte, a la falta de interés y al desdén que nuestros gobernantes han demostrado siempre en su contacto con el arte de las clases populares.

De una cosa sí podemos estar seguros y es de que antes del auge de los payadores y de los pliegos sueltos publicados por Gajardo y sus discípulos hubo una época en que la poesía popular chilena consistió principalmente en una variante del Romancero español. No sin motivo ha dicho Menéndez Pidal: "En Chile encontré una abundancia de romances comparable a cualquier región de España." [21]

Indudablemente es imposible marcar una línea de separación entre estos dos períodos. Lo más probable es que tan pronto como nuestras gentes aprendieron romances de los españoles, los repitieron frente a una pequeña audiencia y, al transformarlos y comprobar el éxito que la "chilenización" obtenía, tuvieron, quizás, la primera ocurrencia de improvisar. Con esa especial habilidad que el chileno ha demostrado para teatralizar sus leyendas —un instinto dramático que vive en el pueblo y que jamás ha sido ni interpretado ni comprendido por los escritores chilenos de ninguna época— de la recitación del romance pasó imperceptiblemente a la "actuación" y de ahí al contrapunto.

Los hechos locales, por otra parte, ya sea de índole política o social, la descripción de fiestas y costumbres, la caracterización de personajes célebres, ofrecieron nuevos temas para quienes se aventuraban en el arte de la improvisación. La afición del pueblo a lo truculento permitió que algunos romances españoles como el de *La adúltera* y el de *Delgadina* se perpetuaran sin considerables variantes y que otros dieran origen a creaciones originales como los famosos romances de bandidos o de acontecimientos extraordinarios. Parte de esta producción, que pudo haber sido abundante, se ha perdido definitivamente; del resto, trasmitido por la tradición oral, conocemos algunos ejemplos gracias a la diligencia de investigadores como Julio Vicuña Cifuentes[22] y Rodolfo Lenz.[23]

En sus *Romances populares y vulgares* Vicuña Cifuentes no sólo incluye romances de la tradición española, sino también romances chilenos —que llama "vulgares"— y romances impresos, dos de los cuales ya he comentado: la *Visión de Petorca* y *La inundación del río Mapocho*. Pero su competencia no es igual tratando de todos estos temas. La parte de su libro dedicada a coleccionar y comentar las versiones chilenas de romances tradicionales es excelente. La parte en que trata de los corridos criollos y de los poemas impresos es incompleta y de inferior calidad. Vicuña, a pesar de sus excursiones por los alrededores de Santiago, era un investigador de gabinete. No conocía al pueblo chileno sino a través de libros y, lo que es peor, parecía desdeñarle.

Para informar sobre la obra y la vida de los cantores populares que actuaron en el siglo XIX y tuvieron su apogeo a raíz de la victoria chilena en la guerra del Pacífico, se necesitaba un hombre de raigambre popular, que conociera su tema directamente y trabajara con fervor, movido por el cariño a las cosas y a las gentes de su tierra. Este hombre resultó ser Antonio Acevedo Hernández. Nótese el hecho de que al definir su obra he usado la palabra "informar". Acevedo no es un investigador, sino un periodista. Él mismo confiesa en su libro sobre la poesía popular chilena[24] que carece de la preparación necesaria para producir un libro técnico. En cambio, el sentido humano de su testimonio es de un valor inapreciable. Acevedo es, como los poetas de que se ocupa, un improvisador. Su lenguaje es, asimismo, una curiosa mezcla de elementos cultos y populares. Puede llegar al colmo de la incorrección y, a veces, se alza sin ayuda de ninguna retórica, sin el brillo falso de un vocabulario rebuscado, a un plano de auténtica belleza lírica. Tiene todo lo que a Vicuña le faltó y le falta, todo lo que a Vicuña le sobraba. En su obra Acevedo re-crea ante nuestra vista un gran momento de la historia de Chile, de la historia auténtica, la que forjara el pueblo, y lo hace de un modo directo, con la desnudez práctica y efectiva del periodismo contemporáneo.[25]

Por ahora discutiré tan sólo el libro de Vicuña Cifuentes, ya que trata primordialmente de las derivaciones chilenas del Romancero español y atañe, pues, a la primera de las dos etapas de la poesía popular que antes he indicado.

Si se compara esta colección de Vicuña con la publicada por Durán[26] se verá que Chile ofrece versiones de casi todos los romances más populares en la tradición española y portuguesa. El Cid, Bernardo del Carpio, el Conde Alarcos, Delgadina, Blanca Flor y Filomena, Don Juan de Austria, Gerifalte, Oliveros y Fierabrás, aparecen representados en una o más versiones. Temas como el de *La mujer adúltera, El reconocimiento del marido, La mala mujer, El penitente, La mala hierba, El galán y la calavera, La dama y el pastor, El hilo de oro, La fe del ciego, La niña mal casada, La devota, Don Jacinto y doña Leonor, El caballero enamorado, Los dos mágicos,* que los aficionados al Romancero reconocerán de inmediato a la simple mención de sus títulos, se han mantenido firmes en la tradición oral chilena. La historia bíblica se halla asimismo representada con romances que recuerdan claramente los modelos europeos. *La Navidad, La Magdalena, Camino del Calvario, El martirio de Santa Catalina, La Virgen presiente la Pasión, Las santas mujeres, La enamorada de Cristo,* etc., son algunos representantes de este tipo.

Algunos de los romances recogidos por Vicuña plantean problemas interesantes. Por ejemplo el Nº 6,[27] sobre cuyo tema el autor dice: "He de confesar que no entiendo este romance, y que, si trato de explicármelo imaginando diversas soluciones, ninguna hipótesis me satisface" (p. 14).

Razón suficiente tuvo el señor Vicuña para desesperarse, porque a la fantástica leyenda que rodea a la figura de Bernardo del Carpio la presente versión agrega más de un elemento para confundirnos.

Como hace notar Vicuña, la madre de Bernardo del Carpio, de acuerdo con la tradición, se llamaba Ximena y no Blanca. Además, su madre no tendría por qué estar presa en Francia y, por lo tanto, difícil sería que él hubiese ido allí para libertarla. Sin embargo, leyendo la *Primera Crónica General*[28] se puede hallar cierta base tradicional aun para este romance recogido en Chile. Según este documento histórico hubo, en realidad, quien pensara que Ximena no era la madre de Bernardo del Carpio sino doña Timbor, hermana del rey Carlos "el grand" (p. 375). Si en un viaje de peregrinación por España doña Timbor tuvo un desliz del cual resultó un hijo que permaneció en España a cargo de una nodriza que pudo haber sido la doña Blanca del poema, nada tiene de raro, a pesar de la extrañeza del señor Vicuña, que su hermano, el rey de Francia, la haya encarcelado a su regreso en vez de darle una festiva recepción. Y, además, cosa que se le escapó por completo al investigador de los romances chilenos, nada tendría de raro que el pueblo cantara un supuesto viaje de Bernardo a Francia para libertar a su madre cuando la misma *Crónica General* nos cuenta que el héroe, según algunos, estuvo en ese país:

> e luego que llego a la cibdad de Paris
> do era Carlos, fuese luego poral palatio.
>
> (p. 375)

Y a continuación nos dice que habiendo tenido una disputa con un medio hermano suyo, hijo de doña Timbor, que se negó a reconocerle, Bernardo salió de París "et fue andar por la tierra, et començo a fazer muchos males por todos los logares por o andava". De este episodio en particular, narrado en la *Primera Crónica General*, me parece que puede haberse originado el romance en cuestión que, aparentemente, es un fragmento de otro más largo y de considerable antigüedad.

A veces el coleccionador sugiere con reticencia la posibilidad de que un romance sea de origen chileno, como es el caso de ese bellísimo cuento infantil titulado *La ciega* y que lleva el número 81. Con el propósito de disminuir en lo posible las dudas del señor Vicuña y a causa del título que se halla tan repetido en el Romancero de otros países me dediqué a revisar las diversas colecciones que a todo estudiante del tema le son familiares y, finalmente, llegué a la conclusión de que el romance debe ser chileno, aunque no enteramente popular. Podría haber sido compuesto, como dice Vicuña, "por un colaborador de esas hojas efímeras" publicadas por congregaciones religiosas para difundir la fe entre el pueblo. Desde luego, no tiene ninguna relación con el famoso romance de *El ciego* que se encuentra tan profusamente en la tradición portuguesa.

Otro romance que, a pesar de su título y asunto, podría ser chileno es el Nº 113 sobre *El nacimiento de Jesús* que se diferencia claramente de todos los españoles y portugueses que conozco sobre el tema. Tal vez se trata del resto de una de esas lecciones de historia sagrada que en las antiguas escuelas de Chile se enseñaban en verso y que las gentes además de repetir, por supuesto, transformaban.

Hay otros casos en que se hace necesario rectificar conclusiones alcanzadas por el coleccionador un tanto apresuradamente. En la versión chilena de *La devota* se leen las siguientes líneas:

> donde la culebra grita
> la serpiente respondía.

Vicuña Cifuentes sabía que ellas semejaban estas otras de una versión asturiana de *Delgadina*:

> donde canta la culebra
> donde la rana cantaba.[29]

Pero, al parecer, no reparó en el hecho de que líneas tan semejantes se hallan también en *El caballero burlado*,[30] lo cual viene a debilitar considerablemente el argumento suyo de que *La devota* "se escribió teniendo presente el de *Delgadina*".

Rarísimamente se notará en el libro de Vicuña Cifuentes un error o una omisión que pudieran achacarse a simple descuido. Sin embargo, luego de analizar desde el punto de vista de la gramática la presencia de chilenismos en algunos romances, parece olvidarse de tan ingrata labor y llega hasta prometer una nota explicativa sobre la frase *lo que* para luego no incluirla en ninguna parte. El pecado se comete a propósito de tres de las numerosas versiones que tratan de *Blanca Flor y Filomena*. En ellas se puede leer lo siguiente:

Blanca Flor, *de que* la vido
(Nº 24)
Blanca Flor *des que* la vió
(Nº 25)
El Conde, *lo que* la vido
(Nº 26)

Para suplir la omisión de Vicuña Cifuentes recordaré las palabras de Manuel Román en su *Diccionario de chilenismos*.[31] "No se confunda el adv. *de que con des que*, que también el Dicc. escribe en una sola voz (desque) 'desde que, luego que, así que'. Éste es contracción de *desde que* y está hoy ant. en prosa" (p. 73).

En la página 104 refiriéndose a *desde* afirma: "Tres vicios de lenguaje han hecho contraer a esta prep. los escritores que no estudian bien el idioma... El tercero es dar a *desde que* el significado de *luego que, así que, apenas, en* con gerundio."

En cuanto a *lo que* el profesor C. E. Kany ha publicado un estudio[32] en el cual señala:

The popular form *lo que* (meaning *cuando, luego que*) is used in Argentina, Uruguay, Chile, Ecuador and probably elsewhere. Román (*Dicc. de chilenismos*, III, 325) defends this expression against the attacks of grammarians who have dubbed it "un barbarismo de los más groseros" by saying "no tiene de tal sino la supresión de la prep. *a*, pues en España se ha dicho *a lo que*."

Finalmente, me voy a referir a un grupo de composiciones que Vicuña Cifuentes califica de "vulgares", indicando así su procedencia nacional. Pertenecen, en realidad, a la segunda época de nuestra poesía popular: la época de los payadores y de los pliegos sueltos que se desarrolla en la segunda mitad del siglo XIX; por esta razón les llamaré *corridos* en vez de romances. Lo interesante de estos corridos es que se adivina en cada uno de ellos el fondo de una tradición española; de ahí que me parezca más razonable estudiarlos aquí, en conexión con la poesía colonial, que posteriormente con el material glosado por Acevedo Hernández. Los temas de que tratan y los tipos que representan bien pueden imaginarse en la vida española de los siglos XVII y XVIII. Los propios conquistadores del siglo XVI es posible que se hayan deleitado con las melodramáticas aventuras de un bandido o una bandida que luchan bajo el signo de la fatalidad y acaban de manera ejemplar para los que todavía dudan de la justicia divina.

La fantasía, por una parte, y el sentido común, por otra, de las gentes chilenas consiguieron transformar estas leyendas y adaptarlas a una nueva realidad y a una distinta concepción de lo maravilloso. El proceso fué lento. La leyenda de *El alarbe de Marsella*[33] aparece intacta en la tradición chilena; sus elementos principales —la fatalidad, la serie de crímenes brutales que culminan con el parricidio, el castigo de Dios y el fenómeno sobrenatural— se encuentran aún hoy no sólo en corridos sino hasta en canciones populares. Pero, luego, las aventuras puramente literarias de un bandido de la antigüedad no podían satisfacer la curiosidad de los oyentes ávidos siempre de novedades locales. El bandido chileno hace entonces su aparición. Las circunstancias varían. Generalmente, el bandido sale del campo y mata por venganza; una vaga intención social se advierte. El corrido es breve, el verso y la palabra tienen la dureza del facón; se conserva el dramatismo de los romances tradicionales, pero en el desenlace brusco el chileno agrega un toque especial, inconfundible, típico de su concepción de la vida.

El huaso Perquenco ofrece un buen ejemplo. Los cuatro primeros versos sintetizan la acción entera del relato:

> Ayá va el guaso Perquenco
> en su cavayo alasán:
> ocho sorda'o' lo siguen
> y no lo pue'en arcansar.

Luego, el carácter y la biografía del personaje se plantean brutalmente en los versos siguientes:

> Trre' muerte' icen que deve
> ar gorpe de su puñal;
> uno era un viejo avariento
> con cara 'e necesi'a',
> l'otro un 'ermano traidor
> que lo vino a denunciar,
> y tam'ién una mujier
> que lo quería engañar.

Lo cual basta y sobra para mantener en alto su reputación; de ahí que el poeta decida continuar el argumento propiamente dicho manteniendo la precisión admirable del comienzo:

¡Corran, corran lo' sorda'o',
corran, corran sin parar!
Yo sé qui ar guaso Perquenco
ninguno lo va a arcansar.
A media noche llegó
cerca de la Rinconá',
a la casa di un compaire
(aya) jué a desensillar:

Y cuando el lector espera un desenlace melodramático y espectacular, se encuentra con estos versos:

—¡Que se levanten las niña!,
que se levante mi a'ija;
aquí está er guaso Perquenco
para oír una toná!

(Nº 64)

Sencillamente se trata de una manera entre muchas de exaltar el heroísmo: el desprecio al peligro, la gracia caprichosa del huaso para quien "la cuchilla", "la cueca" y "la ahijá" parecen ser los símbolos concretos de su singular concepto de la vida. . .

Así como de *El alarbe de Marsella* la imaginación criolla extrajo los elementos para el relato de las hazañas de sus propios bandidos, el huaso Perquenco y Luis Ortiz, así también sucedió con el caso de *la bandida* Sebastiana del Castillo que del Romancero español va a pasar a los corridos chilenos con otro nombre y diversas aventuras. Pero lo más interesante es que, mientras la heroína española era impulsada a su peligrosa carrera de crímenes y venganzas por una cuestión de honor, la heroína chilena castiga no sólo una deshonra, sino también un mal social, una injusticia económica que la convierte a ella y a sus familiares en las víctimas del forastero o del patrón, es decir, del dinero y la diferencia de clases. El mejor ejemplo recogido por Vicuña Cifuentes es el Nº 129 llamado *María Santander*.

La trama es simple: un forastero llega a casa de una familia provinciana y se enamora de una de las hijas; trata de seducirla, pero la muchacha se resiste. El enamorado consigue ganarse el favor de los padres prometiendo, naturalmente, matrimonio. Se finge enfermo, los viejos aconsejan a la muchacha que ante la gravedad del asunto debe ceder y... acontece lo natural, el seductor no cumple su palabra, los padres nada pueden hacer y la muchacha es, en realidad, la única víctima. Podría dudarse de la veracidad o, por lo menos, de lo común de la situación. Sin embargo, el caso representa una tragedia de la clase media que de repetida ha perdido interés. Hay ciertos convencionalismos que se olvidan fácilmente ante la perspectiva de un mejoramiento económico y social. El pueblo se rebela ante semejante cinismo y concibe una reivindicación, de mal gusto y sentimental si se quiere, pero muy justa. Canta a la muchacha describiéndola como una víctima, primero, y, luego, la convierte en una heroína y, al final, cuando el castigo es inevitable, la hace asumir nuevamente el papel de víctima y aceptar la muerte como una protesta contra la corrupción de la sociedad en que vive.

Conectado, asimismo, con el tema de los bandidos nos ofrece Vicuña Cifuentes un corrido sobre *el fusilamiento*. La pena de muerte se aplica tan pocas veces en Chile que cuando va a tener lugar una ejecución poco falta para que sea día de fiesta nacional. En todas partes se comenta el suceso: en los periódicos, en las tertulias, en los barrios; ciertas sociedades como las de socorro mutuo o las evangelistas y algunos clubes deportivos dirigen telegramas al Presidente. En el "despacho" de la esquina las viejas hacen circular los rumores más estrafalarios.

Y el resultado de tamaña excitación es un romance como el Nº 146, quizás el más típicamente chileno de la colección de Vicuña Cifuentes. En este caso lo chileno no radica solamente en el romance, sino, además, en el comentario de Vicuña Cifuentes tan serio, grave e interesado, y en esas palabras tan altisonantes y absurdas del Presidente de la República. Don Julio Vicuña, el Presidente, el joven de Peñaflor, el caballero Verdugo, el Cordero Maniatado, el Comandante de a Bordo y doña Victoria Prieto, todos en conjunto, parecen estar esperando la varilla mágica que les venga a revivir en un divertido sainete.

El romance trata de un buen hombre del campo que viene a la ciudad a cambiar dinero en una tienda; se ve envuelto en una discusión con el tendero y lo mata. La justicia le condena a muerte y es fusilado. El pueblo, sin embargo, convierte el asunto en una tragedia de curiosa significación. El asesino se transforma en un alma de Dios, no es más que un inocente "cordero maniatado", "una paloma mansa", "el humilde joven de Peñaflor"... En cuanto al pobre gallego asesinado, acaba convertido en un ogro. Fácil es de imaginar cómo habrán saboreado las ancianas aquello de:

> Hubieron grandes empeños:
> primero, la aristocracia;
> también fué don Benjamín,
> prometiendo su palabra
> qu'él haría lo posible...

Este don Benjamín no es otro que Vicuña Mackenna, el santiaguino por excelencia.

Y luego:

> Las monjas también pedían...
> Un comandante de a bordo
> también escribió una carta...
> Entre oradores y puetas
> se vió la mayor constancia.
> Reunieron muchos miles,
> por ver si acaso alcanzaban
> el favor de su Excelencia...

Maravilloso relato éste de una época ingenua y fantástica. El huasito, la monjita, el Presidente y los *puetas* vivían a la buena de Dios. Unos se morían de hambre, otros se hacían ricos. Todos tenían fe, sin embargo, y todos cantaban. De vez en cuando un fusilamiento, una guerra o un terremoto... y vuelta a tomar el guitarrón.

Y a propósito de terremotos, los corridos que de ellos se cantan gozan de especial popularidad en Chile. El terremoto es una institución nacional; se le teme y porque se le teme se le respeta y se le canta. Ha influído de manera increíble en la formación del carácter del pueblo. El chileno que se despierta a medianoche sacudido por un remezón espantoso que dejará su casa convertida en ruinas se ha puesto escéptico y pesimista. Dicen que desprecia el peligro de tanto burlar a la muerte. La verdad es que ha perdido mucho de la iniciativa que le caracterizaba ya que —además de la miseria en que se debate— vive en una tierra que le destruye totalmente sus mejores obras. Vicuña Cifuentes ha recogido un corrido típico de esta clase.[34] Por el tema se relaciona con los que tratan de asuntos extraordinarios y sobrenaturales en España. Pero es de notar que la afición del pueblo chileno se dirige más bien hacia un tipo de fantasía moderada con una buena dosis de realismo. No le atraen los milagros religiosos y su significación extraterrena; acepta la intervención divina por tradición para castigar el pecado en esta vida Le fascinan, en cambio, los cuentos de brujas, de maldiciones, de encantamientos; las historias de aparecidos le atraen con un tanto de malicia y picardía: el "dijunto" es por lo común un bromista. En lugar de interesarse por el misterio del más allá se contenta con saber que se puede "regresar" y, especialmente, que aún después de muerto algo se les puede hacer a los vivos. . .[35]

Paralelamente al desarrollo del romancero chileno se formó una poesía popular pseudoculta cuyo origen ha de buscarse en la lírica cortesana española de los siglos xv, xvi y xvii. Ocupada en temas *divinos* y *humanos*, en torneos de gracia e ingenio para la improvisación, en sátiras políticas, religiosas o literarias, en comentarios a las tragedias de actualidad, esta poesía era compuesta en décimas espinelas y, por lo común, en forma de glosas especialmente para ser cantada y confiaba su difusión al idealismo de un trovador que, en vez de cantar por la paga como el juglar de las gestas, cantaba por cantar, recibía con orgullo el vaso de vino o chicha del fondero entusiasta, y, saboreando las horas que solía durar un torneo bajo la presión constante de enemigos y partidarios, sentaba su gloria en la sola derrota de su contrincante y en el prestigio romántico con que se adornaba su personalidad ante el público de todo el país.

Indudablemente esta clase de poesía llegó a Chile con los conquistadores del siglo XVI, pero así como no pueden aducirse mayores pruebas del paso del romancero tradicional a las tierras de América, tampoco hay en las crónicas de la Conquista o de la Colonia un testimonio de cómo se formó y estableció el arte de los cantores populares, llamados también *payadores* y *puetas*. Todos los pliegos sueltos que contienen este género de composiciones datan del siglo XIX y de nuestro siglo. Difícil sería imaginarse a la imprenta devota, académica y oficialista del siglo XVIII condescendiendo a ocuparse de cosas tan vulgares y despreciables como las coplas de mulatos, criollos y aventureros del bajo fondo. . .

Que yo sepa, la afirmación de mayor antigüedad de esta poesía es la que se encuentra en una estrofa de Bernardino Guajardo —el más grande acaso de los poetas populares chilenos— y que dice así:

Ya fuí entrando en edad
y estaba bastante anciano.
Mas me vi falto de vista
y entorpecido de manos,
inútil para los juegos
y más para los trabajos,
y como desde pequeño
era muy aficionado
a acomodar mis versitos
aunque no bien arreglados
como presente los hago. . .

Guajardo tenía alrededor de 55 años en 1873[36] de manera que en la primera mitad del siglo XIX ya había hecho sus primeras tentativas en el arte de improvisar. No sería aventurado suponer que en sus comienzos más de algún maestro le habrá dirigido, lo cual significa que, por lo menos, la tradición de los cantores populares se hallaba establecida ya en la segunda mitad del siglo XVIII. Su apogeo ocurrió un siglo más tarde, después de 1879, cuando las victorias imperialistas y las riquezas conquistadas por Chile en la guerra del Pacífico produjeron una verdadera euforia popular y el dinero se derrochó a manos llenas en las fondas y chinganas de la capital y de los centros mineros del norte del país.

Desde el punto de vista literario es interesante hacer notar que, en cuanto a la forma se refiere, la poesía de los cantores populares mantuvo intacta la tradición española de la cual se originaba. El tipo de cuarteta glosada en décimas espinelas que constituye la estructura clásica de los versificadores chilenos se encuentra, como ya lo ha hecho notar Lenz, en el *Cancionero* de Constantina y en el *Cancionero general*, con leves variantes, a veces, en la distribución de la rima.

Los cantores populares exponían el tema de su composición en una cuarteta que era luego glosada en cuatro décimas y una "despedida" también de diez versos octosílabos. En la ocasión misma del canto el poeta agregaba seis versos a la cuarteta con el objeto de no romper la melodía y el acompañamiento. He aquí un ejemplo de que es autor Bernardino Guajardo:

Celos de la lora al loro

Le dijo la lora al loro,
—Lorito, dame la pata;
el lorito le decía:
—No te la doy, lora ingrata.

—Loro viejo, desplumado,
por no asistir a tu casa
verás, pues, lo que te pasa
el día menos pensado.
Tú remueles sin cuidado
y yo con tus hijos lloro
de necesidad, e imploro
sola el auxilio del cielo.
Mira si es justo mi celo,
le dijo la lora al loro.

Ya ni te acuerdas que tienes
hijos a quien mantener;
donde tu pobre mujer
una vez al año vienes.
¿Hasta cuándo te entretienes
con esa ramera ñata?
Lo que te vea sin plata
tratará de despedirte,
y hoy te engaña con decirte,
"Lorito, dame la pata."

—Quítate de mi presencia,
contestó el loro con prosa,
deja, lora fastidiosa,
de fregarme la paciencia.
Ya vez que la subsistencia
te la doy día por día,
aunque en una serranía
esté, de ella vengo a verte;
la prueba que sé quererte,
el lorito le decía.

—Ojalá nunca te viera
en mi casa, loro indino,
deseo que en el camino
un cazador te saliera
y mil pedazos te hiciera
a vos con esa mulata.
Vete con ella pirata
y dame a mí una mesada.
—Por justicia ni por nada
no te la doy, lora ingrata.

Al fin se hubo de ausentar
el loro, y la lora fué
a demandarle por qué
dejase de tunantear.
El juez lo mandó llamar
y le raspó bien el cacho.
¡Esto te pasa por lacho!
salió diciendo la lora,
yo veré si vas ahora
a odiarme, loro borracho.

Ésta es la forma más simple de versificación empleada por los *puetas*. Había otras, como el *contrarrestro* y el *contrapunto*, destinadas a lucir una especial capacidad de improvisación, privilegio tan sólo de maestros.

El contrarrestro consta de una cuarteta y diez décimas. Los ejemplos que se conocen son de escaso mérito literario. El más típico tal vez es el citado por Lenz en su obra *Sobre la poesía popular impresa de Santiago de Chile*.[37] El contrapunto ofrece, por el contrario, un gran interés ya que puede considerarse como la forma típica de expresión de los cantores populares y como un nexo más entre la poesía popular chilena y la tradicional española. En efecto, las payas de nuestros pliegos sueltos son descendientes de las "preguntas y respuestas" de los Cancioneros del siglo xv y una derivación de la *tenzone* provenzal.

Los contrapuntos son, en verdad, un duelo poético, ya sea en forma de cuartetas o décimas glosadas, que se canta al acompañamiento de un instrumento de veinticinco cuerdas llamado *guitarrón*.[38] Para el pueblo la ocasión de un contrapunto constituía una festividad especial; era la culminación de toda una serie de proezas en que el valor criollo se vestía de gala.[39] Por lo general, los payadores aguardaban el término de las carreras de caballos, de los rodeos y topeaduras en un día de fiesta campesina y aparecían en el ruedo de las fondas cuando la chicha, el vino o el aguardiente hacían brotar las tallas como chispas en el ambiente y la multitud demandaba la canción.

Cuentan que los payadores lucían una chupalla característica cuyo borde era el testimonio de pasados combates: el vencedor de un contrapunto tenía derecho a cortar un círculo en el ala de la chupalla del vencido. Pero, en realidad, ni la vestimenta, ni la apariencia del cantor, ni siquiera su edad o condición social tenían mucho que ver con su prestigio y el favor con que el público recibía sus canciones. De cualquier parte salía el desafío. El guitarrón echaba al aire una densa y monótona melodía, un acompañamiento sin variaciones, y los versos de la cuarteta anunciaban a la concurrencia que había un cantor dispuesto a trenzarse en duelo poético con quienquiera que tuviese el valor de enfrentársele. Aplausos y vítores recibían el desafío. Los potrillos de chicha o chacolí pasaban de mano en mano y el cantor bebía a la salud de sus admiradores. Y luego aparecía el adversario. En una cuarteta insultante y soberbia ridiculizaba a su rival y pedía, a su vez, un trago antes de comenzar la contienda. A su lado se formaba rápidamente un grupo de partidarios y se cruzaban las apuestas.

En cada uno de estos hombres había algo más que una relativa facilidad para la versificación improvisada. Podían ser de origen oscuro, no tener fama, pero en ellos estaba latente una poderosa tradición poética. Era el suyo oficio que se aprende en la cuna, que se transmite de padres a hijos como ciertos ritos sagrados. El payador sabe de todo: sabe teología, astronomía, geografía, física, historia, pero todo lo sabe a su manera, sin haberlo estudiado jamás. Es un conocimiento que recibió en el vuelo de la imaginación popular a través de los siglos. Una ciencia fantástica donde cabe la magia y el milagro, donde hablan los animales, y los planetas y las estrellas bajan y se ponen en círculo a la altura de la montaña chilena, donde los profetas del Antiguo Testamento se visitan con Carlo Magno y Roldán, con Genoveva de Brabante, Bertoldo y Cacaseno. Es una sabiduría interminable cuyo único límite parece ser la medida del verso y la exigencia de la rima.

A veces entre los dos cantores hay una leyenda de rivalidad y ellos la explotan hábilmente por medio de insultos y alusiones. En otras ocasiones, el contrapunto solamente destinado a la publicación aprovecha el descontento popular y enfrenta a personajes como el *futre* y el *huaso*, el *yanqui* y el *chileno*, el *presidente* y el *pueblo*, para discutir la actualidad política.[40] Pero el contrapunto adquiere caracteres heroicos cuando la rivalidad es auténtica, ya sea por la condición social de los payadores, por el celo profesional que les ha hecho perseguirse de fonda en fonda, de pueblo en pueblo como quiere la leyenda, o por la pasión que despierta entre sus admiradores el duelo tan largamente esperado. Entonces hay material épico y la poesía chilena puede señalar el contrapunto del Mulato Taguada y don Javier de la Rosa como un aporte —aunque sea modesto— a la gesta criolla de América.

La *paya* tuvo lugar en la primera mitad del siglo XIX y fué reconstruída alrededor de 1890 por el *pueta* Nicasio García que la publicó en pliego suelto bajo el siguiente título: *Contrapunto de Tahuada con don Javier de la Rosa en palla de cuatro líneas de preguntas con respuestas. Recogido una parte, i compuesto lo demás por el que suscribe, venciendo don Javier de la Rosa. Es propiedad del autor Nicasio García.* Esta versión es la que recoge Lenz fragmentariamente en su obra ya citada.[41] Desgraciadamente, García fué un poeta de muy escasos méritos y no consiguió dar a los versos tradicionales la trascendencia que pudo haberlos convertido en la verdadera gesta del payador chileno. Su inspiración era de corto vuelo, su lira más bien prosaica. Consiguió distinguirse entre los contemporáneos de Guajardo por su ingenio sarcástico y sus acertadas caracterizaciones de mineros. Fuera de su reconstrucción del famoso contrapunto, unas décimas llamadas *El roto Pequén* parecen ser lo mejor que salió de su pluma. Estas décimas glosan la cuarteta:

> De la cordillera vengo
> a caballo en un pequén
> él a pequenás conmigo
> yo a pequenás con él.[42]

Acevedo Hernández ha hecho una nueva reconstrucción del contrapunto entre Taguada y De la Rosa en su obra *Los cantores populares chilenos*,[43] y aunque es el suyo un esfuerzo poético de mucho mayor alcance que el de García, carece de la profundidad, el vigor y la gracia que han hecho de la primera parte del *Martín Fierro*, por ejemplo, una obra maestra. La versión de Acevedo posee fuerza dramática. Bajo el soplo de su inspiración romántica la figura de Taguada adquiere un encanto misterioso y fatal, mientras que Javier de la Rosa representa el papel de involuntario villano. A fuerza de ingenio y picardía arrastra a su rival a una vergonzosa derrota y, más tarde, al suicidio.

A través de las preguntas y respuestas los dos caracteres se definen con toda claridad. A pesar de la sencillez y la aparente intrascendencia de estas cuartetas hilvanadas en el calor de la improvisación es evidente que dos clases sociales aparecen en la palestra midiendo fuerzas y, en la avidez del triunfo, echan mano de cuanto recurso poseen para demostrar la inferioridad intelectual y física del adversario. Porque aun cuando en apariencia se trata de una lucha de inteligencia, en el fondo, tanto el mulato como el caballero desean probar que el mundo que ellos representan es integralmente superior, más fuerte y más sabio, mejor acondicionado, en suma, para sobrevivir y mandar. Es más que un duelo entre *el caballero* y *el roto:* es la rivalidad entre dos concepciones de la vida. Una, la del mulato, arraigada en esa sabiduría tradicional y primitiva que era la herencia del indio y del misionero, hecha a base de creencias mágicas, verdades proverbiales y supersticiones más o menos elaboradas. La otra, del citadino enriquecido en el ocio, viajado por Europa, rebosante de ese optimismo que las doctrinas liberales francesas y los primeros descubrimientos científicos de la edad moderna habían hecho nacer en la burguesía floreciente.

Taguada confía en la tradición desde el primer momento; le parece imposible que un forastero pueda arrebatarle el cetro que ha conquistado en innumerables duelos poéticos. Hay en su porfía y orgullo algo de animal, algo que procede, acaso, de la tierra. Su genio es así hosco e hiriente. Pregunta con impertinencia de "roto diablo" y, al escuchar las respuestas de su hábil rival, se enfurece e insulta; usa toda su sabiduría de adivinanzas y leyendas, ese mundo medio mágico aún y ya un poco grotesco de una raza antigua en decadencia.

Don Javier de la Rosa no pierde su picardía y, mientras más se enardece el mulato, más lo hiere con su sátira y su desprecio:[44]

Don Javier: ¿Quién es ese payador
que paya tan a lo obscuro?
Tráiganmelo para acá
lo pondré en lugar seguro.

El mulato contestó punzante:

Y ese payador, ¿quién es,
que paya tan a lo lejos?
Si se acerca para acá
le plantaré el aparejo.

Ambos pulsaban el guitarrón y acompañaban sus estrofas con la melodía que les era característica. Se habían encontrado "en una fiesta criolla de carreras de caballo en las orillas de la laguna de Tagua-Tagua". Una enorme concurrencia les rodeaba: gente alegre, el ánimo encendido por el licor y las apuestas. Cada manifestación de ingenio, cada pregunta bien hecha o cada respuesta bien dada, eran seguidas de grandes clamores y aplausos. Taguada inició el duelo:

Señor poeta abajino
ya podemos principiar;
afírmese en los estribos
que el pingo lo va a voltiar.

Don Javier: En nombre de Dios comienzo,
de mi padre San Benito;
hágote la cruz Taguada,
por si fueras el maldito.

Taguada hace valer un argumento fácil: el de su propia juventud y fortaleza:

Mi don Javier de la Rosa
no sea tan propasao,
usté es viejo y yo soy joven
y en fuerza lo habré sobao.

Pero su rival sabe con qué se puede vencer a la fuerza, especialmente en un duelo poético:

Habrás de saber, Taguada,
que en fuerzas no hay que confiar,
porque en la puerta del horno
se suele quemar el pan.

Taguada: Mi don Javier de la Rosa,
se lo digo sin recato:
usté ha venío a encontrarse
con la horma de su zapato.

Don Javier: Tú lo dices sin recato
y yo te lo digo en forma:
que tú has venido a encontrarte
con el zapato de tu horma.

Todo esto no es sino la introducción. Por un instante ambos cantores exaltan su propio prestigio con una presunción de buena ley, más bien jubilosa y fresca:

Yo soy Taguada, el maulino,
famoso en el mar y en tierra,
en el Huasco y en Coquimbo,
en el Fuerte y Ciudadela.

Don Javier: Yo soy Javier de la Rosa,
el que llevó la opinión
en Italia, en Inglaterra
en Francia y en Aragón.

Pero el mulato abandona rápidamente el tono impersonal y ensaya una burla:

> ¡Válgame Dios, don Javier,
> que me ha dejado asustao!
> ¿Sin salir de la ceniza
> tantos lugares ha andao?

Don Javier: ¡Te lo vuelvo a repetir:
> yo soy payador y bueno!
> Tu serás más cenicero
> desde que has andado menos.

Esta respuesta arranca la primera estocada del mulato:

> A este viejo abajino,
> a este gallo desplumado
> yo le salaré el cogote
> y ají le pondré en el rabo.

En el terreno del insulto don Javier no anda tan brillante pero se defiende como puede. El mulato, notando que su contrincante pisa en falso, se apresura a tomar la delantera en el cuestionario. Largo sería reproducir cada una de las preguntas y respuestas que se cruzaron en este duelo, pero hay algunas que constituyen una improvisación brillante. Taguada, por ejemplo, plantea la siguiente pregunta:

> A usté qu'es tan agalludo,
> aquí me lo quiero ver:
> ¿una vara estando seca
> cómo podrá florecer?

La respuesta de don Javier contiene un lirismo que de puro sencillo asombra:

> De este inocente Taguada
> la respuesta me da risa,
> québrala y échala al fuego,
> florecerá la ceniza.

Otras respuestas son únicamente demostración de ingenio:

Taguada: Mi don Javier de la Rosa
> por lo reondo de un cerro
> agora me ha de decir
> cuántos pelos tiene un perro.

Don Javier: Habís de saber Taguada
   por lo derecho de un uso,
   si no se la *queido* ni uno,
   tendrá los que Dios le puso.
Taguada: Mi don Javier de la Rosa
   viniendo del Bío-Bío,
   Dígame si acaso sabe
   ¿cuántas piedras tiene el río?

Don Javier: A vos mulato Taguada,
   la respuesta te daré,
   pónmelas en hilera
   y entonces las contaré.

Cuenta la tradición que Taguada agotó su repertorio de preguntas ante la poderosa imaginación de don Javier. Las dos últimas preguntas del mulato que se conservan recibieron respuestas que bien pudieran calificarse de lapidarias:

Taguada: Mi don Javier de la Rosa,
   usté que sabe de letras,
   agora me ha de decir
   si la pava tiene tetas.

Don Javier: Te doy Mulato Taguada,
   la respuesta en un bendito,
   si la pava las tuviere
   le mamaran los pavitos,
   y como no tiene tetas
   los mantiene con triguitos.

Taguada: Mi don Javier de la Rosa,
   usté que sabe de asuntos,
   diga qué remedio habrá
   para levantar difuntos.

Don Javier: Oye, Mulato Taguada,
   la respuesta va ligera,
   métele el dedo en... la boca,
   sale el difunto a carreras.

Largo tiempo duró esta singular batalla. La tradición no conserva las preguntas que hiciera don Javier; sólo se sabe que aprovechó su "erudición" para desconcertar al mulato con preguntas sobre teología... Cuando a Taguada le invadió la desesperación se desahogó en un insulto; debe haber sido de marca mayor pues don Javier, dicen, le respondió:

> Ya te pasaste Taguada
> hiciste una heregía, [sic]
> hiciste cabe en tu madre
> y carambola en tu tía.[45]

La derrota del Mulato fué completa. Y no supo, o mejor dicho, no pudo sobreponerse a ella. Acevedo Hernández interpreta esta caída con emoción romántica:

> Dice la leyenda que cuando sobre Taguada —que era un artista puro— cayó la derrota, no habló ni una sola palabra; inclinada la cabeza, parecía sepultado dentro de sus pensamientos y no demostraba darse cuenta de la marea de entusiasmo que envolvía a su rival, ni en el abandono en que todos lo dejaron súbitamente. Parecía al margen de la realidad. Así, hecho una verdadera sombra, esperó la noche para alejarse caminando bajo las estrellas.[46]

Tal vez la leyenda no sea enteramente verídica, pues la coincidencia parece demasiado grande: Taguada, consciente de su tremenda soledad y de su ignorancia, se quitó la vida, ni más ni menos que Santos Vega. Pero, como agrega Acevedo: "Acá, don Javier de la Rosa no era el demonio, sino el hombre más preparado. Está pues, nuestra leyenda, descansando sobre un plano de realidad." [47]

Juzgado por sus méritos estrictamente literarios el fragmento que se conserva de la paya entre Taguada y De la Rosa es solamente mediocre. La expresión es breve pero pobre y el tono, en general, prosaico. Sin embargo, el conjunto tiene una gran fuerza dramática. A través de los años no ha perdido el duelo esa intensidad pasional que nos hace compartir las vicisitudes de los adversarios. Insisto en este punto pues el dramatismo de la poesía popular chilena me parece una de sus características más valiosas y menos estudiadas.

Taguada y De la Rosa son figuras legendarias. Todos los demás *puetas* de que tenemos noticias son personajes oscuros que vivieron en el suburbio santiaguino o en los cerros de Valparaíso o en los campamentos mineros componiendo versos de ocasión para ganar el aplauso del público de un barrio, sin esperanzas de conquistar una fama nacional. Algunos de ellos se limitaron a escribir para las hojas sueltas y en ellos se perdió todo el contenido épico de la poesía cantada para el pueblo en medio del pueblo. La poesía popular se fué haciendo cada vez más periodística. Los *puetas* adoptaron una pseudocultura que los volvió cada vez más pedantes y absurdos. Acabaron enredándose en discusiones sobre la distribución de los cielos y la heredad de los faraones y las familias de los patriarcas del Antiguo Testamento.

En la segunda mitad del siglo xix, sin embargo, hubo una época en que aun estos cantores de mediocre inspiración parecieron vivir un renacimiento poético. Coincidió tal fenómeno con las victorias guerreras de Chile, la adquisición de nuevos centros mineros y el triunfo, en 1891, de la revolución oligarca contra la dictadura liberal de Balmaceda. El soldado chileno se vió convertido, de la noche a la mañana, en amo y señor de los destinos del Pacífico. Vencedor en tierra y mar, invadió naciones extranjeras, experimentó la euforia del conquistador y regresó a su patria cargado de riquezas. Los *puetas* le recibieron con versos de este calibre:

Tomo esta copa en mis manos.
¡Salud, rotos esforzados!
Vivan las madres chilenas
que pujan tales soldados.[48]

En las fondas populares corrían el oro y el chacolí y la copla nació sin dificultad en el eco de la carcajada de marinos, soldados y mineros que junto al huaso endomingado celebraban la era de resurrección nacional.

En un ambiente de cuecas aparecieron ingenios criollos como Bernardino Guajardo, Juan Rafael Allende y el Ñato Vásquez, expertos en la sátira, mordaces, ignorantes y románticos. Ninguno alcanzó el plano de la auténtica creación artística, aunque en ciertos casos demostraron excepcional habilidad para improvisar y audacia al invadir este mundo y el otro en busca de temas para sus coplas. Sería un error individualizarlos; son poetas de masa y sólo adquieren importancia cuando se les aprecia en conjunto como expresión de la colectividad.[49] Narran historietas picantes o sucesos políticos, o terremotos, incendios y asesinatos. Discuten en verso, al son del guitarrón, sobre los méritos de Carlo Magno, las tablas de Moisés, las empresas de Alejandro. El pueblo les requiere en los momentos de alegría como en los de mayor sufrimiento. El canto *a lo divino* llega a ser parte indispensable de los velorios, especialmente de los niños, a quienes se canta en los versos del *angelito*. Allí, en medio de los deudos que empiezan la noche con cara de crucificados y a medio velorio están a punto de zapatear la cueca, se sienta el cantor a despedir al *angelito*. El licor es fuerte y, hacia la madrugada, caliente. La lengua del *pueta* sabe decir dulzuras y ternezas:

Adiós padres venerados
a quienes debo mi ser;
ya voy a resplandecer
con los bienaventurados.[50]

Pero la malicia de la concurrencia le exige más realismo y, a medida que pasan las horas y el espíritu se alcoholiza, van saliendo los versos cargados de segunda intención.

El cadáver del *angelito* está vestido con su ajuar de lujo, a veces sentado sobre una mesa, apoyado el respaldar de la silla contra la pared. Alrededor titilan las candelas y del techo y las ventanas cuelgan papeles de colores, estrellas, banderillas y otros adornos, mientras en sitio especial se reúnen las imágenes sagradas y los juguetes preferidos del difunto. El cantor le mira con picardía al dirigirle estas palabras:

Qué glorioso el angelito
que está sentado en ese alto,
no se descuiden con él
y vaya a pegar el salto!

Qué glorioso el angelito
que se va para los cielos,
atrás va el padre y la madre
a atajarle con los perros!

Qué glorioso el angelito
cara de animal vacuno,
que abajo tiene dos dientes
y arriba no tiene ni uno!

¡Qué glorioso el angelito
que del cielo va en camino,

tan distinto de su padre,
tan parecido al padrino! [51]

Sería injusto concluir esta reseña de los cantores populares sin destacar el nombre de Bernardino Guajardo (?-1886). Su obra[52] no puede compararse a la de los poetas gauchescos como Hernández, Ascasubi, Del Campo y Obligado. Le faltó hondura y universalidad; fué una modesta crónica de una de las épocas más pintorescas de la historia de Chile. Guajardo cantó desde el Mercado Central de Santiago los amoríos de las cocineras, el calvario de las madres proletarias, las hazañas de los salteadores de fundos; describió catástrofes y fenómenos de la naturaleza, con una gracia socarrona que hace adivinar en el poeta la sabiduría del hombre pobre y sufrido. Su mayor mérito consiste en haber captado ciertas características del *roto* chileno y haberlas expresado en versos de punzante ironía, ahorrando las palabras, sacrificando la belleza formal por el realismo esquemático de la acción. La fantasía es para Guajardo como una plataforma donde puede colgar a sus criollos en actitudes típicas. Jamás deja de pisar la realidad aun en sus momentos de inspiración más exaltada. Mirando a Dios o al Demonio, sus ojos siempre están iluminados por el sarcasmo y su palabra es y será inconfundible por lo chilena. Una composición ha de bastar como ejemplo de las cualidades que anotamos:

Una trifulca en el Infierno

Un diablo se cayó al fuego,
otro diablo lo sacó;
y otro diablo le decía:
¿Cómo diablos se cayó?

Estaban en el infierno
los demonios condenados
rabiando desesperados
contra el Redentor Eterno.
Les ordenó su Gobierno
que se preparasen luego
a echar cada uno un reniego
contra el Ángel de la Guarda
y en esta gran zalagarda
un diablo se cayó al fuego.

Una condenada vieja
se trenzó con un maldito,
y otro diablo pequeñito,
se le pegó de una oreja;
las pestañas y las cejas
con las garras le cortó,
al pie de un pilar lo ató
con gruesísimas cadenas
y para acabar sus penas
otro diablo lo sacó.

Una noche conspiraron
más de mil diablos borrachos
y a Satanás de los cachos
entre todos lo agarraron.
De su trono lo botaron...
éste lloraba y gemía;
un cojuelo no quería
que en ellos hubiese mengua.
—Cortémosle hasta la lengua,
otro diablo le decía.

Entre el humo y la borrasca
tendió la cola un dragón,
y a un diablo viejo, hocicón,
le deshizo la tarasca;
a fuerza de penca y huasca
a una hoguera le echó,
en un pilar lo amarró,
que de fuego se abrasaba.
Y otro diablo preguntaba,
¿Cómo diablo se cayó? [53]

Los cantores populares desaparecieron rápidamente del escenario de la poesía chilena a causa de la ignorancia y tozudez de ciertos gobernantes. A Guajardo le persiguió la policía y se le prohibió vender sus hojas en el Mercado... En lugar de orientar esa creación tan espontánea y representativa del pueblo chileno, se acorraló a los cantores, se acabó con sus imprentas, se ridiculizó toda tentativa que algunos de ellos hicieron de invadir el periodismo profesional. El guitarrón asistió a su propio velorio, llorando las bordonas, sin papeles de colores ni chacolí, ni angelitos para animar al poeta. En lugar del guitarrón gimió la necia guitarrilla de los tangos y mientras las figuras de los héroes del pueblo se desvanecían ignoradas, la imaginación de los jóvenes languideció con los melodramas importados del hampón bonaerense.

El pobre ciego Peralta, postrer baluarte de una tradición en bancarrota, cortó las cuerdas de su instrumento y se puso a editar tangos, fox-trots y rancheras con las escuálidas linotipias de una imprenta de barrio. En los aledaños de las Hornillas y de la vieja calle Maruri, por el Zanjón de la Aguada y más allá del Tropezón quedó tan sólo el recuerdo de las viejas hazañas, trozos de gestas que ni siquiera la Biblioteca Nacional tuvo la visión de guardar[54] y, por encima de todo, el eco, el simple eco del pregón de los versos que escandalizó alguna vez a las sirvientas, los pacos y estudiantes del suburbio santiaguino:

¡Los versos! ¡Las culebras que salieron del río Carampangue y que tenían cincuenta metros de largo! ¡Los estragos que han hecho las terribles sabandijas! ¡El Ante-Cristo que anda predicando y anunciando el juicio final! ¡La hija que en Talca le pegó a la madre, la picaronaza, y que Dios en castigo la volvió mula! ¡El chasco que le pasó a un viejo verde por casarse con una chiquilla de quince! ¡Los versos! ¡Lo que dice el reo Santos que espera en capilla la clemencia del Consejo de Estado; lo que le dice la pobre madre! "¡Hijo, vos tuviste la culpa; yo siempre te impedí las malas juntas!" En estos versos verán los jóvenes libertosos lo que pasa por culpa de las malas juntas. ¡Los versos! [55]

IV. *Los versificadores de la Independencia*

Leyendo los versos del padre Camilo Henríquez y de Bernardo Vera y Pintado me vino a la memoria el recuerdo de M. Jourdain —el *Bourgeois Gentilhomme* de Molière— quien, maravillado, descubrió un día que durante toda su existencia no había hablado sino *prosa*. Nuestros dos poetas jamás tuvieron esta revelación y por eso mientras llenaban cuartilla tras cuartilla de prosa dividida en versos, nunca llegaron a expresarse en poesía.

Por esta razón es ingrata la tarea del crítico que estudia la literatura chilena de la primera mitad del siglo XIX. Quisiera reivindicar la memoria del Fraile de la Buena Muerte y de su leal amigo, contestar a las palabras duras que ciertos historiadores les han aplicado, pero el respeto a la verdad puede más que el patriotismo y por eso no vacilo en iniciar este capítulo confesando que un análisis de las obras de Camilo Henríquez y de Bernardo Vera y Pintado no se lleva a cabo para descubrir valores literarios, sino únicamente para determinar el paso de algunas ideas estéticas europeas a la poesía chilena y proporcionar así el nexo necesario con las corrientes que aparecerán a mediados del siglo XIX.

A primera vista puede parecer extraño que las guerras de la Independencia no hayan inspirado a ningún poeta chileno de verdadero valor y que mientras Olmedo cantaba con genuino acento épico a Bolívar y Heredia respondía con fervor romántico a la belleza del Niágara, en Chile se siguiera confundiendo el arte con la mediocre improvisación de letrillas, himnos o acertijos.

Menéndez y Pelayo podrá decir que tal fenómeno literario se debe a la pobreza de nuestros establecimientos educacionales durante la Colonia o al carácter del pueblo chileno que, para repetir sus palabras, "es positivo, práctico, sesudo, poco inclinado a idealidades".[1] Ni una ni otra cosa pueden satisfacer al lector moderno. Hemos visto fallar demasiadas teorías sobre la "psicología" colectiva de un pueblo para tomar en serio semejante aseveración.

En cuanto al ambiente cultural de Chile durante la Colonia y en los últimos años de la dominación española, es verdad que era pobrísimo y debe haber actuado como un freno a los impulsos de nuestros ingenios. Pero no olvidemos que los intelectuales de la Independencia americana se inspiraron en el liberalismo filosófico de Francia y literario de España no perdiendo oportunidad de reformar los sistemas educativos de los padres españoles ya sea por medio de la fundación de nuevos colegios, universidades o centros literarios o por medio de la discusión desde la prensa y la tribuna de los ideales pedagógicos franceses y británicos.

En otras palabras, desde el punto de vista ideológico, la literatura que nació en torno a la revolución americana es el producto de la cultura europea que nuestros escritores asimilaron a pesar del bloqueo intelectual establecido por el oscurantismo monárquico y católico alrededor de las colonias.

Que en Chile había cierta corriente filosófica modelada en los principios de la Ilustración francesa antes de 1810 nadie lo puede negar. Don José Antonio Rojas había regresado a Chile de España en 1780 con libros de Rousseau, Montesquieu, Helvecio, Holbach, Diderot y Raynal que luego corrieron de mano en mano, entre amigos y parientes, dando una base teórica a los primeros entusiasmos revolucionarios.[2] Lo cual no quiere decir que la revolución de la Independencia haya sido, de ningún modo, causada directamente por este movimiento de ideas; por el contrario, mi convencimiento es que tal ideología no tuvo la oportunidad de orientar el cambio político de 1810 y más bien sirvió de pantalla —acaso involuntariamente— a los intereses económicos que estaban en juego.

Se dirá que el estudio de los filósofos franceses y la lectura de la poesía española clásica y neoclásica no constituyen en sí una tradición cultural; que la imperfección de la obra literaria de Camilo Henríquez y Bernardo Vera demuestra la superficialidad de esas influencias y que la orientación espiritual impuesta sobre la Colonia por los maestros jesuítas y dominicos fué más poderosa y permanente que las reformas establecidas por el régimen republicano.

Pero a todo esto es preciso agregar otras causas de naturaleza más profunda y, por lo tanto, más difíciles de definir. Reconozco perfectamente lo inseguro del terreno que incursiono y desde luego hago el propósito de no inmiscuirme en el problema de otras repúblicas americanas, limitándome exclusivamente al caso de Chile.

Es mi parecer que el sentido de la guerra de la Independencia en nuestro país no siempre se ha interpretado con toda justicia. Si la idea de la revolución se hubiese gestado paulatinamente hacia una finalidad común para todas las clases sociales chilenas es posible que la expresión de esta idea hubiera constituído una mística de proyecciones tanto filosóficas, como políticas y literarias. El espectáculo habría sido el de un nuevo pueblo que se incorpora a la vida social dándose una organización propia y una doctrina que lo individualiza entre las demás naciones. La poesía y el arte, en general, habrían florecido magníficamente al unísono con el progreso material y las reformas sociales: el panorama de esos años quizás hubiera semejado al que ofrecieron después de su Independencia los Estados Unidos, o al de México, en medio de sus luchas por conquistar una independencia económica.

En vez de eso, Chile, a principios del siglo XIX, ni siquiera es el embrión de un país; las masas del campo y la ciudad viven en la miseria más abyecta, el artesano y el profesional no alcanzan a constituir una clase media, la ignorancia y la pobreza les atan al suburbio y alzan una barrera impasable entre ellos y los dueños de la tierra y la burocracia gubernativa. El comercio, la minería y la agricultura no son sino los instrumentos de riqueza para la clase alta y de ninguna manera contribuyen al progreso de la comunidad.

La población de Santiago en 1812 era de 35 mil habitantes. Zapiola en sus *Recuerdos de treinta años* nos ha dejado una descripción inolvidable de la capital a fines del XVIII:

> La plaza de Armas no estaba empedrada. La plaza de Abasto, galpón inmundo, sobre todo en el invierno, estaba en el costado oriente... el resto de la plaza hasta la pila, decimos, estaba ocupado por los vendedores de mote, picarones, huesillos, etc., etc., y por los caballos de los carniceros. Ya pueden considerar nuestros lectores cuál sería el estado de esta plaza que sólo se barría

muy de tarde en tarde no por los que la ensuciaban, sino por los presos de la cárcel inmediata, armados de grandes ramas de espino, que no hacían más que levantar polvo, dejándola en el mismo estado, pero produciendo más hediondez, como era natural. . . Esto era la plaza principal, evitando otros detalles nauseabundos. . .[3]

En cuanto a la Alameda de las Delicias. . .

La Alameda, orgullo de nuestra capital, no era otra cosa, antes del año 1820, desde San Francisco hasta San Miguel, que un inmenso basural con el adorno inevitable de toda clase de animales muertos, sin excluir caballos y burros.[4]

En este ambiente de pestilencia la superstición, que en ciertos momentos rayaba en los límites de la locura, cundía por todos los hogares como una alimaña y llegaba hasta exhibirse en las calles de la ciudad. Se veían procesiones de disciplinantes dando tales alaridos que las autoridades tenían que dispersarlas. En pleno gobierno de O'Higgins se dictaron varios decretos ordenándose, entre otras cosas, que

los dueños de casa pusieran luz en las puertas hasta media noche; se fijó la hora en que debían cerrarse las tabernas, despachos y cafés; y se prohibió que los vecinos jugaran, lavaran y cocinaran en la calle pública.[5]

Doña Mercedes Marín del Solar, primera poetisa chilena, de quien hablaré más adelante, en el año 1865 se lamentaba en una carta que publicó la *República Literaria* de la falta que hacían los salones literarios de otra época:

¡Cuántas hermosas páginas de Fénelon, de Cervantes, de Chateaubriand, i en suma de Mme. Staël han rodado por nuestras manos, i encantado los oídos de nuestras madres en algunos ratos de ocio en nuestras deliciosas veladas! Si no bastaban los libros de nuestras casas, los amigos traían los suyos. Su lectura daba amplia materia de conversación a la gente joven, estableciéndose así un cambio mutuo de ideas, no menos favorable al cultivo del talento, que al desarrollo de los más puros i honestos sentimientos del corazón.[6]

La prosa tierna y sencilla de la señora Marín logra evocar un cuadro de refinamiento y civilización que el lector no se imaginaría en ese mismo Santiago que describe Zapiola. Ta-

les tertulias debieron ser familiares y más de algún salón tuvo
que servir de marco a las ingeniosidades de nuestros repentistas, el padre López, el capitán Mujica y el padre Oteíza. Idi-
lios recatados habrán servido de inspiración o, por lo menos,
de motivo a las elucubraciones y filigranas de tanto conceptis-
ta como abunda en las páginas historiales de Medina.

Sin la menor intención de menoscabar la añoranza de
nuestra poetisa no puede uno, sin embargo, evitar el recuerdo
de los salones de Francia. Cuando se piensa en el preciosismo
italiano o francés el lujo del Hotel de Rambouillet se impone. Es como si el brillo de la poesía de Marino o de
Voiture no fuera sino el reverso de los espejos o el engaste
de las joyas de la época. Los requiebros parecen hacer juego
con la filigrana del bordado y los encajes. La *Chambre Bleue*
donde la adiposa Arthénice, recostada sobre muelles almoha-
dones, sonreía al desfile de notables que circulaba alrededor
de su lecho, es la atmósfera que corresponde naturalmente a
una poesía que los poetas se ponían en la cabeza como los cortesanos la peluca. Lujo, alegría de vivir, erotismo refinado,
envuelto en el celofán de la retórica, un ideal pagano elegan-
temente circunscrito a la etiqueta de los salones. Todo esto
va bien con la exquisita urbanidad de Voiture, de Malherbe o
de Honoré d'Urfé.

¿Cómo serían los salones de Santiago? La música fué en
aquellos ambientes buena compañera de la poesía. Dice Zapiola que los dos primeros pianos que oyó la sociedad santia-
guina llegaron a comienzos del siglo XIX procedentes de España. A mediados del siglo XVIII los instrumentos musicales que
había en la capital eran, según Zapiola: "cincuenta o sesenta
claves repartidas entre las casas pudientes de esta ciudad; cien
vihuelas y quince arpas, inclusas las de las chinganas..." [7]

Las señoras se esforzaban por alegrar las tertulias y disi-
mular la falta de instrumentos musicales cantando. Pero al
joven chileno tanto las sutilezas intelectuales de una poetisa
en ciernes como el canto de una distinguida matrona no con-
seguían aplacarle sus inquietudes. Y privó a los salones de su
presencia. ¡Qué candorosa suena la queja de doña Mercedes
Marín! "¡Pobres jóvenes! ¡de cuántas ventajas se privan desdeñando la buena sociedad!" [8]

Tenía razón en esto de "las ventajas" pues los jovenzuelos preferían matar el tiempo en los cafés y trucos que, a juzgar por el testimonio de Zapiola, no eran lugares de diversión, propiamente dicho:

> El otro café, situado en la calle Ahumada. . . pertenecía a don Francisco Barrios, español de cuño antiguo y de bondad proverbial. De pobre aspecto, y de menos dimensiones que el anterior, era frecuentado, sin embargo, por la gente de tono. La sala de malilla, que era la más concurrida, se hacía a veces insoportable por la fetidez que despedía la acequia interior que la atravesaba. . .[9]

He aquí el contraste agudo entre el ideal de refinamiento que expresa doña Mercedes Marín y la verdadera condición en que vivían las masas chilenas. Y en los aspectos más diversos de la vida de la Colonia se nota igual desequilibrio. Pero no se trata solamente de una irregularidad económica. La ignorancia, la grosería, el fanatismo reinan por igual en casi todas las esferas de la sociedad chilena.

Cuando la invasión napoleónica ofrece a las colonias americanas la oportunidad de ser libres, en Chile no hay una conciencia nacional ni un organismo de estado capaz de orientar la revolución. Las diferentes clases sociales se encuentran tan divididas y se sienten tan extranjeras unas de otras, que nadie piensa siquiera en la posibilidad de una cooperación. La masa queda automáticamente al margen de la reforma política; el clero, españolizante y reaccionario, se pone, secretamente primero y abiertamente luego que las circunstancias lo permiten, al servicio de la Monarquía; la clase latifundista advierte de inmediato que ha llegado el momento de dar base a su poder económico por medio de la conquista del poder político y entrega todo su apoyo a quien ha de facilitarle la realización de esta empresa: el ejército.

La revolución de la Independencia resulta ser en Chile una aventura política de la aristocracia. Es absurdo pensar que sólo las ideas filosóficas fué lo que movió a un selecto grupo de individuos a romper los vínculos con la Corona de España. Es cierto que la influencia de los filósofos franceses asumió caracteres de mucha importancia cuando se trató de explicar el movimiento revolucionario; es cierto que los jefes más distinguidos del ejército libertador se habían nutrido en la enseñanza de Rousseau, de Voltaire o de Montesquieu durante los años de su permanencia en Europa. Tampoco negaré que en el pueblo mismo de artesanos, comerciantes y profesionales la educación de los jesuítas había sembrado un germen de rebeldía e independencia política y económica. Pero como ni el ejército ni el pueblo orientaron, en realidad, la política estas ideas permanecieron dispersas, jamás se constituyeron en una doctrina, les hizo falta la dirección y la organización que el choque con la realidad les pudo haber proporcionado.

Desde este punto de vista asombran menos las incongruencias de un San Martín[10] o de un Bolívar; las ambiciones de un Carrera o las contradicciones de un O'Higgins. La junta revolucionaria de 1810 estaba formada por tales individuos e inspirada en tales principios, que parecía destinada a realizar la emancipación política o económica de un sector solamente de la Colonia chilena. Su presidente era el Conde de la Conquista, su vicepresidente el obispo electo de Santiago José Antonio Martínez de Aldunate, uno de los vocales don Fernando Marqués de la Plata, consejero de Indias, etc., etc. Su más importante finalidad: proteger al país en nombre de Fernando VII hasta que este monarca ocupara el trono que Napoleón le había arrebatado.

Políticamente Chile seguía siendo una colonia, el partido realista parecía ser aún dueño de la situación. Pero el nuevo gobierno dictó además una medida más importante que todas sus declaraciones de fe en la Monarquía y de amor a España, una medida que en sí significaba toda una revolución: abrió los puertos de Valdivia, Talcahuano, Valparaíso y Coquimbo al comercio libre de los países extranjeros. Como dice Domingo Amunátegui: "De esta suerte, la corporación trató de independizar a los agricultores chilenos del monopolio practicado hasta entonces por los comerciantes peruanos." [11]

Fué el comienzo de la rebelión abierta de la oligarquía chilena que venía desde el siglo XVIII amasando su riqueza, afirmando su régimen latifundista y aguardando el momento propicio para declarar su independencia económica.

Desde luego, el ejército pasó a ser el instrumento del poder económico que actuaría en adelante desde la sombra. Cuando la Junta aumentó los efectivos del ejército para defenderse de una posible agresión del Virrey del Perú demostró que las concesiones políticas no habían sido suficientes para asegurar la estabilidad y la independencia del nuevo poder económico. El fantasma de Fernando VII no podía unir a nadie. Cantando loas a la Monarquía y rogando a la Providencia en coro, los poderes de un imperialismo naciente se mostraban, sin embargo, las garras y no estaría lejos el día en que salieran a la palestra a disputarse las riquezas y los mercados del Pacífico. Que la junta chilena actuó sabiamente lo prueba el hecho de que las entradas aduaneras subieron de $ 20 mil en 1811 a más de $ 100 mil en 1813.

En la historia de la Independencia un actor de temple romántico se incorpora a la escena en la persona de don José Miguel Carrera. Cuando este joven aristócrata dió el golpe militar del 4 de septiembre de 1811, creyó haber llegado al poder como representante de la poderosa familia de los Larraín y Salas. Las medidas adoptadas por el congreso revolucionario resultaron ser demasiado progresistas, sin embargo, y don José Miguel se vió postergado en sus ambiciones. Con el apoyo de sus amigos y parientes dió un nuevo cuartelazo y esta vez creyó ser el jefe absoluto del país.

Pero Carrera además de sus ímpetus militares había demostrado tener ideas propias y una voluntad firme de realizarlas. Rápidamente se organizó el odio a su alrededor y, no obstante su ascendencia aristocrática, las viejas familias se unieron en su contra y conspiraron para derrocarle. He aquí una candorosa descripción de las circunstancias políticas que provocaron la caída de Carrera:

La familia de Larraín y Salas, y sus parientes y allegados, entre los cuales sobresalía don Antonio José de Irisarri, vociferaban en contra de Carrera, que les había hecho perder el predominio en el gobierno a fines del año de 1811.

Aun los miembros más imparciales de la Junta, como don José Miguel Infante y don Agustín Eyzaguirre, pues Pérez formaba parte de la familia de Larraín y Salas, llamada por Abascal *los ochocientos*, a causa del gran número de sus individuos, se hallaban desfavorablemente impresionados con la dirección militar de Carrera. En considerable modo, según los documentos públicos y particulares de la época, esta mala opinión de Infante y Eyzaguirre se debía a las cartas e informes del coronel don Juan Mackenna, el cual, por su enlace con una señora Vicuña Larraín, había ingresado en el centro político de *los ochocientos*.[12]

¿Qué es esto?, ¿la disputa de un feudo entre el clan familiar de un principado italiano en la Edad Media? No, simple y llanamente así se decidía el destino de la república de Chile en los años de 1800. El pueblo permanecía indiferente en su ignorancia y no daría muestras de rebelión hasta que la crueldad y el despotismo de Marcó del Pont y los Talaveras de San Bruno le obligaron a buscar la protección de los ejércitos patriotas.

La reacción frente a la reconquista española definió mucho más nítidamente la ideología de los bandos en lucha. Los grupos aristocráticos habían saboreado las ventajas económicas que la posesión del poder político acarreaba, era ya una necesidad para ellos el constituirse en una oligarquía soberana dentro de un país independiente para desarrollar así su grandeza económica y cimentar su independencia social. Indispensable era también mantener el régimen feudal lejos del control monárquico y bajo la protección de autoridades locales a su servicio. La burguesía criolla de la ciudad veía en la libertad de comercio y en el progreso de la industria, tanto como en la burocracia fiscal, nuevas oportunidades de amasar fortuna y ascender en la escala social. Al pueblo no le importaba precisamente qué clase de gobierno regía los destinos del país: pero, vagamente, ansiaba una mejor situación económica y, por sobre todas las cosas, alimentaba un deseo de venganza contra los abusos de los chapetones y de los criollos al servicio de la Corona. En cuanto a la Iglesia, los franciscanos ayudaron a las fuerzas realistas en Chillán para derrotar a Carrera y todas las órdenes echaron a repicar sus campanas cuando Osorio hizo su entrada triunfal en Santiago en 1814.

A pesar de que la Independencia de Chile fué declarada oficialmente el 12 de febrero de 1818 y que uno de los últimos vestigios de la oposición realista desapareció con la ejecución de Benavides en 1822, la verdad es que Chile después de todo este proceso de luchas políticas salió con una constitución —la de O'Higgins de 1818— que prestaba una apariencia liberal a un régimen económico, jurídico y social que era el mismo de la Colonia. Por otra parte, tanto el cabildo abierto como la junta que aceptan la renuncia de O'Higgins y se hacen cargo del gobierno en 1823 representan exclusivamente a la aristocracia latifundista de Concepción, Santiago y Coquimbo, que eran los centros más importantes del país.

Quienes escriben la historia de este período consideran con mucha atención las rencillas y escaramuzas en que se disputan la Moneda diversos generales. En realidad, cualquier militar que triunfe, las condiciones del país no cambian, por el contrario, la bancarrota oficial se hace más evidente, mientras la riqueza particular se acumula incontrolada.

Las tendencias políticas del Congreso y el carácter de la constitución política promulgada en 1823 indican, por otra parte, que la oligarquía asume cada vez más directa y abiertamente un papel preponderante en la política del país. Entre otras cosas, la constitución redactada por don Juan Egaña concedía el derecho a voto sólo a los miembros de la Iglesia católica y declaraba ilegal cualquier otra religión. Liberales honrados como Henríquez y Manuel de Salas rehusaron firmarla.

Si la Independencia de Chile hubiera sido el resultado de una revolución democrática, a la burguesía le hubiera correspondido la victoria: la tierra pudo haber sido dividida y una clase media de agricultores y modestos propietarios se habría constituído en la fuerza económica detrás del ejército. Pero los militares no reformaron la economía colonial y la contradicción no tardó en producir sus efectos fatales. El ejército se ocupaba de acabar con la dominación española; el latifundista, de explotar al criollo mientras explotaba la tierra, y de comerciar con las naciones extranjeras.

He aquí las circunstancias históricas que forman el fondo del primer período de vida intelectual "independiente" de nuestro país. Es la comedia sentimental en que Camilo Henríquez y Bernardo Vera y Pintado expresan la voz del idealismo, los generales toman a su cargo la acción y los agricultores dicen el prólogo, viven el epílogo y recogen el producto de las entradas. . .

A manera de broche recordemos las siguientes palabras de don Domingo Amunátegui:

> La revolución de 1830 entregó el poder a las fuerzas sociales más sólidas que componían la nación. Destruído el gobierno del rey, sólo quedaban en pie las familias aristocráticas, que eran ciegamente obedecidas por una muchedumbre de vasallos leales y abnegados.
>
> La influencia de las familias estaba consagrada por la fe religiosa y por la posesión inmemorial de la tierra. Las clases populares no tenían ilustración alguna, y, en cambio, escondían en su alma profundas raíces de fanatismo y superstición.[13]

Mi conclusión es que la mediocridad intelectual característica de Chile en los primeros treinta años del siglo XIX es en gran parte el producto de la falta de una conciencia nacional que inspirara, diera orientación y realizara la revolución de la Independencia. A mi juicio, los intelectuales que luchaban por implantar los principios de la Revolución francesa y los soldados que trataban de emular a los jefes norteamericanos se hallaban aislados y carecían de ese fundamento indispensable para que los líderes y las naciones lleven a cabo sus reformas: el apoyo sentido y consciente del pueblo. Por eso cuando Camilo Henríquez y Bernardo Vera se ponen el gorro frigio para entonar un himno patriótico de pobre inspiración y peor métrica, nuestro sentimiento es de piedad. Quien tuviera el alma de poeta no podía reaccionar emocionalmente ante el espectáculo de una revolución que los especuladores del dinero lanzaban como una empresa bursátil, que ciertos generales defendían para conseguir la realización de sus propias ambiciones de mando y de riqueza, que el clero traicionaba temeroso de sus consecuencias y de la cual el pueblo se alejaba indiferente, ignorante, presintiendo que cualquiera fuera su suerte, él, a la postre, llevaría la peor parte.[14]

Una revolución tiene su épica cuando la nación entera se entrega al combate, cuando el destino de una mayoría se juega en los minutos de una batalla, en las cláusulas de un pacto, en la decisión de un capitán. Esta guerra de 1810 la peleaba cada grupo con un diverso propósito. En su gestación no se adivina la presencia de un espíritu colectivo, a través de su desarrollo se ve triunfar la maquinación y los intereses comerciales de quienes van movidos por las circunstancias que no han sido capaces de racionalizar. Como en tantas otras ocasiones, por desconfiar del pueblo la aristocracia chilena sacrificó los ideales de esta revolución y la completó a su manera: por medio de cuartelazos. Menguada, práctica, sórdida en su desconfianza se ve la clase dirigente chilena actuando a través de ese como de otros períodos de su historia. El chileno de esa época aparece desprovisto de pensamientos profundos y de grandes pasiones tal vez a causa de esta falta de unidad y de conciencia nacional que le impide concebir un destino para su país y que, a su vez, no sea acaso más que el resultado de una diferenciación injusta y extremada de las clases sociales.

El Fraile de la Buena Muerte

Naturalmente la obra literaria no es sólo el producto del medio ambiente y de las circunstancias históricas. Es posible que, aun cuando nuestra revolución hubiera sido de naturaleza diferente, un escritor como Camilo Henríquez (1769-1845) no habría encontrado en ella el don poético que le faltaba. Carecía de genio, pero en su actividad indomable, en la candorosa entrega que hizo de todos sus esfuerzos a la consecución de un ideal, a veces teniendo que vencer la oposición de sus mismos asociados, el Fraile de la Buena Muerte posee algo de sublime. Fué guerrillero, periodista y divulgador de ideas filosóficas, aunque nunca llegó a ser poeta. Sin embargo, un estudio más o menos detenido de su vida y de su obra se hace indispensable en este ensayo porque a través de numerosas influencias se descubren los gérmenes de un pensamiento independiente, se adivina la posibilidad de un nexo entre la ideología de Camilo Henríquez y el liberalismo de un Lastarria en el movimiento literario de 1842.

Durante los años difíciles del comienzo de la República Camilo Henríquez ofrece un digno contraste con la actitud general del clero español. Mientras sus hermanos servían clandestinamente a los bandos de la reacción realista, Henríquez daba un ejemplo de valentía y decisión al ponerse a la cabeza de una de las patrullas de voluntarios que frustraron el cuartelazo del coronel Tomás de Figueroa en 1811. Se iniciaba así, de un modo espectacular, en la vida política chilena donde aún no se le conocía a causa de haber pasado su juventud en el Perú estudiando en el convento de San Camilo de Celis. Allí profesó cuando apenas pasaba de los veinte años. Otras actividades del joven sacerdote atrajeron la atención de los círculos patriotas y le convirtieron rápidamente en peligroso enemigo de todos aquellos que ansiaban un retorno al antiguo régimen.

El 6 de enero de 1810 había hecho circular en Santiago, bajo la firma de Quirino Lemachez, una proclama que constituye el primer manifiesto publicado en Chile contra la dominación monárquica en América.[15] La prosa de Camilo Henríquez posee una belleza sencilla que viene a ser el reflejo de sus convicciones sinceras y de esa inspiración romántica que le mueve al discutir los temas de la patria. Comienza expresando el regocijo que "una alma formada en el odio de la tiranía" siente al comprobar el movimiento por la libertad de Chile; exalta a Grecia, Venecia y Holanda porque en brazos de la libertad conquistaron la gloria y a los "colonos ingleses" que en medio de los "gobiernos despóticos" del mundo se constituyen en dignos herederos de esa tradición liberal. No oculta Camilo Henríquez su desprecio por Fernando VII a quien llama "desastrado monarca" y condena a esos "aristócratas que sin consultar nuestra voluntad" pretendieron sostener su causa mientras, en realidad, "lo vendieron vergonzosamente".

Repitiendo conceptos que aprendiera en Voltaire y, especialmente, en el Rousseau del *Discours de l'inégalité y del Contrat Social*, se dirige a sus compatriotas con estas palabras:

> Vosotros no sois esclavos; ninguno puede mandarnos contra vuestra voluntad. ¿Recibió alguno patentes del cielo, que acrediten que debe mandarnos? La naturaleza nos hizo iguales; y solamente, en fuerza de un pacto libre, espontáneo y voluntariamente celebrado, puede otro hombre ejercer sobre nosotros una autoridad justa, lejítima y razonable.[16]
>
> Sólo los filósofos se atrevieron a advertir a los hombres que tenían derechos, y que únicamente podían ser mandados en virtud y bajo las condiciones fundamentales de un pacto social.[17]

Ese pacto no existió entre América y España, el gobierno que implantaron los conquistadores se basó en la fuerza. La naturaleza no confirió a nación alguna el derecho de subyugar a otras y, ya que existe un océano entre el Rey y sus vasallos de América, el mandato de la naturaleza fué que estas naciones viviesen separadas. Con legítimo entusiasmo describe luego la condición natural de Chile, de la tierra tanto como de sus hombres y llega a la conclusión de que el país no precisa de amos de ninguna clase y sabrá defenderse de "los asaltos de la ambición" de dondequiera que ellos vengan, "aunque un nuevo César se apodere de Europa. . ."

Tampoco oculta Camilo Henríquez sus ideas acerca de la clase de gobierno que desea: pide "una constitución vigorosa y un código de leyes sabias", pide con el carácter de consigna, ya que su proclama iba destinada a influir la voluntad de los votantes que elegirían los miembros del Congreso Nacional: "La República, la Potencia de Chile, la Majestad del Pueblo Chileno." Así, repitiendo ideas que había leído en los filósofos franceses y expresándose con valentía, sencillez y sinceridad, Camilo Henríquez trató de orientar la política vacilante de los patriotas.

Nueva oportunidad se le presentó de exponer sus ideas cuando el 4 de julio de 1811 pronunció desde el púlpito de la catedral un sermón con ocasión de reunirse el primer Congreso Nacional. La importancia ideológica de este sermón es limitada, pues Camilo Henríquez tuvo que someterlo a la censura previa del congreso y, entre otras cosas, se vió obligado a reconocer la soberanía de Fernando VII o de su heredero, no sin expresar, sin embargo, la esperanza de que la monarquía española se transformara de absoluta en constitucional. A pesar de las concesiones políticas que Camilo Henríquez se había visto obligado a hacer, el sermón produjo el efecto de un sacrilegio entre la clerecía española y los realistas. Por lo demás, el sermón ganó para su autor un renombre que alcanzó más allá de las fronteras de su patria, cuando el general San Martín lo hizo imprimir en Buenos Aires en 1817.[18]

En adelante, la carrera política de Camilo Henríquez fué, si no brillante, por lo menos distinguida. Es posible que su condición de religioso le haya impedido obtener puestos de mayor responsabilidad aunque parece más bien que la aristocracia chilena y el pueblo devoto castigaron en su persona los avances del liberalismo y de la propaganda anticatólica. Fué elegido diputado en tres ocasiones y sirvió como Secretario de la convención del 23 de junio de 1822. Fué miembro activo de la Sociedad que fundara O'Higgins para la difusión del sistema lancasteriano y autor del primer plan de estudios para el Instituto Nacional. Prueba de sus conocimientos sobre economía política ofrecen los dos artículos que inserta Amunátegui a manera de apéndice en su ensayo sobre Camilo Henríquez en la *Alborada poética*.[19] Antes de su muerte, 16 de marzo de 1825, ocupó dos puestos de relativa importancia: en 1823 fué bibliotecario de la Biblioteca Nacional y en 1824 oficial mayor del ministerio de Relaciones Exteriores.

CAMILO HENRÍQUEZ, PERIODISTA

Hubo un plano de actividad en que a Camilo Henríquez le cupo un papel brillante: el periodismo. Y es que periodista era por naturaleza; la fogosidad y el ímpetu que ponía en la defensa de las ideas, la oportunidad para iniciar una campaña y la energía con que la conducía hasta su término, la claridad y sencillez de su prosa, le conquistaron siempre y en cualquier lugar que publicara sus periódicos un ferviente grupo de lectores. Un análisis de las ideas que expusiera por medio de estas publicaciones nos ayudará a comprender su poesía basada en un concepto de utilidad social o, como prefieren decir los poetas de hoy, en la militancia política.

Grande es la importancia de la *Aurora de Chile*,[20] primer periódico que se publica en Chile. Desde sus columnas, al frente de las cuales lucía el lema de *Luce beet populos, somnos expellat et umbras*, Camilo Henríquez educó al pueblo chileno en la doctrina de la libertad; explicó el derecho público, las diferentes normas de gobierno, la división de los poderes. Con sus proclamas y sus versos encendió el patriotismo en los momentos difíciles y es uno de los pocos intelectuales de la Independencia chilena en que la doctrina política se une al fervor revolucionario y al amor por la patria. En los momentos que siguieron a la fundación de la primera junta Camilo Henríquez combatió con admirable audacia los temores de los retrógrados:

Comencemos en Chile —decía en la *Aurora de Chile* del 4 de julio de 1812— declarando nuestra independencia. Ella sola puede borrar el título de rebeldes que nos da la tiranía. Ella sola puede elevarnos a la dignidad que nos pertenece, darnos aliados entre las potencias, e imprimir respeto a nuestros mismos enemigos; i si tratamos con ellos será con la fuerza i majestad propias de una nación.

Páginas como éstas abundan en la colección de su primer periódico y con igual valentía redactó los que siguieron: el *Monitor Araucano*, publicado por primera vez el 6 de abril de 1813, el *Semanario Republicano*, continuación del que iniciara Antonio José de Irisarri. En Argentina formó parte de la redacción de la *Gaceta de Buenos Aires* y dirigió las *Observaciones acerca de algunos asuntos útiles*, en calidad de escritor oficial del gobierno, y dió muestras una vez más de la integridad de su carácter y la sinceridad de sus convicciones cuando, habiendo publicado un artículo contra el gobierno, se negó a escribir otro que significaba una retracción y renunció a su cargo.

Que su prestigio no disminuyó a causa de este incidente lo prueba el hecho de que la municipalidad de Buenos Aires encargó a Camilo Henríquez con fecha de 7 de febrero de 1817 la redacción de la revista *El Censor*, en la cual se mantuvo hasta el 11 de julio de 1818.

De regreso en Santiago publicó en 1822 la primera revista chilena: *El Mercurio de Chile*, en la cual además de tratar temas de economía política y derecho sostuvo algunas interesantes campañas a propósito de las creencias supersticiosas de las masas y el uso que de ellas hacían ciertos miembros de la Iglesia.

Llegó hasta discutir las raíces mismas del fanatismo religioso y en un rapto de entusiasmo publicó el siguiente panegírico de los filósofos franceses que eran sus maestros:

Voltaire, Rousseau, Montesquieu, son los apóstoles de la razón. Ellos son los que han roto los brazos al despotismo; los que han elevado barreras indestructibles contra el poder invasor; los que, rasgando esas cartas dictadas a la debilidad por la fuerza entre los horrores de las armas, han borrado los nombres de señor i esclavo; los que han restituído a la tiara su mal perdida humildad; i los que han lanzado al averno la intolerancia i el fanatismo.[21]

Es preciso recordar la ignorancia y la ferocidad que predominaban entre los devotos de aquella época para darse cuenta del efecto que tales palabras tuvieron. No sólo la turba de penitentes y sacristanes que se daba de azotes en público y aullaba por las calles de Santiago salió en contra del reformador. La intelectualidad católica se hizo presente en la persona de fray Tadeo Silva y contestó a Camilo Henríquez en un folleto titulado *Apóstoles del diablo*. La verdad es que el fraile de la Buena Muerte iba resultando un enemigo muy difícil de contrarrestar para la Iglesia católica. Se defendió de sus enemigos en un periódico especialmente fundado para este fin: *El Nuevo Corresponsal* y muy hábilmente alegó que no admiraba en Voltaire, Rousseau y Montesquieu sus opiniones teológicas "sino los servicios que habían prestado a la causa de la libertad, de la tolerancia i de la civilización".[22] Pero su campaña siguió adelante y en el senado de 1823 Camilo Henríquez propició un proyecto de reforma eclesiástica y otro de abolición de la esclavitud, sin pago de indemnización a los amos.

Camilo Henríquez fué, pues, un periodista de combate y con él la historia de la prensa en Chile tiene un digno comienzo. Raramente intentó defender sus ideas en otra forma que el artículo periodístico o el verso de ocasión; de tal manera que el desarrollo de su influencia intelectual sobre los jefes militares chilenos, sobre el pueblo católico y sobre la juventud estudiantil, va íntimamente unido a la suerte de sus empresas periodísticas. Pocas veces en la historia de Chile se ha visto otro ejemplo de semejante apostolado: en la fe que Camilo Henríquez depositaba en el poder de la prensa como educador de las masas y factor importante en la liberación del pueblo me recuerda la historia de Luis E. Recabarren, otro idealista como él, que jalonó cada episodio de su dramática carrera política con la fundación de un nuevo periódico.

Fuera de sus artículos y de sus versos, hay dos obritas que representan además la ideología de Camilo Henríquez: el *Catecismo de los patriotas* (1813) y el *Ensayo acerca de los sucesos desastrosos de Chile* (1815).

El *Catecismo* contenía la doctrina de la revolución chilena de acuerdo con los preceptos del cristianismo y debía usarse en una campaña de propaganda política por medio de "misiones", cosa que constituyó, en realidad, uno de los proyectos más originales de Camilo Henríquez. Tan original y tan democrático que nunca fué puesto en práctica por las autoridades. La trascendencia de su *Ensayo acerca de las causas*, etc. radica más bien en las consecuencias que un lector moderno puede obtener y no exactamente en la discusión que el autor hace de hechos contemporáneos. Por eso me parece que Miguel Luis Amunátegui no entiende bien la intención de Camilo Henríquez cuando cree leer entre líneas una prédica monarquista. Es verdad que en el *Ensayo* se afirma: "Las formas republicanas están en contradicción con vuestra educación, religión, costumbres i hábitos. . ."[23]

Y que Camilo Henríquez reconoce abiertamente la necesidad de un gobierno fuerte a la cabeza del cual se ha de colocar a "un hombre de moralidad i genio, revestido con la plenitud del poder", pero este hombre no ha de ser un príncipe sino un simple "Gobernador i Capitán jeneral" y no deja Camilo Henríquez de advertir:

> No os detengan los envidiosos recelos de que se haga monarca: no lo intentará, si tiene prudencia; si no la tiene, caerá; i en fin dejad que lo sea, si, como Augusto, Constantino i Gustavo, tiene destreza para sostenerse.[24]

Todo lo cual, además del pronunciado sabor a Maquiavelo, contiene un mensaje de indudable realismo político. Camilo Henríquez desea la dictadura de un hombre fuerte, sabio y honrado para organizar el gobierno de un pueblo que no acaba aún de libertarse de sus prejuicios coloniales, que ignora el sentido de su revolución y que lucha desatentadamente apoyando los intereses de un general hoy y de otro mañana.

El juego de la política no permitirá que esta dictadura ideal llegue a realizarse, sino que, por el contrario, una verdadera farsa del régimen democrático provocará el caos. La profecía de Henríquez se torna pesimista y la expresa sin ambages:

> Aunque llaméis populares a vuestros gobiernos, ellos no serán más que unas odiosas aristocracias. No temáis a los nobles que los crearon, ni a los soldados que las destruirán cuando quieran,

porque la masa de la población jamás se interesará en sostener la forma aristocrática establecida por aquéllos, que no comprenderá, porque será nueva para ella.

A la aristocracia sucederá necesariamente un gobierno militar, a quien le anuncio el odio de casi todos, la envidia de muchos i la falta de obediencia de parte de las tropas, a las cuales necesita lisonjear i regalar para elevarse, i de que siempre necesita para sostenerse.

El estado eclesiástico os hará una oposición mui dañosa, i vosotros la toleraréis, porque las resoluciones saludables i terribles que deberían adoptarse para destruirla son incompatibles con un gobierno compuesto de varios individuos, unos supersticiosos, otros ignorantes i otros dominados por mujeres fanáticas.[25]

Amunátegui se resiente de la franqueza un tanto cínica de Camilo Henríquez y más bien que un hecho es una esperanza lo que encierran las siguientes palabras: "La historia de América ha refutado con la irresistible evidencia de los hechos la tesis sustentada por Camilo Henríquez."[26]

No sólo la historia de Chile sino la historia de la mayor parte de los países de Centro y Sud América ha venido a corroborar, punto por punto, las graves palabras del fundador de la *Aurora de Chile*. Amunátegui siguió pensando que el ideal de Camilo Henríquez era la monarquía y no advirtió que más allá de la simple discusión de un problema contemporáneo, cual era la derrota del ejército patriota a manos de las huestes de Osorio, y de la equívoca recomendación de un "gobierno fuerte", se encerraba una valiosa intuición del ensayista quien no se hacía grandes ilusiones sobre la calidad de los gobiernos que habrían de regir más tarde al pueblo chileno.

Don Miguel Luis Amunátegui, por otra parte, no se equivoca cuando al resumir la ideología de Camilo Henríquez declara con verdadera admiración:

El abrió los primeros surcos en una tierra inculta; i derramó en ellos con mano próvida puñados de civilización...

Sostuvo la libertad de imprenta, la libertad del comercio, la libertad de conciencia, la inmigración, la instrucción, etc...

La España había cometido el grave pecado de convertir un continente inmenso en una isla incomunicada.

Camilo Henríquez quería abrir ese vasto territorio a los individuos de todo el mundo para que ocupasen sus campos desiertos e introdujesen la industria en sus ciudades miserables.[27]

"TOUT CE QUI N'EST POINT VERS EST PROSE"

Como se ha indicado anteriormente, es imposible apreciar los esfuerzos poéticos de Camino Henríquez sin tener en cuenta previamente la naturaleza de sus ideas políticas y las circunstancias históricas en que le tocó actuar. Basándose en el comentario hecho acerca de sus proclamas y de sus artículos, se puede decir que Camilo Henríquez no concebía el arte sin una función social. Daba a la poesía un papel importante en la educación moral y política del pueblo y no se equivocaría quien dijese que Camilo Henríquez versificó únicamente para hacer la propaganda de los principios revolucionarios de la Indepnedencia. Si hubiese tenido genio nadie habría podido negarle a su poesía de propaganda política una categoría artística. La crítica no se la ha negado a Parini o a Carducci ni a Marie-Joseph Chénier ni a Quintana ni, en nuestros días a Eluard, Aragon o Neruda; todos ellos poetas civiles, cantores de las glorias del pueblo y de las luchas por la libertad.

Esta fe en la utilidad social del arte aparece asimismo evidente en las pocas aventuras dramáticas que ocuparon la pluma de Camilo Henríquez mientras estuvo en Buenos Aires. Escribió dos obras teatrales —*Camila o La patriota de Sud-América* y *La Inocencia en el asilo de las virtudes*— y bosquejó una tercera, *Lautaro*. En ellas se propone predicar al pueblo, enseñarle virtudes cívicas y morales, exaltar el amor a la patria, el odio al fanatismo, la pasión por la libertad. Su teoría del teatro era la misma que Diderot expresara en sus *Entretiens sur le fils naturel: Dorval et moi* (1757) y en su *Discours sur le poésie dramatique* (1758). Nuevamente la inspiración le traicionó: sus comedias "burguesas", a pesar de las condiciones históricas que representan y de la enseñanza moral que las sostiene, no consiguieron ni siquiera ser representadas.[28]

Su conocimiento del latín le había permitido leer en el original a Virgilio y a Horacio. Y en esa lengua clásica canta a los Estados Unidos, celebrando el 4 de Julio en una de sus primeras composiciones.[29] El mismo autor tradujo estos versos al español y la traducción demuestra hasta qué punto equivocaba Camilo Henríquez su vocación al tratar de escribir poesía. Su versión en prosa es muy superior al poema y ya muestra esa claridad y sencillez que caracterizan su obra periodística más tarde. También en homenaje a otro país hermano —México— tradujo y publicó en la *Aurora de Chile* unos versos latinos que se incluían en el folleto del padre mexicano José Servando Teresa de Mier titulado *Segunda carta de un americano al español sobre su número XXIV.*

Como se podrá advertir, desde el comienzo de su carrera de versificador Camilo Henríquez se ocupa de ideas, no de emociones. Su primera composición había sido una *Oda* a la patria y en ella estaban ya patentes las características de su estilo: prosaísmo, llaneza, sinceridad, falta de retórica. Es lamentable comprobar que a pesar del indudable fervor revolucionario que le poseía, sus versos no vuelan, no vibran, no impresionan en absoluto; a lo sumo convencen de la verdad de sus ideas. Los títulos de sus composiciones indican la nobleza de sus temas y anuncian un entusiasmo revolucionario que el lector no hallará en su contenido: *El árbol de la libertad* se llama un poema suyo al 18 de Septiembre escrito en 1812; *República* es el título de otro, y luego *A los mártires de la libertad de Venezuela,* escrito en 1813; *Al Senado y pueblo bonaerense,* extenso poema que sirve de dedicatoria a la impresión de su *Sermón del 4 de julio de 1811; A la América* (1813) para exponer la idea de que Dios ha decretado la libertad de nuestro continente; *La victoria de Maipo,* etc., etc. Más éxito parece tener en sus himnos que, por lo general, son breves y de rima fácil, compuestos según el gusto de sus contemporáneos.[30]

BRINDIS Y LETRILLAS

En dos géneros de poesía acertó Camilo Henríquez más que de costumbre: en los brindis improvisados y en las letrillas satíricas. El brindis que pronunciara en casa de don Francisco Antonio Pérez cuando celebraba la victoria de Yerbas Buenas es tal vez una de sus composiciones de mayor mérito. Sobresale por lo sereno del tono, por el lenguaje enérgico y viril desprovisto en absoluto de retórica y, como siempre, por la nobleza de las ideas. Su defecto es el mismo de que adolecen todos los poemas de Camilo Henríquez: el prosaísmo.

En los himnos de Camilo Henríquez llama la atención la ausencia de la rima: feliz intuición, pues la rima en este caso habría sido un arma verdaderamente suicida.

En las composiciones satíricas a que hacía mención anteriormente Camilo Henríquez, sin embargo, tuvo que luchar contra todos los obstáculos que el verdadero poeta salva por instinto para no caer en la vulgaridad: la rima, el metro ligero, el ritmo fácilmente marcado y la expresión graciosa y natural. En *La procesión de los lesos* Camilo Henríquez despliega una serie de cualidades que jamás aparecieron en el resto de su obra poética: hay en ella imaginación, buen humor y hasta cierta gracia en la técnica de la versificación. Camilo Henríquez ataca certeramente a los religiosos pedantes, a los egoístas e hipócritas, a los charlantes, a los monárquicos y proyectistas, a los comerciantes inescrupulosos, etc., etc.

De este modo introduce su "procesión":

> Hai hombres en este mundo
> que se han hecho mui notables
> por irregulares hechos
> e ideas estravagantes.
> *Piezas* se llaman en Lima
> i en Chile suelen llamarse
> *lesos*, porque su chaveta
> anda en trabajos. Los tales
> forman una cofradía
> de grandísima estensión;
> i hoi salen en procesión.

He aquí alguna estrofas típicas:

> Pancracio de Roncesvalles
> es aquel mozo galán,
> hombre que nunca ve un libro,
> aunque rabia por mandar.
> En todo ha de dar su voto,
> todo lo ha de reformar,
> aunque es hijo del error.

> Chitón,
que pasa la procesión.

.....

¿Quién es este hombre a caballo
en aptitud de fugar?
Este hombre es un escritor
de nieve i de habilidad.
Es en estremo cobarde,
aunque bravo para hablar,
i auque anda con su *rejón*.
> Chitón,
que pasa la procesión.

.....

Aquel que ves tan devoto,
i con farisaico ceño,
tiene tanta caridad,
que quisiera verte muerto.
Odia a los americanos,
porque es un gran sarraceno,
digno de la espatriación.
> Chitón,
que pasa la procesión.

.....

Los sarracenos suspiran
por algún Vamba o un Carlos,
a quien nunca faltaría
algún Godoi u otro diablo.
No es raro, pues veo a muchos
de ellos ir con vela en mano,
sirviendo de diversión.
> Chitón,
que pasa la procesión.

.....

¡Qué muchedumbre de jentes
se columbra allá detrás!
Viene en una anda con ellas
la santa Brutalidad.
Estas jentes son pacientes,
de rara tranquilidad,
i ejemplar resignación.
> Chitón,
que pasa la procesión.

.....

¡Oh! ¡qué tentación de risa!
En su anda, viene el santo Ocio
con matesito en la mano,

con dos laques i con poncho.
Viene con lazo i con grillos,
i bien vendados los ojos.
I así se ríe el simplón.
        Chitón,
que pasa la procesión.
. . . . .
El difunto vejestorio
que llaman sistema antiguo,
viene con cara de diablo
bajo el palio del delirio.
Esta anda traen las viejas
i un don Poncio con un libro
titulado obstinación.
        Chitón,
que pasa la procesión.[31]

Camilo Henríquez utilizó la poesía satírica con una finalidad política y moral, ya sea atacando la *Pereza* o la *Indolencia culpable*, el *Torpe ocio* o para condenar *Los modorros*, *La faramalla*, etc., defectos todos que, según las palabras de Amunátegui, "el réjimen colonial había inoculado en la sangre. . . i que urjía curar radicalmente".[32]

Pecado será recordar aquí el nombre de Quevedo, pero diré, en todo caso, que Camilo Henríquez había leído sus obras en casa de don José Antonio Rojas. Don Miguel Luis Amunátegui, que estudió la vida y la obra de Camilo Henríquez mejor que nadie, juzgó de la siguiente manera la obra poética del Fraile de la Buena Muerte:

Aún cuando fuera ferviente admirador de Virigilio i de Horacio, no se divisa ningún paisaje en sus versos. . .
En materia de árboles, sólo ha cantado el árbol de la libertad.
Si no ha pintado la naturaleza, tampoco se ha ocupado en describir el estado sicolójico i afectivo de su alma. . .
Su misión ha sido más alta i menos egoísta.
Ha entrado en el palenque como el campeón de una gran causa: la de las colonias americanas en jeneral, i la de Chile en particular, contra la metrópoli.
Los versos de Camilo Henríquez son gritos de combate, no poéticos i musicales como los de Núñez de Arce, sino roncos i destemplados. . .[33]

Como contraste repetiré aquí el juicio de don Raúl Silva Castro, que ha estudiado con especial ahinco la literatura chilena del siglo xix:

> Camilo Henríquez sobre todo llega a doblegarla [la poesía] para que le sirva de vehículo en la exposición de ideas políticas y de reforma social. Pero a esto se debe agregar todavía que siendo muy débil su inspiración, muy difícil el estilo, la versificación burda y sin gracia, el resultado es una poesía violentamente prosaica, sin carácter alguno que baste a salvarla del olvido a que la posteridad la ha condenado.[34]

Y como conclusión el juicio que expresara don Aníbal Pinto, quien, sin atribuir a Camilo Henríquez méritos literarios que no posee, con calmosa expresión exalta, no obstante, el valor ideológico y emocional del conjunto de su producción:

> Camilo Henríquez es el que representa mejor el sentimiento de esa época. Impregnado del espíritu del siglo xviii, su musa recuerda indignada la abyección en que vivía el hombre bajo el antiguo réjimen, i coloca sobre altares la libertad i la igualdad. A los derechos divinos i tradicionales en que se apoyaban los absurdos sociales bajo cuyo yugo vivíamos, él opone los derechos del hombre; a la majestad real, la majestad del pueblo; i al despotismo intelectual, la libertad del pensamiento.[35]

Vera y Pintado (1780-1827)

Don Bernardo Vera y Pintado tiene sobre Camilo Henríquez la ventaja de haber intentado expresar sus propios sentimientos en dos o tres poesías líricas. Tan áridos y faltos de gracia eran los versos del Fraile de la Buena Muerte, que aún el germen de un romanticismo ramplón y mediocre nos parece un descanso y hasta se siente la tentación de creer que un poema como *La ausencia*[36] inaugura una nueva moda literaria en Chile. Porque no hay razón para poner en duda los sentimientos de Vera y Pintado; ni siquiera el hecho de que sus composiciones contengan vulgaridades como "ojos del bien que yo adoro", "desde que mi corazón te adora, bien de mi vida", "el oficio de tu amante ya no es más que idolatrarte", etc., etc. Al menos se nota la voluntad de expresar una pasión y un vago dominio de la técnica en estrofas como éstas:

Terribles contradicciones
componen nuestra existencia:
una de ellas es la ausencia
al lado de las pasiones.
Los amantes corazones
la miran como enemigo;
mas mi pecho es un testigo
del fenómeno más raro
porque, cuando me separo
me voi, pero vas conmigo.

Este enigma portentoso,
que causa tanto tormento,
confunde al entendimiento,
i oprime un pecho amoroso.
¿Cómo es que no siento gozo,
si voi en tu posesión?
Porque hai cierta división
entre ti i tu imajen bella.
Tú quedas, i yo con ella
te llevo en el corazón.[37]

A juzgar por estas líneas había una gran diferencia de temperamento entre Bernardo Vera y Camilo Henríquez. En los versos como en la prosa de éste último se advierte la presencia de una voluntad que coarta las expansiones, una fría barrera entre el lector y la personalidad íntima del escritor. Camilo Henríquez era un hombrecillo pálido, adusto, indiferente hacia todo lo que no estuviera relacionado a la ocupación de su vida: la independencia de Chile. Sus únicos entusiasmos se expresan en las reuniones patrióticas, a través de himnos o brindis en que le acompaña Bernardo Vera. Tal vez su profesión errada le amargara un tanto la vida. Continuamente luchó por independizarse de las obligaciones que le imponían sus deberes de religioso; adoptó el traje de los civiles, las ideas revolucionarias de Voltaire y Rousseau, recibió un título de médico y prefirió propagar sus ideas desde el congreso o desde la prensa, más bien que desde el púlpito.

Vera venía de una familia acomodada. Nacido en la ciudad de Santa Fe (Argentina) en 1780, sus padres le hicieron estudiar en la Universidad de Córdoba, primero y, más tarde en 1799, le enviaron a Chile en compañía de algunos parientes para que terminase sus estudios de leyes en la Universidad de San Felipe. Testimonios de la época presentan a Bernardo Vera como un individuo alegre, chistoso, muy amigo de las fiestas, admirablemente dotado para improvisar. En carta escrita a un amigo suyo Vera describe muy gráficamente la clase de existencia que llevaba:

> Desde las siete de la mañana hasta la una, me entretengo en fastidios de *lo tuyo* y *lo mío*. Por la tarde, paso las más veces a casa de la Antonita a tomar un mate con satisfacción, i otras sólo al tajamar. Desde las oraciones hasta las diez de la noche (en que me recojo a la cama), me divierto en palacio, echando paspiés en las piezas de Madama Dumont (la mujer de don Gregorio de Toro, hijo mayor del conde-presidente). He aquí el orden cronolójico de mi conducta pública i privada.[38]

En el desempeño de su carrera profesional, si bien es cierto que sus ideas políticas a veces le acarrearon dificultades, en general tuvo bastante éxito y fué honrado con varios cargos de prestigio: la Junta de las Provincias del Plata le nombró diputado ante el gobierno de Chile en 1811; en 1814 fué secretario de una junta chilena y más tarde, a la caída de O'Higgins, le fué ofrecido el ministerio de Guerra que, sin embargo, no aceptó; en 1825 desempeñó la presidencia del Congreso al cual pertenecía como diputado por Linares. Hasta 1827, año de su muerte, tuvo la cátedra de derecho civil y canónico en el Instituto Nacional.

Su educación fué más académica que la de Camilo Henríquez y sus conocimientos literarios más variados, como lo prueba el inventario de su biblioteca:[39] entre los autores latinos se hallaban representados Julio César, Virgilio, Horacio y Ovidio; entre los franceses Voltaire, Montesquieu, Daunou, Condillac, Condorcet; entre los ingleses Bentham, Adam Smith; y entre los españoles Cervantes, Ercilla, Garcilaso de la Vega; Clavijero, Llorente y Quintana. Sin embargo, su ideología no era tan firme como la de Camilo Henríquez y su carácter era más bien débil e inconstante. La historia de su adhesión a las ideas revolucionarias no tiene esa fuerza romántica y el apostolado que supo Henríquez dar a la suya.

En los postreros momentos del gobierno de García Carrasco en 1810 nuestro poeta fué encarcelado en compañía de dos ciudadanos ilustres: don Juan Antonio Ovalle y don José Antonio de Rojas. Desde su prisión escribió frases que son más bien humillantes. Trató de conmover a sus perseguidores presentando el cuadro de su familia abandonada y en una carta dirigida a su amigo el vicario José Santiago Rodríguez después de quejarse: "Con tinta de carbón, pluma de mondar dientes, en papel para cigarros, robando al sueño las horas i al centinela de su vijilancia, ¿qué podré escribir?," nada le cuesta claudicar de sus ideas: "...Descendí a manifestar cuán dichoso sería el nuestro (gobierno monárquico) si Fernando VII volviera a su trono; i después de difundirme en ideas propias del mejor vasallo... etc."[40]

En aquellos momentos el problema consistía en apaciguar a las autoridades monárquicas; más tarde, en 1813 cuando la revolución había triunfado y se trataba de agradar a los patriotas, Vera escribe en el *Semanario Republicano*[41] unas frases que muestran cuán débil podía ser su memoria:

> Pero ¿cómo inserta también en ella el artículo 3º del reglamento constitucional de Chile: su Rei es Fernando VII? ¡Ah pueblos de América! Si los hombres de luces que dirijieron vuestros primeros movimientos hubiesen hablado en el principio con aquel lenguaje victorioso de la verdad, los enemigos que después nos han hecho la guerra bajo ese nombre quimérico con que una errada política pensó evitarla... no se habrían atrevido a levantar el grito de rebelión...

Sin embargo, no tenemos motivo para dudar de su entusiasmo revolucionario una vez que la estructura del gobierno republicano se afianzó.[42] Por el contrario, pocos intelectuales prestaron una colaboración más eficiente a las nuevas autoridades que Vera y Pintado. La historia de Chile no podrá olvidar su nombre ya que a su pluma se debe la letra del primer himno nacional, cuyo mérito literario podrá ser escaso pero cuya ideología y expresión auténticamente revolucionarias, además del hecho de haber sido compuesto a raíz de los acontecimientos mismos que el autor trata de conmemorar, le dan un valor inigualable. Vera cantó a la revolución que destruía un poder tiránico y en algunos versos arde un odio que a las generaciones actuales les es difícil comprender: su nacionalismo es de guerra y su objeto el de exaltar las pasiones del pueblo chileno y prepararlo para tomar las armas en un momento de emergencia. Cuando la razón de su antiespañolismo desapareció y la república, gozando del respeto de las potencias extranjeras y de una relativa tranquilidad interna, reinició su tarea de organizar un país democrático, las palabras airadas de Vera fueron reemplazadas por la poesía más idealista y objetivamente patriótica de don Eusebio Lillo, quien en 1847 recibió el encargo oficial de escribir un nuevo himno. Lillo tuvo la feliz inspiración de conservar el coro del de Vera: cuatro versos que los luchadores políticos de América han aprendido a respetar como el símbolo de la solidaridad chilena cada vez que dictaduras locales les obligaron a buscar refugio en nuestro país:

> Dulce patria, recibe los votos
> con que Chile en tus aras juró
> que o la tumba serás de los libres
> o el asilo contra la opresión.

Vera y Pintado escribió sus versos a petición del gobierno de Chile y con el propósito de que fuesen cantados por primera vez en las fiestas patrióticas de 1819. Como no existía entonces una música especial para el himno, se usó la del argentino. No fué hasta el 20 de agosto de 1820 cuando se cantó con una música original del compositor chileno Manuel Robles. Más tarde, en 1826, se reemplazó esta música por una partitura de carácter operático escrita por el español Ramón Carnicer que, junto con los versos de Lillo, constituye la actual canción nacional chilena.

José Zapiola ha eternizado la memoria del compositor Robles en unas páginas biográficas de excepcional interés que forman parte de sus *Recuerdos de treinta años*. He aquí su juicio acerca de la composición de Robles: "La música de esta marcha tenía todas las circunstancias de un canto popular: facilidad de ejecución, sencillez sin trivialidad. . ." [43]

Y comparándola con la partitura de Carnicer dice:

> Ningún interés *musical* tenemos en hacer la defensa de la antigua marcha, que sin vacilar confesamos muy inferior como *música*, a la moderna; pero como patriotas, nos duele ver preferido

un canto que no va acompañado de un solo recuerdo glorioso
para un chileno, mientras la antigua no sólo se hizo oír en Chile,
sino en el Perú, donde San Martín condujo nuestro ejército
unido al argentino. Esto nos explica por qué Bilbao, en los momentos que quería entusiasmar a sus compañeros, el 20 de abril,
entonaba la *Marsellesa*, y no el helado trozo de ópera que nos
han vendido como Canción Nacional.[44]

Hermosa combinación habrá sido la de esos versos enérgi-
cos y marciales de Vera y Pintado y la música auténticamente
popular de Manuel Robles; un himno revolucionario que merece un sitio, aunque sea modesto, en la historia de las luchas
del pueblo chileno por conquistar su libertad.

La significación de Vera y Pintado en la historia literaria
de Chile es más bien sentimental. Se recordará el ímpetu con
que expuso las ideas de la Independencia en su Himno Nacional y en uno que otro poemita de escaso mérito como los
titulados *Al 18 de Septiembre, Chile, Oda.*, etc.; se notarán
los gérmenes de una intensa propaganda anticlerical en composiciones como *El fanatismo*; y habrá de celebrársele esa nota
de ingenuo sentimentalismo que alumbra débilmente en glosas como *La ausencia, A Mercedes* y *A los tímidos amantes*.
No creó tradición ninguna con sus versos y apenas consiguió
distinguirse entre los numerosos discípulos chilenos de Quintana.

Injusto sería, por otra parte, censurar a los versificadores
chilenos de 1810 sin tomar en consideración que sus defectos
eran compartidos también por los representantes de la poesía
española y francesa de la época. Prosaísmo era éste de poetas
ideólogos, filantropistas que se esforzaban por acelerar el progreso de la sociedad educando al pueblo a través de largos
poemas en que se cantaba a la libertad, a la democracia, al
desarrollo de la ciencia, en lenguaje académico y en metros
clásicos. El sentimiento no cabía sino en himnos que se cantaban al ritmo de bandas marciales y las imágenes imitaban
el significado que griegos y romanos dieron a sus divinidades
cuando eran, en realidad, "divinas" y no simples figuras de
retórica.

V. *Orígenes del romanticismo chileno*

Una persona que no conociese la literatura chilena leyendo a Camilo Henríquez y luego a Guillermo Blest Gana pensaría que media una diferencia de siglos entre ambos y, tal vez, que ni siquiera son de la misma nacionalidad. ¿Cómo puede el proceso literario de un pueblo acelerarse tanto en el breve período de cincuenta años? Una revolución es poco para explicar semejante cambio; sin embargo, los poetas chilenos de la segunda mitad del siglo xix han superado el prosaico balbuceo de los versificadores de la Independencia; han conquistado una libertad de pensamiento y de expresión literaria propia de una cultura suficientemente desarrollada y, en materia de modas artísticas, no se quedan atrás de los españoles ni escatiman los esfuerzos para adelantarse a ellos por nuevos senderos.

Por una parte, no se puede menos de pensar que estos saltos en el terreno de la cultura son típicos de un pueblo que se ve obligado a adoptar la tradición de una cultura extranjera en una época determinada. En tal condición se torna apto para reaccionar rápidamente al menor soplo de las más variadas tendencias artísticas. Chile, que nace a la literatura occidental con un poeta renacentista y ultra sofisticado —Oña—, vive y luego olvida, en espacio de pocos años, experiencias artísticas que en Europa tomaron siglos para madurar y largos años para decaer y sucumbir. Las modas literarias vuelan en el siglo xix chileno como mariposas: brillan y mueren fugazmente. Se es neoclásico en 1810, clásico en 1830, romántico en 1850, sin que se fuera absolutamente nada durante el siglo xviii. Por otra parte, las transformaciones en el panorama del arte van acompañadas de fenómenos sociales que en gran parte ayudan a explicarlas. Especialmente si el cambio es tan drástico como el que sufre la poesía chilena.

Las dos observaciones anteriores son necesarias para enfrentarse con cierta objetividad a la revolución literaria y política que vivió Chile durante el siglo xix y que, igual que los movimientos sísmicos, también tuvo su epicentro: el año de 1842.

Si fuéramos a creerles a los panegiristas del 42, la literatura chilena nació en este año; los escritores decidieron escribir a las seis de la tarde de un día martes del mes de mayo. En una sala del diario *La Opinión*. En el primer piso. Después de ese día Chile tuvo poetas, oradores, historiadores, políticos, músicos, pintores, etc.[1]

Esa revolución literaria no fué obra de un solo hombre —ni de José Victorino Lastarria, como éste lo quiere hacer creer en sus *Recuerdos literarios*,[2] ni de don Andrés Bello, como lo afirma Vicuña Mackenna—,[3] tampoco fué obra exclusiva de los emigrados argentinos de la dictadura de Rosas, ni de los miembros de la Sociedad Literaria. Como todos los movimientos intelectuales que alcanzan a transformar la base cultural de un país, el nuestro tuvo un origen y un desarrollo complejos y en él pesaron tantos factores que hace falta la tarea del historiador, del crítico literario y del sociólogo para desentrañarlos. De más está decir que los acontecimientos sucedidos desde 1840 a 1845 no tienen sino una importancia relativa y de ningún modo constituyen en sí la revolución a que hago referencia. En cuanto al año de 1842, bien pensado y considerando la literatura de otros países de América, sólo un hecho puede ofrecer que sitúe a Chile en posición avanzada: el discurso con que Lastarria inauguró la Sociedad Literaria. Las llamadas "polémicas" del Romanticismo y Filológica son querellas de significado puramente local y de una mediocridad, en cuanto a las ideas expuestas, que no pasará inadvertida al lector más benevolente.

En 1942 la Sociedad de Escritores de Chile llamó a un concurso de ensayos para celebrar el centenario del "movimiento literario de 1842". La *Revista Atenea* de la Universidad de Concepción publicó, por su parte, un número especial[4] en que se analizan las obras, los hombres y las ideas del movimiento. Los críticos chilenos que participaron en tales homenajes poseídos de un sincero entusiasmo y de respetable patriotismo exageraron un tanto la importancia del tema que discutían e, inconscientemente tal vez, concedieron al año 1842 y a los hombres que en él actuaron una trascendencia que, en verdad, no poseen. Sin duda, hubo quienes se esforzaron por dar a las cosas su medida exacta: Ricardo Latcham, por ejemplo, quien reivindica a don José Joaquín de Mora señalando, demasiado someramente por desgracia, su influencia en la educación y la literatura de esos años. Norberto Pinilla raramente falló en la tarea de poner en prosa lo que otros críticos afirmaron con imaginación poética. En todo caso ellos son excepción y, por lo tanto, a pesar de todos los panegíricos de 1942 y de las abundantes referencias de los críticos e historiadores del siglo xix, todavía se hace necesario discutir aquel movimiento literario en la esperanza de acertar con su propia medida y contribuir a aclarar su significado.

LOS PRECURSORES

Doña Mercedes Marín (1804-1866). Un día de julio de 1837 se publicó en el periódico *El Araucano* un poema que por más de un motivo debiera ser estudiado por quienes investigan los orígenes del movimiento romántico en Chile. Se titulaba *Canto fúnebre a la muerte de don Diego Portales* y aunque apareció sin firma se supo más tarde que se debía a la pluma de doña Mercedes Marín del Solar.[5] El poema había sido ligeramente retocado por la mano de un humanista: don Andrés Bello. Detalle importante es éste porque a través de los primeros años de predominio romántico en la poesía chilena se va a notar con frecuencia la combinación de elementos clásicos y románticos, a veces para producir armónicos efectos como es el caso del poema de la señora Marín, otras para descubrir contradicciones y marcar la falta de consistencia en algunos autores.

El *Canto fúnebre* es clásico en su forma; parte de su vocabulario es retórico; ecos de Fray Luis se mezclan a recuerdos de Byron y de Hugo. La poetisa empieza despertando a su Musa:

> Despierta, musa mía,
> del profundo letargo en que abismada
> yaces por el dolor. Musa de duelo...[6]

Para llorar "desde esta mansión de luto y de llanto" el crimen horrendo perpetrado en la "sombra amada". Los "ayes" de la señora Marín, sin embargo, son singulares y tienen una repercusión romántica:

sólo un ¡ay! doloroso
el eco de la selva repetía
y entre débiles auras se perdía.[7]

Existe a través de todo el poema una abundancia lírica que, a juzgar por otras composiciones de la autora, no puede ser sino el resultado de una profunda emoción. Sólo una vez volvió la poetisa a tocar esta nota de lirismo intenso y desesperado: en su soneto A mi hija Matilde, dictado poco antes de morir.

Pensemos en el estado de esclavitud en que vivía la mujer chilena en aquella época, la barrera de prejuicios que le coartaba su expresión, la ignorancia a que era sometida por costumbre inveterada de nuestros antepasados hispanos, y nos causará una verdadera sorpresa leer las palabras apasionadas de esta mujer que canta a Portales con más amor que la retórica permite, que condena a sus asesinos con lenguaje violento, que pasa del llanto a la ternura, de la ira a la piedad, de la maldición a la queja doliente y cristiana, al mismo tiempo que pronuncia graves sentencias acerca del futuro de su patria.

La ejecución misma del poema tiene el sello romántico: fué improvisado en una noche bajo el impulso de una inspiración repentina, sin mayor cuidado por la forma, con el solo propósito de desahogar el alma y expresar un dolor que sobrepasaba los límites individuales y tenía la grandeza de un sentimiento nacional.

Yo me sentí conmovida hasta lo íntimo de mi alma —declara la autora al explicar su poema—; i con todo, no he creído ser otra cosa en aquellos días, que intérprete fiel del sentimiento jeneral. Mi canto halló eco en todas partes; i para mí tiene algo de mui estraordinario, que una simple mujer, poetisa improvisada al parecer sólo para aquel momento, sin relaciones de ninguna clase con Portales, se alzase entonando su elojio.[8]

El lirismo de doña Mercedes Marín tiene algo de adusto y noble, algo que confiere grandeza a cada objeto, a cada persona a que alude en su Canto. Esta especie de impersonalidad aun en la expresión de un hondo sentimiento la individualiza en la historia de la poesía femenina en Hispanoamérica. Acaso exista más delicadeza en la preciosa artificialidad de los sonetos de Sor Juana; acaso el sentimentalismo de la moderna

poesía femenina sea más apasionante por lo íntimo y erótico;
pero el sello del "personalismo" —¿egoísmo?— le quita grandeza a toda esta literatura. Mercedes Marín cantó una sola
vez con libertad y auténtica hermosura artística. Fué bastante, sin embargo, para darnos a conocer un alma delicada, un
estilo poético de gran fuerza y, por encima de todo, una capacidad para vibrar con la emoción popular, para interpretar un
sentimiento colectivo y preocuparse de la patria sin caer en
menguados regionalismos.

Es verdad que doña Mercedes fué, como dice su biógrafo
Miguel Luis Amunátegui, "autora de ocasión".[9] Algunos de
sus poemitas son ridículos; la sola mención de sus títulos bastará para darse cuenta por qué: A la muerte de un caballero
que tomó una dosis de veneno creyendo que era cremor; Epi-
tafio de una señora que, deseando tener sucesión en su matrimonio, fué víctima del cumplimiento de sus deseos; etc.

Pero en esta misma intrascendencia consigue efectos de
candorosa belleza, como por ejemplo en su soneto A la Hermosura. Su estro clásico se purifica, a veces, hasta alcanzar
una religiosidad finísima como en esos versos en que dice:

> Dicha es volar a Dios, el alma llena
> de humilde sumisión, i ante sus aras
> sacrificar las afecciones caras,
> su diestra bendecir.

> Dulce es morir cuando una mano amiga
> sostiene nuestra lánguida cabeza
> i una voz inspirada en la belleza
> del divinal amor,

> con peregrino acento nos prodiga
> palabras de dulcísima esperanza,
> mostrándonos en suave lontananza
> edén encantador.

> Dulce es morir cuando una fe sublime
> al hombre le revela su destino,
> i de flores i palmas el camino
> le siembra de la cruz;

> i al débil ser, que en este mundo jime
> agobiado de penas i dolores,

transforma de la muerte los horrores,
en apacible luz.[10]

No causa extrañeza la unanimidad de la crítica al celebrar los méritos de la señora Marín. Escritores de todas las tendencias admiran la sencillez de sus versos, la pureza de sus intenciones, la sinceridad que es, acaso, la característica más sobresaliente de toda su poesía.

Don Andrés Bello, con su ecuanimidad de costumbre, dictó un juicio sobre Mercedes Marín en el que sin la menor hipérbole la coloca en el pedestal que le corresponde:

> ... ¡Cuánto más digno empleo es el que hace de su talento una poetisa chilena que sólo presta su voz a los afectos jenerosos; que ha cantado la libertad, la patria, los héroes de Chile; la musa de la caridad cristiana, que tiene jemidos para todos los dolores, i se goza en derramar flores (como ella misma dice) sobre la tumba del oscuro servidor del pueblo.[11]

Más dado a teorizar pero, según nuestro parecer, muy correcto en este caso, don Adolfo Valderrama asignó a Mercedes Marín un papel más trascendental:

> Cuando al terminar la época de la independencia, doña Mercedes Marín del Solar dió luz a sus primeras producciones, ella marcó una época nueva. Sus cantos fueron como los precursores de la poesía contemporánea. El arte había progresado; i con menos orijinalidad que Camilo Henríquez, doña Mercedes Marín del Solar le aventajó, a no dudarlo, en la desenvoltura de la versificación, en la corrección i gracia de la frase. Después de los primeros cantos poéticos de doña Mercedes Marín del Solar, debía llegar la época contemporánea, en la que esta intelijente señora ocupa un lugar distinguido.[12]

¿Cómo puede escribirse una reseña del romanticismo en Chile sin recordar la personalidad tan interesante de nuestra primera poetisa? ¿Cómo no destacar el carácter moderno de su educación, sus lecturas de Alfieri, Byron, Mme. de Staël y otros románticos franceses? ¿Y su amistad con Ventura Blanco Encalada, el leal compañero de don José Joaquín de Mora?

Blanco Encalada, autor de versos clásicos sin mayor mérito literario, tuvo la virtud de agitar el ambiente intelectual chileno con el solo prestigio de las anécdotas e historias de su vida en Europa. En España, donde fué a seguir la carrera militar, conoció a un sinnúmero de hombres ilustres, entre otros a Quintana; estudió e hizo suyas las ideas del liberalismo dieciochesco y no es de extrañar que durante la invasión napoleónica cambiase de bando y se uniera a las fuerzas francesas en quienes veía a los defensores de la libertad y enemigos del despotismo decadente de la Monarquía española. Naturalmente, debió marchar al destierro pero esta circunstancia fué una oportunidad más para que ampliara su cultura y siguiera desde cerca el desarrollo de la revolución romántica en Francia. Cuando regresó a Chile Blanco Encalada era, según Amunátegui, "una gaceta viva de la crónica literaria del reinado de Carlos IV".[13] Doña Mercedes Marín fué quien mejor aprovechó el material literario que vivía en las conversaciones de Blanco Encalada. Hay en la amistad de estos dos precursores de la poesía chilena algo de "sevignesco", si se permite la expresión. Doña Mercedes parece una figura del siglo XVII francés cuando, separada de su madre a causa de dificultades económicas, escribe versos a la distancia —como su antecesora escribiera cartas—, se entrega a una profunda y platónica amistad con Blanco Encalada, hombre de mundo a la par que conocedor inteligente de las letras modernas y, finalmente, demuestra un activo interés en la educación femenina.[14] Blanco Encala fué quien la familiarizó con los poetas españoles y franceses del siglo XVIII y principios del XIX, en los cuales la poetisa halló la novedad de expresión que hace de su propia poesía el comienzo de una nueva era en Chile, según las palabras de Adolfo Valderrama.

José Joaquín de Mora. Fué lógico, por otra parte que Blanco Encalada y José Joaquín de Mora llegaran a ser grandes amigos. Ambos habían aprendido el liberalismo en la escuela de la invasión napoleónica y del destierro; ambos se habían formado literariamente en la tradición neoclásica de Jovellanos, Quintana, Gallegos y Meléndez; ambos venían a América a participar en la organización de un nuevo régimen social y político, a legislar y educar, y, lo más importante, a combatir contra los sostenedores del régimen colonial y las limitaciones de un ambiente que relegaba las materias del pensamiento a último orden. La comunidad de intereses y de recuerdos les unió en Santiago con una amistad que resistió duras pruebas. Aun después que Mora fué desterrado de Chile y que sus alusiones a nuestro país y sus gentes eran de una extremada procacidad, nunca dejó de recordar a su amigo y le manifestó su afecto en cartas y versos que ha recogido la historia.

La importancia de Mora en los orígenes del romanticismo chileno es grande y ha sido injustamente postergada por los críticos del movimiento literario de 1842. Una simple recordación de fechas bastará para probar esta afirmación. Antes de 1828, año de su llegada a Chile, Mora había traducido a dos figuras importantes del romanticismo europeo. En 1814 tradujo el panfleto *De Buonaparte et des Bourbons* que Chateaubriand publicó ese mismo año a la caída de Napoleón. Más tarde, en 1825, mientras se encontraba en Londres, tradujo dos novelas de Sir Walter Scott: *Talismán* y *Ivanhoe*; la traducción de esta última le valió un comentario elogioso de don Andrés Bello. En Londres, asimismo, desde las páginas del *Correo Literario*, Mora recibió con entusiasmo los movimientos libertadores de América y escribió una encendida reseña de *La victoria de Junín: Canto a Bolívar*, de José Joaquín Olmedo.

El hecho de que Mora defendiese el clasicismo junto a Alcalá Galiano en la polémica que sostuvieron contra los Böhl de Faber en 1818 tiene una importancia más bien relativa. Cuenta Galiano en sus *Memorias* que la discusión adquirió un sentido político y religioso:

> Böhl i su señora eran acérrimos parciales de la monarquía al uso antiguo. El primero había dejado la religión protestante en que se había criado, por la católica; i siendo sincero en su conversión, era hasta devoto. La mujer afectaba la devoción como pasión.[15]

De manera que Mora defendiendo, en apariencia, doctrinas conservadoras en el arte, en realidad, hacía el papel de revolucionario y liberal en política y religión. Es posible que, impulsado por el ardor de la disputa y empeñándose en contradecir a sus adversarios con el mayor celo posible, haya defendido a la escuela clásica hallándose él mismo al borde del romanticismo. La verdad es que esta controversia ayudó tanto a Mora como a Galiano en su evolución literaria y les condujo un paso más cerca del romanticismo en el arte y en la política.

Mora, como tantos otros literatos de su tiempo, tratándose de la cuestión del romanticismo, caía en abiertas contradicciones; la oposición de la mayoría era tan abrumadora en esos años, tan soeces eran los ataques de los clasicones y sus adeptos, que se necesitaba un coraje especial para aceptar públicamente la nueva escuela. Sarmiento y Lastarria, como se verá más adelante, niegan ser románticos en medio de una disputa en que ellos representan la defensa del romanticismo. Bello, a quien se tiene por campeón del clasicismo, es indudablemente romántico en varias de sus composiciones en verso.

Mora, pues, defendía el neoclasicismo pero se daba gusto atacando a la biblia de los neoclásicos de entonces: *Arte de hablar en prosa y verso* de José Gómez Hermosilla.[16] Fué precisamente en este campo, el de la educación, pues la obra de Hermosilla era usada como texto de enseñanza, donde Mora contribuye a preparar la decadencia del clasicismo en Chile. Su Liceo de Chile es desde su fundación una amenaza contra el Colegio de Santiago, dirigido por Bello y representante de la más recalcitrante reacción conservadora. Esta rivalidad de los dos maestros, el gaditano y el venezolano, hizo crisis en una querella que muy bien pudiera formar parte de una novela picaresca de la época. Sólo a un episodio puedo hacer referencia en este caso y en él quizás se encierran los gérmenes de ese ambiente de fronda literaria que va a conmover a la sociedad de Santiago en los años de 1841 a 1845.

Mora inauguró un curso de oratoria en su Liceo a principios de 1830, es decir, cuando la revolución conservadora había triunfado y los amigos que le invitaron a venir a Chile en 1828 se hallaban presos o en el destierro. Mora sabía que su destino estaba sellado; Portales le odiaba y no tardaría en expulsarle del país. En su discurso de inauguración Mora atacó con insinuaciones hirientes a los profesores franceses que junto a Bello compartían la dirección del Colegio de Santiago y, no contento con esto, tuvo la audacia de pronunciar frases que debían ofender a Portales y sus huestes conservadoras:

Las pájinas en que se consignase la historia de estas dolencias, nos retrazarían sucesivamente el rigorismo inquisitorial de la detestable casa de Hapsburg, el abuso indiscreto de las ideas relijiosas, la humillación i abajamiento de los conocimientos útiles, i todos los excesos de ese despotismo sombrío i brutal que por tantos siglos se ha enseñoreado en la nación más intelijente i jenerosa del mundo antiguo.[17]

Bello le respondió en una serie de artículos publicados en *El Popular*, el tono de los cuales era insultante y absolutamente en desacuerdo con la tradicional gentileza y serenidad del gran humanista. Lo curioso del caso es que la discusión entre ambas autoridades se limitó a la propiedad de ciertos términos usados por Mora en su discurso, cuestión académica y, sin duda, totalmente ociosa. No habría tenido otros alcances el incidente si los estudiantes de Mora no hubiesen tomado el asunto en sus manos desafiando a una polémica pública a los alumnos del Instituto Nacional, los cuales aceptaron el reto de inmediato. Temeroso de las consecuencias, Mora evitó el torneo.

Hechos de esta calidad provocaron la ruina de don José Joaquín. Portales, en 1830, de una plumada privó al Liceo de la subvención fiscal que le correspondía. Las calumnias más absurdas se hicieron correr en la sociedad de Santiago para enlodar el prestigio de Mora, quien, experimentado en crisis políticas de mayor gravedad, se lanzó al combate con verdadera saña y atacó tan certera y peligrosamente a sus adversarios, que antes de un año el dictador le hacía tomar preso y le expulsaba para siempre de Chile. Mora pasó a Lima donde fundó un colegio y publicó libros de textos y folletos; del Perú fué a Bolivia donde compuso gran parte de sus *Leyendas españolas* y regresó, por fin, a España, siendo elegido en 1848 miembro de la Academia Española.

La importancia de la historia no está, por supuesto, en las incidencias de carácter local en las cuales Mora tomó parte impulsado por su instinto de lucha y esa afición, que le caracterizó siempre, por las intrigas y maquinaciones de la política profesional. La influencia de Mora, la significación extraordinaria de su estada en Chile, se manifiestan más tarde, cuando esa generación que él educó en el combate entre las tendencias reaccionarias y las nuevas teorías del liberalismo se alzara y librara una nueva batalla, la decisiva, la que iba a cambiar el destino cultural de Chile. Porque Mora es responsable por la actuación de sus propios alumnos como José Joaquín Vallejo y también por la de los discípulos de Bello; tal vez, es en estos últimos en quienes más influye; a ellos les abre los ojos, les zarandea mucho antes que Sarmiento lo hiciera desde las columnas de *El Mercurio* de Valparaíso. En 1842 Lastarria, por ejemplo, estará mucho más cerca de Mora que de su ex maestro don Andrés Bello. Así lo declara él mismo con las siguientes palabras:

> Así pues, señor Vicuña, esa contrarrevolución literaria que Ud. encontró triunfante en 1840 es la obra de don Andrés Bello i no la de Mora, i si hubo alguno que se escapara de ella, fué precisamente ese Lastarria a quien supone Ud. siguiendo las huellas del señor Bello, cuando, como discípulo predilecto del *gallego* no ha hecho otra cosa que trabajar como éste en llevar a término aquel gran movimiento progresivo, iniciado en 1828 por Fernández Garfias, Varas, Marín i Mora.[18]

Pero si hasta el positivismo del autor de los *Recuerdos literarios* tiene un antecedente directo en Mora quien en 1829 había redactado un curso de derecho donde se "aprovechaban" las doctrinas de Comte.[19]

La trascendencia de las palabras de Lastarria es indiscutible pues establece de manera que no deja dudas la supremacía de Mora en la gestación del movimiento de 1842. Lastarria era poco dado a exaltar la importancia de otros en acontecimientos en los cuales él mismo había tomado parte; a través de todos sus *Recuerdos* se observa una tendencia a interpretar la historia de modo que su propia persona se convierta en centro de lo que relata. Sin embargo, no tiene reparos en confesar su deuda con "el gallego". Hasta reconoce que su famoso discurso en la sesión inaugural de la Sociedad Literaria tuvo un antecedente en aquel otro que Mora pronunció en 1830 para iniciar el curso de oratoria en el Liceo de Chile.[20]

En cuanto a su producción poética Mora mantiene en Chile esa actitud contradictoria a que hacía referencia: el neoclasicismo parece ser la medida que recorta sus fantasías; en el fondo siente que la revolución romántica expresa la condición espiritual de los poetas auténticos de su época. Su elegía a los Carrera (1828) así como sus epístolas a Martínez de la Rosa (1829), a Blanco Encalada (1829), su alocución al 18 de Septiembre de 1828 y su homenaje al general Pinto son producciones de forma clásica y, en gran parte, retórica. En los versos que dirige a Blanco Encalada, no obstante, deja ver el cansancio de ser clásico y el ansia de renovación:

Nueva jeneración nos hace falta,
no corrompida con doctrina añeja,
contraste odioso que a los ojos salta.[21]

Tres versos que dicen magníficamente lo que Sarmiento necesitó más de media docena de artículos para expresar en su disputa con los jóvenes redactores del *Semanario*.

En el año 1835, en una carta dirigida a Blanco Encalada, declara burlonamente su intención de romper con el neoclasicismo:

Me he echado en brazos de la Poesía con el ánimo de introducir entre mis compatriotas un pequeño cisma contra los *quintanistas* i melendistas i sus anacreónticas i odas epilépticas, tratando de vencer algunas dificultades i de aventurar algunas innovaciones. He tocado todas las teclas, i he usado de toda clase de ritmos; i aunque haré tanto ruido en el mundo, como un ratón en un concierto, logro mi objeto principal, que es divertirme.[22]

Más ruido hizo que el susodicho ratón pues esa "Poesía" a que se refiere constituye las *Leyendas españolas* aclamadas por todos los críticos como su mejor producción. Don Andrés Bello las celebró en un artículo publicado en *El Araucano* (27 de diciembre de 1840) y sus discípulos las imitaron, en particular Salvador Sanfuentes, el autor de *El campanario*.

Pero sus tendencias románticas tuvieron oportunidad de emplearse cuando todavía se encontraba en Chile, ya que fué en nuestro país donde Mora terminó el primer canto de su poema *Don Juan*, imitado de Lord Byron.[23]

También en una carta a Blanco Encalada —el 29 de octubre de 1832— Mora define su concepción de la poesía en términos que cualquier poeta romántico habría aceptado como su propia declaración de principios:

La poesía —dice— es el lenguaje del corazón i no como lo
cree el vulgo profano, un mero artificio o un lenguaje convencional. De mí puedo decir que siempre que escribo versos estoi
medio acalenturado, i esto es que no soi la más sentimental de
las creaturas, ni la más blanda de corazón. Así es que lo que
más pone en movimiento mi numen en la actualidad es la *rabia*,
la cual también pertenece a la parte sensitiva, si no miente Aristóteles; pero es una rabia mansa, excitada por las infinitas tonte-
ras del jénero humano, una rabia sarcástica que se evapora en ca-
denciosas desvergüenzas contra todos los follones que conozco.[24]

En él se gestaba rápidamente ese resentimiento del poeta
romántico contra el medio que, en momentos de crisis, acabaría por arrastrar a una generación a la amargura, el aislamien-
to, la desesperación y el escape, finalmente, de la realidad.
Mora desata su rabia contra España, primero.

> Ya no somos nación; somos colonia;
> hombres no somos ya, que somos micos
> de esos que, sin usar su ceremonia,
> nos tratan de salvajes i borrricos.
> Por cintas i por agua de Colonia,
> les damos el honor i los bolsicos.
> Con sus brochuras, modas i embelecos,
> de plata i de virtud nos dejan secos.
>
> Desde el día en que holló los Pirineos
> aquel torpe animal, Felipe Quinto,
> conjunto de pueriles devaneos,
> lujurioso i cobarde por instinto
> de nuestros gloriosísimos trofeos
> no guardó traza el español recinto:
> los españoles se volvieron trastos,
> teniendo a su cabeza un rei de bastos.[25]

Y luego arremete contra Chile en un soneto de triste memoria. No se crea que Mora anduvo muy errado en su semblanza de la sociedad chilena de esa época; por el contrario,
en catorce versos reunió todo lo malo que ella en realidad
tenía. Pero lo hizo lucir a manera de símbolo de todo un país.
Y allí está su pecado. Por otra parte, de poético no tiene el
soneto sino la forma. En cambio su letrilla *El uno y el otro*
es modelo de sátira y buen humor: el autor se sentía tan por
encima de los aludidos que no sintió la necesidad de odiarlos;

simplemente se burla de ellos y les pone en ridículo ante la
historia. Los historiadores chilenos, obedeciendo acaso a un
prejuicio patriótico ciertamente absurdo, evitan reproducir los
versos de Mora, y éste no los incluyó en sus volúmenes de poesías.[26] Pocos conocen este magnífico retrato en verso de dos
personajes eminentes en nuestra historia. Amunátegui recogió
la letrilla en su biografía de Mora y de allí la tomo para brin-
dársela a los lectores de hoy:

> El uno subió al poder
> con la intriga i la maldad;
> i al otro sin saber cómo
> lo sentaron donde está.
>
> El uno cubiletea,
> i el otro firma, i no más:
> el uno se llama Diego,
> i el otro José Tomás.
>
> El uno sabe que en breve
> todo en humo parará;
> el otro cree que en la silla
> tiene su inmortalidad.
>
> El uno lucha i se afana;
> el otro es hombre de paz:
> el uno se llama Diego,
> i el otro José Tomás.
>
> El uno hace los pasteles
> con su pimienta i su sal;
> el otro, hasta en los rebuznos,
> tiene cierta gravedad.
>
> El uno es barbilampiño;
> pero el otro es Mustafá:
> el uno se llama Diego,
> i el otro José Tomás.
>
> El uno tiene en la bolsa
> reducido su caudal;
> el otro tiene unas vacas,
> i un grandísimo sandial. . .
>
> El uno saldrá a galope,
> i el otro se quedará:
> el uno se llama Diego,
> i el otro José Tomás.

El uno es sutil i flaco,
que parece hilo de holán;
i el otro con su barriga
tiene algo de monacal.

El uno especula en grande;
el otro cobra el mensual:
el uno se llama Diego,
i el otro José Tomás.

De uno i otro nos reiremos
antes que llegue San Juan.
Uno i otro en aquel tiempo,
¡sabe Dios dónde estarán!

Quitándonos el sombrero,
gritaremos a la par:
¡Felices noches, don Diego!
¡Abur, don José Tomás!

Digno de admiración es el humorismo de Mora, que no se deja enturbiar por los abusos que cometieron sus enemigos. Los gobernantes de 1830 le prendieron, le expulsaron del país, separándole de su familia y arruinando la institución educacional que dirigiera tan sabiamente. Pero Mora sólo responde con una carcajada; sardónica, pero viril y sana; una letrilla que tenía, bajo su inocente cadencia, el filo de un estilete. Cuentan que uno de los aludidos —"el otro"— murió de un ataque al hígado como resultado de los famosos versos...[27]

Por todo lo anterior y otras letrillas que aquí no se mencionan se podría pensar que Mora no tuvo versos sino para denigrar a Chile. Pero no fué así. Escribió un poema después de la batalla de Lircay (17 de abril de 1830) que no vacilo en considerar el más alto testimonio de la poesía chilena revolucionaria del siglo XIX. Digo "poesía chilena" intencionadamente, porque se repite en este caso lo de Ercilla y *La Araucana*. Mora supo interpretar mejor que ningún poeta chileno el sentido de la revolución de la Independencia. La comprendió y la hizo suya porque era un liberal auténtico, un soldado de la causa republicana, cuyos principios defendiera en España, en Londres, en Buenos Aires y en Santiago. Mora escribió contra la dictadura de Portales porque sabía que ella traicionaba los esfuerzos del pueblo chileno por constituirse en una república democrática, libre y progresista. Porque ella significaba oficialmente una vuelta al régimen colonial. Mora poseía el talento poético necesario para dar trascendencia a su proclama, para convertirla en un mensaje que interpretaba el sentir de los verdaderos patriotas de ese tiempo. De ahí que nos atreveríamos a decir que esos versos en que evoca la muerte del Coronel Tupper en la batalla de Lircay son la verdadera poesía chilena de la Independencia.[28] Esa que ni Camilo Henríquez ni Bernardo Vera supieron escribir. La poesía civil que continúa la heroica tradición de Ercilla y cuya idea central es la exaltación de la libertad.

Olvidemos los improperios que Mora lanzó bajo la impresión de los abusos que se habían cometido en su persona. Recordemos su labor de maestro, su influencia como poeta, sus empresas periodísticas. Poco nos importe que más tarde, adocenado ya, se apaguen sus rebeldías en el limbo académico.[29] Para Chile, Mora es la figura que destacó Lastarria: liberal en política, semirromántico en literatura, gestor importante de la revolución literaria que dará sus frutos en 1842.

LA SUPERIORIDAD DE BELLO

Mora no fué el único extranjero ilustre que ayudó en el proceso de culturización del pueblo chileno a comienzos del siglo XIX. A juicio de Lastarria el movimiento del 42 tuvo su origen en las reformas educacionales implantadas por Charles Lozier en el Instituto Nacional en el año 1826, reformas que dan sus primeros frutos en los textos escritos por Garfias, Varas y Marín y que sirven de antecedentes al plan de estudios redactado por Mora para el Liceo de Chile, y a la organización del Colegio de Santiago.[30]

Pero el más eminente de todos es don Andrés Bello. No existe en la historia de Chile un caso semejante de influencia personal tan poderosa en la educación de varias generaciones. Su obra tiene proyecciones demasiado amplias para relacionarla con un movimiento intelectual determinado o con un grupo especial de individuos. La pereza de muchos críticos les ha llevado a repetir un absurdo que sólo pudo caber en las palabras afiebradas de Sarmiento: que Bello representa en el pensamiento chileno la escuela clásica, con exclusividad de toda otra. Un estudio detenido de la obra del sabio venezolano demuestra que su espíritu estaba por encima de los límites estrechos de la moda literaria, que su inteligencia supo escoger y exaltar todo lo grande y permanente de tendencias tan variadas como el neoclasicismo y el romanticismo; que fué un innovador, tanto como un conservador de la belleza artística eterna; revolucionario bajo la sombra de genios poéticos más brillantes y audaces que el suyo.

Es cierto que Bello desde su llegada a Chile en 1829 militó en las filas de la reacción conservadora. Fué monarquista en el fondo de su corazón; recibió la protección de Portales y pagó con creces, poniendo su pluma al servicio incondicional de la dictadura. Semejante conducta naturalmente irritó a Mora y enardeció a Lastarria. Pero hoy sería absurdo juzgar su obra a través de odios políticos de significación pasajera. Bello no mezcló, por fortuna, su servilismo político a lo inmanente de su doctrina literaria. En cuestión de principios se mantuvo inalterable en su respeto por la libertad del artista y la pureza de la creación estética. Los mejores ejemplos de tal superioridad son su discurso en la inauguración de la Universidad de Chile y su réplica a Sarmiento al comienzo de la polémica gramatical de 1842.

No podemos intentar aquí un análisis del discurso mencionado pues sus repercusiones invaden el campo de la filosofía y la educación. Es posible que la interpretación de Lastarria sea exagerada cuando afirma que Bello propicia "una enseñanza, una literatura i hasta una moral confesionales".[31]

A pesar de su definida tendencia conciliadora, Bello no puede ocultar el peso del conservatismo religioso y político que impide la realización de esa armonía entre el dogma y la libertad de la escuela romántica. Sin embargo, hay un pasaje de ese discurso que, a nuestro juicio, representa lo mejor del pensamiento de Bello, aquello que no puede omitirse al discutir la base del liberalismo de los escritores de 1842. Exclama Bello:

> ¡El arte! Al oír esta palabra, aunque tomada de los labios mismos de Goethe, habrá algunos que me coloquen entre los partidarios de las reglas convencionales, que usurparon mucho tiem-

po ese nombre. Protesto solemnemente contra semejante acepción; i no creo que mis antecédentes la justifiquen. Yo no encuentro el arte en los preceptos estériles de la escuela... Pero creo que hai un arte fundado en las relaciones impalpables, etéreas de la belleza ideal; creo que hai un arte que guía a la imajinación en sus más fogosos transportes; creo que sin ese arte la fantasía, en vez de encarnar en sus obras el tipo de lo bello, aborta esfinjes, aserciones enigmáticas i monstruosas. Ésa es mi fe literaria, Libertad en todo; pero no veo libertad, sino embriaguez licenciosa en las orjías de la imajinación.

Obedeciendo a semejante respeto por la sobriedad de la belleza artística y la mesura en la discusión de problemas filosóficos Bello escribió su artículo sobre los *Ejercicios populares de lengua castellana por Pedro Fernández Garfias,* origen de lo que Norberto Pinilla tan desacertadamente llama "La controversia filológica de 1842".[32] De "filológica" la controversia no tiene nada. Se empieza discutiendo sobre la propiedad de algunos términos incluídos en el lexicón de Fernández Garfias y se acaba disputando sobre el papel de los gramáticos y la importancia del uso popular en la evolución de las lenguas. Debió llamarse pues "controversia gramatical", a lo sumo. Don Andrés Bello no participó en ella; escribió un artículo y dejó que un discípulo suyo, José María Núñez, discutiera con Sarmiento; pero, en su mayor parte, esta controversia como la otra "del romanticismo" nos presenta a Sarmiento inventando ataques contra sí mismo y respondiéndose, al mismo tiempo que dirige insultos a quienes se niegan a polemizar.

En su artículo Andrés Bello volvió a dar muestras de tolerancia e independencia de espíritu. A las desconsideradas palabras que Sarmiento dirige contra los gramáticos reaccionarios Bello responde: "Jamás han sido ni serán excluídos de una dicción castigada las palabras nuevas y modismos del pueblo que sean expresivos y no pugnen de un modo chocante con las analogías e índole de nuestra lengua".[33]

Pero no sólo en esta discusión Bello demostró su independencia espiritual. A través de todas sus relaciones con Lastarria, y no obstante el liberalismo belicoso de éste, el maestro jamás le negó su cooperación de lo cual queda testimonio en los *Recuerdos literarios:*

No así el señor Bello, en su honor debemos decirlo, que lejos de reprobarnos, nos estimulaba, discutiéndonos i aconsejándonos cada vez que nos acercábamos a consultarle, lo que hacíamos con frecuencia. Otra vez ya lo hemos dicho, su espíritu por entonces tomaba nuevos rumbos, i ese cambio progresivo en sus ideas, que se operó siempre hasta su más avanzada edad, es uno de los caracteres más notables de su vida literaria. (p. 74).

El mismo Sarmiento, después de pedir en tono de burla —burla curiosamente seria— el ostracismo de Bello, no tiene reparos en protestar de que se hayan tomado al pie de la letra sus palabras y concluye: "Es muy material entender que, al hablar del ostracismo, hemos querido realmente deshacernos de un gran literato, para quien personalmente no tenemos sino motivos de respeto y de gratitud." [34]

Puede parecer extraño que sea necesario destacar nuevamente la benéfica influencia de Bello sobre el ambiente intelectual chileno del siglo xix. Sucede, sin embargo, que acerca del gran humanista, como acerca de Sarmiento y de Lastarria, existen ciertos prejuicios que han contaminado de parcialidad a gran número de críticos chilenos. En la segunda mitad del siglo xix, cuando los hermanos Amunátegui, Vicuña Mackenna y Barros Arana dirigían las investigaciones literarias, la figura de Bello estaba cubierta de gloria, mientras que la de Sarmiento y sus compañeros de exilio eran miradas con desdén y hasta con resentimiento. Sin duda, las heridas infligidas por Sarmiento sobre la piel delicada todavía de los poetas chilenos no habían cerrado y los patriotas cercaban de lanzas el recuerdo del autor de *Facundo*.

En nuestro siglo acontece lo inverso. El ansia de aparecer revolucionario y antiacadémico contagia a los escritores que, en verdad, pertenecen a la generación modernista y, por lo tanto, ante los más jóvenes, están ya bajo las sospechas de ser retrógrados... Armados de juvenil prestanza estos críticos inventan una lucha entre Sarmiento y Bello y al defender al argentino se sienten heroicos y piensan marchar de acuerdo con los tiempos nuevos. Escritores como Armando Donoso, Norberto Pinilla, Mariano Latorre[35] cuando declaran que en la "disputa" entre Sarmiento y Bello aquél "tiene la razón", además de inventar una disputa que públicamente no existió, parecen estar viviendo hace un siglo, con tanto calor adoptan bando en la ilusoria palestra.

Bello no polemizó con Sarmiento acerca del romanticismo. No escribió ni una palabra que pueda interpretarse como una intervención directa en la discusión de Sarmiento, López, Sanfuentes, Jotabeche y otros. Dirán que Bello dirigía al grupo del *Semanario*; esto es discutible. Lastarria insiste en que la supremacía de Bello era ya un mito alrededor de 1840. Argüirán que el "espíritu" de Bello anima entonces la pluma de los chilenos. Lo cual es relativo. En su discurso de 1843 Bello manifiesta públicamente su deseo de armonizar las excelencias de la escuela nueva con los principios eternos de la creación estética. Es precisamente en 1842 cuando Bello inicia la publicación de sus insuperables traducciones de Victor Hugo e indica de manera inequívoca que su concepción de la poesía encuentra en el genio del gran poeta romántico francés la más perfecta aplicación. Bello es, en esos momentos, más avanzado y liberal en sus puntos de vista y más romántico en su expresión poética que Salvador Sanfuentes, blanco de los ataques de Sarmiento. El conservantismo de Bello, si alguna vez tuvo una época de beligerancia, fué en los años de la fundación del Colegio de Santiago, y en general, durante la dictadura de Portales. A esta época se refiere Lastarria cuando condena la influencia del maestro venezolano sobre la juventud chilena; pero Lastarria exageró evidentemente al suponer que las enseñanzas de Bello tuvieron repercusiones de carácter político. De ahí que los críticos que juzgan la actitud de Bello en aquella época de acuerdo con la versión de los *Recuerdos literarios* cometen una injusticia y es esta versión, por lo demás, la que sirve de base para oponer a Sarmiento —"campeón del liberalismo"— contra Bello —"jefe de la reacción clasicista".

La tal "polémica del romanticismo"—debiera llamarse "una polémica del romanticismo en Chile"— no fué sino una polémica entre Sarmiento y Sarmiento; J. Vicente López, alrededor, desesperadamente convenciéndose a sí mismo que la historia está hecha para su único y original consumo; Sanfuentes, a regañadientes, respondiendo con una burla los soeces insultos que le propinaban. Que Sarmiento expresó pensamientos profundos e impresionó agudamente a la juventud chilena, nadie podrá negarlo y un poco más adelante haré hincapié en ello.

La leyenda de esa antinomia entre el romanticismo —representado por Sarmiento— y el clasicismo —por Bello— es el resultado de una simplificación excesiva de nuestra historia literaria. Durante su juventud Bello recibió una educación clásica y no es extraño que tradujera e imitara con entusiasmo a Virgilio y a Horacio. Pero ya en Londres su poesía adopta un curso nuevo e indudablemente moderno. Aunque su traducción de *Los jardines* de Delille entraña la adopción de una poética clásica basada en el amor de la verdad y la imitación de la naturaleza,[36] el realismo de su *Alocución a la Poesía* y de la *Silva a la agricultura de la zóna tórrida* con su insistencia en el *color local* y el uso de términos nativos le confiere un legítimo título de innovador.

No repetiré las alabanzas que Miguel A. Caro dirige a estas dos composiciones; pero será necesario insistir en la trascendencia de la *Silva*, por lo menos. En ella el poeta describe el paisaje del Ecuador, critica la vida de la ciudad, canta las faenas del campesino y al mismo tiempo que exalta su conquista de la naturaleza entona un ruego de piedad por la suerte del hombre americano; termina invitando a honrar la vida del campo. Su importancia reside en su descripción inicial del paisaje y los frutos del trópico. Aunque este "nativismo" parece tener un antecedente latino en la poesía mexicana[37] quedará, sin embargo, como una de las contribuciones más notables del genio de Bello. Su visión del paisaje ciertamente no es romántica; el poeta no proyecta su propia experiencia sentimental en el cuadro que describe; la belleza de las imágenes tiene la frialdad de una joya sacada de un cofre que la guardó por muchos años. Más bien anuncia el realismo posromántico de la novela regionalista. Bello, por otra parte, mantiene en estos versos la tradición didáctica del siglo xviii. Su elogio de la vida del campo recuerda las odas de Parini, especialmente en su significación social.

Otro hecho notable en la poética de Bello es su concepción del gran tema que encierre una visión del hombre y la tierra de América y que pueda expresarse en caracteres tanto

líricos como épicos. Esta intuición que, por desgracia, no llegó a realizarse fué quizás el resultado de su estudio de la épica
europea. Ningún otro poeta americano ha concebido un plan
de tan vastas proporciones. Bello ha dejado un esquema de lo
que, a su juicio, *el poeta* de América debió cantar entonces.
En ese esquema que constituye su *Alocución a la Poesía* se
fijan tres temas fundamentales: *1)* el paisaje: el campo y las
ciudades; *2)* los héroes; *3)* las acciones guerreras. Los temas
se esbozan, sin éxito, en la *Alocución* y en la *Silva*.

Con estos elementos un poeta de genio habría producido
el gran poema épico de la Independencia de Hispanoamérica. Al final del segundo fragmento de la *Alocución* Bello reconoció su incapacidad para llevar a término tan monumental tarea.

En Chile la poesía de Bello sufre un cambio fundamental.
Su espíritu siempre activo y alerta a todas las inquietudes de
la juventud reacciona con sorprendente agilidad a la eferves-
cencia romántica que provoca Sarmiento con sus artículos de
El Mercurio de Valparaíso. Este hecho notable no ha sido
suficientemente apreciado por los críticos chilenos de Bello.
Caro hace constar esta evolución, cuando en su introducción
a las poesías de Bello dice:

> En Caracas traducía o imitaba a Horacio y a Virgilio; en Lon-
> dres a Boyardo y en Santiago a Victor Hugo: poetas que repre-
> sentan ciertamente tres escuelas poéticas muy diversas: la cien-
> tífica o didáctica, la fantástica o caballeresca, y la subjetiva o
> psicológica.
>
> La época a que nos referimos de 1841 a 1844 fué de notable
> actividad literaria en Chile, y Bello, electrizado, sacudido por
> aquel movimiento, escribió las poesías citadas, y una segunda y
> excelente oda a la independencia nacional.[38]

Lo interesante, sin embargo, es hacer notar que antes de
imitar a Hugo, don Andrés Bello intentó producir una poesía
romántica original. Se aprovechó de un acontecimiento ocu-
rrido en 1841 que conmovió a toda la nación chilena: el incendio de la Compañía. Bello comprendió que la ocasión se
prestaba para interpretar un sentimiento colectivo y de ahí
que la forma usada en su elegía fuera no el terceto o la silva
clásica, sino un metro más ligero, la quintilla, hecho que, se-

gún las acertadas palabras de Sarmiento: "muestra el desapego del autor a las envejecidas máximas del clasicismo rutinario i dogmático." [39]

Es decir, Bello se proponía llevar su poesía al pueblo y por lo tanto la rejuvenecía, adoptaba las innovaciones románticas y, automáticamente, iniciaba una corriente en la literatura chilena, cuyo único antecedente tal vez fuera el *Canto fúnebre* de doña Mercedes Marín del Solar. El poema fué primorosamente editado por don Manuel Rivadeneira, a quien la historia de las letras de Chile debe un testimonio de eterno reconocimiento. No sólo fué Rivadeneira dueño de *El Mercurio* de Valparaíso y protector de Sarmiento, sino que también editó algunos de los libros que más profunda influencia tuvieron en los escritores chilenos del siglo XIX.[40]

La primera parte del *Canto elegíaco* en que se describe el incendio tiene un sabor popular que recuerda el gráfico realismo de los corridos:

> . . .Aunque el pueblo te circunde,
> a socorrerte anhelante,
> rápido el incendio cunde,
> y hasta el cerro más distante
> terrífica luz difunde. . .
> . . .Ya del techo, alta diadema
> de fuego, lluvia desciende
> ardiente, que alumbra y quema
> la vasta nave, y se extiende
> con voracidad extrema. . .

En la segunda parte el poeta canta al centenario reloj que sucumbe entre las llamas; imagina que el reloj se despide de Santiago recordando los hechos heroicos que presenció:

> Yo te vi en tu edad primera
> dormida esclava, Santiago,
> sin que en tu pecho latiera
> un sentimiento presago
> de tu suerte venidera.
> Y te vi del largo sueño
> despertar altiva, ardiente,
> y oponer al torvo ceño
> de los tiranos, la frente
> de quien no conoce dueño. . .

Viene luego la calma a reinar sobre las ruinas.

Con típica imaginación romántica el poeta ve aparecer a la luna entre nubes e iluminar una columna solitaria mientras el graznido de las aves nocturnas se mezcla a la queja de una víctima. Un vago sentimiento de eternidad se apodera entonces del espíritu, "una fibra —que halla en el dolor halago", "un instinto divino", "una solemne melancolía".

> Las antiguas tradiciones
> toman colores reales,
> y quebrantan las prisiones
> de las arcas sepulcrales
> difuntas generaciones.

Una visión sobrenatural se apodera del poeta: los fantasmas aparecen con un sordo murmullo; los rayos de la luna atraviesan la transparencia de sus cuerpos; sus pies no dejan huella sobre el polvo. Cuando llega el nuevo día y

> sobre la gran cordillera
> sube el primer sol de junio

una imagen de ruina, en que los troncos quemados y la ceniza adquieren desgarradora apariencia, confronta a la multitud asombrada.

Bello era un hombre de sesenta años cuando escribió estos versos; era un sabio respetado en todo el mundo de habla hispana por sus investigaciones en el campo de la filología y de la crítica histórica. Era un hombre de fina sensibilidad, un poeta de espíritu privilegiado. Pero, sobre todas las cosas, era un hombre honesto. Bello creyó que las Musas le habían traicionado, truncó entonces su aventura en el reino de la poesía original y abandonando para siempre su proyecto de épica *América* volvió la vista hacia el genio romántico de Hugo y a su sombra entonó un canto modesto y de limitadas proporciones, le tradujo y le imitó con amor y tanto afán puso en esta obra, que consiguió transformar su labor en verdadero arte superando varias veces a su maestro y modelo. Don Andrés Bello llegó a ser un extraordinario poeta en simbiosis con Hugo.

De sus traducciones e imitaciones nada hay que pueda igualarse a su *Oración por todos*. Críticos de fama, Menéndez

y Pelayo entre otros, sostienen que es superior al original. Hay
en el poema unidad perfecta entre la forma, el lenguaje y su
profunda filosofía. Se encierra en él un mensaje de piedad y
fe cristianas que el poeta entrega en sus últimos años como el
sumum de la sabiduría de la existencia. Todo expresado con
una sencillez y una pureza que regalan al oído y a la inteligencia. Una cosa queda en claro: que si a Bello le faltó el genio
de la creación, tuvo, no obstante, a su servicio todos los elementos que requiere la auténtica poesía. Fué capaz de concebir grandiosamente, de expresar lo más profundo con claridad,
de manejar las formas poéticas sin esfuerzo y con destreza y,
finalmente, fué dueño de un lenguaje dúctil y musical. ¡Qué
pobres se ven las estrofas de los poetas jóvenes que estudian a
su lado y ensayan por esos años los primeros cantos!

Hay un aspecto más en la poesía de Bello de mediados de
siglo que es necesario destacar. No diré espectacularmente
que Bello es también un precursor del modernismo dariano.
Pero léanse estos versos y júzguese la agilidad del metro, la
novedad de la frase y los efectos de la rima:

¡Una entre todas! . . . tan clara
la bella efigie, el semblante
me recuerdo, que jurara
estarla viendo delante;
crespas madejas de oro su cabello;
rosada faz, alabastrino cuello;

Albo seno, que palpita
con inocentes suspiros;
ojos que el júbilo agita,
azules como zafiros,
y la celeste diáfana aureola
que en sus quince a las niñas arrebola.

. . .Ya llega. . . los elegantes
le hacen rueda: luce el rico
bordado; en los albos guantes
se abre y cierra el abanico.
Ya da principio la anhelada fiesta;
y sus cien voces desplegó la orquesta. . .

. . .¡De día ya! . . . ¡Cuánto tarda
la hora que al placer da fin!
Lola en el umbral aguarda

por la capa de satin;
y bajo la delgada mantellina,
cuela alevosa el aura matutina.[41]

Hay en este fragmento indudables gérmenes de un preciosismo que va a invadir más tarde, a fines de siglo, el vocabulario poético de Hispanoamérica. Bello dejó otras muestras
originales de esta tendencia: su brevísimo *Diálogo*[42] y su epi-
grama *El tabaco*,[43] por ejemplo.

En sus demás composiciones breves, especialmente en las
que escribió en álbumes, Bello demuestra rasgos de inspiración y de genuino lirismo; su lenguaje es siempre feliz; esos
poemitas circunstanciales tienen por lo general dos o tres estrofas que sobran, malogrando el efecto de gracia y liviano
sentimentalismo que seguramente se propuso dar el autor.

Desvanecida la leyenda acerca de su dogmatismo, Bello es,
como poeta especialmente, uno de los factores más poderosos
en el auge del romanticismo chileno. A través de sus lecciones
de literatura, de su traducción de los más grandes valores de
la poesía europea, de sus propias composiciones poéticas, Bello dejó a la juventud chilena un mensaje de imperecedera
memoria: enseñó a respetar el arte en su significación trascendental, por encima de localismos efímeros y mediocres, enseñó
a pensar con profundidad y claridad, a concebir en términos
universales, a aceptar en lo que valen las reformas y los cambios que cada generación trae consigo. Si sus discípulos no
pudieron superar la herencia del neoclasicismo español, si en
la expresión de sus propios sentimientos e ideas no alcanzaron
gran altura, y si confundieron más tarde el amor a la tierra
con la afición por lo pintoresco y anecdótico de las tendencias
criollistas, se debió a su personal mediocridad, no a la influencia de Bello, quien siempre fué superior, sabio en las flaque-
zas, debilidades y grandezas humanas.[44]

SARMIENTO

Para quienes no puedan dejar de asociar los nombres de
Bello y Sarmiento será preciso decir que una revaloración
de aquél no significa de ningún modo el descrédito para este
último. Sarmiento sacudió el ambiente intelectual chileno

con la fuerza de un aluvión. Desde 1840 a 1855 no dió descanso ni a políticos ni a literatos con su palabra encendida, sus ímpetus revolucionarios, su crítica despiadada del antiguo régimen en materias de arte, educación y política. Es difícil decir con precisión hasta qué punto Sarmiento orientó la cultura chilena en un sentido determinado; tanto más difícil cuanto que sus propias ideas no son del todo claras ni pueden someterse fácilmente al orden de una doctrina. Es romántico por contagio, por entusiasmo, por intuición y, finalmente, cuando se enfrenta a un grupo de jóvenes clasicones, por espíritu de contradicción. A veces da la impresión de que si sus adversarios se hubieran vuelto románticos de la noche a la mañana, Sarmiento, por el puro placer y necesidad del combate, se habría hecho clásico. Defendía sus ideas, sin embargo, con tal calor y decisión como si fueran su más preciado patrimonio de hombre libre y como si ellas únicamente le dieran contenido a su existencia.

Lastarria ofrece un ejemplo vivo del poder de la propaganda de Sarmiento en Chile. A pesar de compartir con Sanfuentes, García Reyes y, en cierto modo, con Jotabeche la tarea de redacción de *El Semanario*, Lastarria no dejó ninguna duda acerca de su apoyo al articulista de *El Mercurio*. Defendió como él la literatura "nueva" —sin especificar que se trataba de la romántica—, negó ser explícitamente "romántico" tal como Sarmiento lo hizo en carta privada al autor de los *Recuerdos*,[45] defendió con algo de fe apostólica la doctrina del iluminismo, tal vez con más base ideológica que Sarmiento, y prestó especial énfasis a la importancia de la educación en el progreso de un pueblo. No pretendo decir que todo esto lo deba Lastarria al ilustre emigrado argentino. La verdad es que Lastarria cambió de bando en tiempos de Mora; y estaba, pues, suficientemente preparado para aceptar las prédicas de Sarmiento no como un discípulo, sino más bien como un compañero de combate.

De la posición política de Sarmiento en Chile tampoco se pueden sacar conclusiones definitivas: su liberalismo tuvo poco de idealista y mucho de realismo, ya que supo adaptarlo a las dos épocas de la supremacía de Montt: la del ministro progresista y democrático, y la del presidente autoritario y retrógrado.

He manifestado antes que en las controversias de 1842 Sarmiento desempeñó un papel preponderante y ello se debió a que escribió más que los otros y a la trascendencia de algunos de sus artículos. En la controversia gramatical Sarmiento responde al único artículo de Bello con una serie de proposiciones que resumen bastante bien los principales aspectos de su influencia sobre la juventud chilena de la época. He aquí las ideas con que Sarmiento contribuye a la constitución del movimiento del 42:

1) Crítica de la literatura española. Sarmiento, igual que Lastarria y como antes lo habían hecho los intelectuales de la Independencia por razones de patriotismo y de guerra, sostiene la firme convicción de que es necesario romper con la tradición española. A su juicio la nación española ha alcanzado un grado extremo de decadencia y su literatura es incapaz de expresar las ideas de la cultura moderna. Lo trágico de esta posición dogmática es que mientras más fieramente atacan estos pensadores a la tradición cultural española más dócilmente imitan a los escritores españoles para llevar a cabo sus ataques. Es decir, la crítica de Sarmiento como de Lastarria no es otra cosa que una repetición de la crítica de Larra en su artículo *Literatura*. Y más trágico aún es el caso de los poetas que atacan a España con el verso que aprendieron de Quintana, Gallegos y Cienfuegos. La verdad es que la defensa del patriotismo y de la libertad del pueblo iguala a unos y otros y que tanto los españoles que combatían la dominación napoleónica, como los americanos que luchaban por emanciparse del absolutismo de los Borbones, concedían a la poesía una misión social que no tiene fronteras. Por otra parte, pocos años más tarde Sarmiento no habría negado tan fácilmente la influencia de la literatura española del siglo xix sobre los poetas del romanticismo chileno que leyeron e imitaron las obras de Zorrilla y Espronceda editadas por la imprenta de *El Mercurio*. De más está decir que las críticas de Sarmiento y López a la literatura del siglo de oro español son enteramente absurdas y producto de simples prejuicios.

2) La democracia no es sólo una teoría política sino que a su luz se pueden interpretar los múltiples aspectos de una cultura. No cree Sarmiento, por ejemplo, que sea necesaria la

educación de una clase social primero para obtener como consecuencia la educación de las demás. La educación es patrimonio del pueblo. La soberanía de éste, por otra parte, no sólo tiene su aplicación en la ejecución de las leyes, sino también en el desarrollo de los idiomas e indirectamente en la creación literaria que, para ser viva, ha de tener un alcance popular.

3) Rebelión contra las reglas establecidas que impiden el desarrollo artístico. En el calor de la batalla es fácil exagerar los conceptos y Sarmiento ciertamente exagera, cuando, rayando en la anarquía, se declara "ignorante por principios".

4) Superioridad de la cultura francesa. La ruptura de lazos con la tradición española viene acompañada de un afrancesamiento extremado. La voz que viene de Francia es ley para Sarmiento y sus compañeros. De ahí que se prestaran tanto para las burlas de un Jotabeche. Sarmiento identifica el espíritu francés con el espíritu de libertad y el español con el de autoridad. Aunque en 1841 al elogiar la elegía al *Incendio de la Compañía* rindiera público homenaje a la labor educativa de Bello, en 1842 condenó la admiración por los clásicos españoles que éste inculca en sus alumnos y sugiere la responsabilidad de Bello —el gramático— por la pobreza de la creación poética en Chile.

5) La juventud chilena debe abrir el espíritu a la influencia de las literaturas extranjeras. Recordando un tanto las palabras de Mme. de Staël en *De l'Allemagne*, Sarmiento invita a los jóvenes chilenos a salir del marco de una educación estereotipada y a recoger los frutos de las culturas extrañas. Más importante que estudiar los vericuetos del estilo clásico es preocuparse de las ideas, averiguar cómo piensan los demás pueblos en la época contemporánea, saturarse en el cambio constante de la civilización y luego, con el espíritu maduro, crear, sin ocuparse de la forma, de las reglas, dándose entero en la creación que resultará, sin esfuerzo, original.

Sarmiento ha expresado esta última idea con inspiración:

> . . .Pero cambiad de estudios, y en lugar de ocuparos de las formas, de la pureza de las palabras, de lo redondeado de las frases, de lo que dijo Cervantes o Fray Luis de León, adquirid ideas de dondequiera que vengan, nutrid vuestro espíritu con las mani-

festaciones del pensamiento de los grandes luminares de la época; y cuando sintáis que vuestro pensamiento a su vez se despierta, echad miradas observadoras sobre vuestra patria, sobre el pueblo, las costumbres, las instituciones, las necesidades actuales, y en seguida escribid con amor, con corazón, lo que se os alcance, lo que se os antoje, que eso será bueno en el fondo, aunque la forma sea incorrecta; será apasionado, aunque a veces sea inexacto; agradará al lector, aunque rabie Garcilaso; no se parecerá a lo de nadie; pero, bueno o malo, será vuestro, nadie os lo disputará. Entonces habrá prosa, habrá poesía, habrá defectos, habrá bellezas.[46]

Para dar digno remate a su profesión de fe, Sarmiento pide el ostracismo de Bello irónicamente, según el mismo lo ha confesado, pero con cierta equívoca dureza.

El contenido de los otros artículos de la discusión gramatical carece de importancia. Asimismo, la llamada "polémica del romanticismo" agrega poco a lo ya expresado por Sarmiento.[47]

Es curioso anotar, sin embargo, que tanto los periodistas argentinos como los redactores del *Semanario* se refieren al romanticismo como a una escuela literaria del pasado, en especial los argentinos, que de esta manera pretenden hacer resaltar su experiencia con las "cosas" de Europa y, quizás, levantar una barrera para atenuar un tanto el efecto de las burlas de Jotabeche. Dice Sanfuentes en su artículo *Romanticismo:*

> Y entonces nosotros, sobre la tumba del romanticismo, pondremos este epitafio: Fuiste el nuevo cometa del siglo xix. Amenazaste a los hombres con un estrago horroroso, diste de qué hablar y en qué devanarse los sesos a todas las naciones del universo. Pero de repente desapareciste sin que nadie hubiese podido comprenderte, y dejando en paz al mundo, oh fantástico romanticismo! [48]

Con menos filigrana V. F. López certifica la defunción:

> El romanticismo ha muerto; nadie hay hoy que crea que es posible acercarse al sepulcro de este Lázaro, y resucitarlo sano y limpio de sus llagas; pero este cadáver ha tenido un alma que cuando vivió sobre la tierra llenó su misión e hizo eminentes servicios a la causa de la civilización y de la libertad.[49]

Sarmiento ratifica todo lo anterior con su entusiasmo de costumbre: "No nos proponemos rehabilitar el romanticismo, porque ésta es una tarea inútil; el romanticismo no expresa hoy nada y es una vulgaridad ocuparse de él como de una cosa existente." [50]

Si consideramos que ellos están escribiendo en 1842 la clave de esta curiosa actitud es obvia. Para ellos no hay más romanticismo que el de Francia, Alemania, Inglaterra e Italia. España no cuenta. La influencia de Zorrilla y Espronceda empieza a manifestarse en Chile con la edición que hace de sus obras la imprenta de *El Mercurio* en los años de 1843 y 1844.[51] Un párrafo de Sarmiento no deja ninguna duda acerca del alcance que se daba en esa polémica al movimiento romántico:

> Un artículo *Romanticismo* escrito en el año 1842, es decir, después de diez que la Escuela Romántica en Europa fué enterrada y sepultada al lado de su antecesor en literatura, el clasicismo, porque ambos son ánimas del otro mundo, que Dios bendiga; después de diez años que dejó de oirse el último tiro en la polémica que su aparición suscitó; ... ¿qué condiciones debía reunir un artículo *Romanticismo*, escrito en América, en un periódico sesudo y con pretensiones de literario, redactado por jóvenes que salen a la palestra voluntaria y deliberadamente a ostentar sus luces? [52]

La importancia de este hecho es que anuncia una de las características importantes que va a tener el romanticismo chileno: la fuente de inspiración más directa será la poesía española y como ésta responde a la revolución romántica tardíamente, la chilena estará tan lejos del período de beligerancia de esa revolución, que no le resultará difícil adoptarlo transformándole y moldeándole de acuerdo con la idiosincrasia de nuestro pueblo, de tal manera que el romanticismo chileno tendrá rasgos de cierta individualidad en comparación con otros países de Hispanoamérica donde la renovación literaria ocurrió más pronto.

LASTARRIA, EL LÍDER (1817-1888)

Lastarria se alza en el panorama chileno del siglo XIX como el mejor símbolo de esa revolución literaria cuyo ámbito indudablemente sobrepasa los límites del año 1842. Es imposible resumir en esta páginas los aportes de Lastarria a la cultura chilena. Será necesario que me limite a destacar aquellas ideas suyas que tuvieron un efecto más directo en el proceso de evolución de la poesía desde el neoclasicismo al romanticismo.

Al enfrentarse a Lastarria es preciso tener en cuenta que se trata de un político en el sentido más puro de la palabra y que sus intereses literarios, filosóficos y educacionales están condicionados a su doctrina liberal y a su fe positivista. En su formación intelectual Lastarria se vió además sometido al iluminismo de Mora y esta tendencia filosófica dejó en él huellas imborrables.

Cuando juzga los acontecimientos políticos y los sistemas económicos de la dominación española y de la República, Lastarria abandona el criterio estrictamente objetivo de don Andrés Bello e intenta hacer filosofía de la historia. Se esfuerza por sacar consecuencias interpretando los hechos a la luz de su propia ideología revolucionaria. De ahí que su relato del movimiento literario de la primera mitad del siglo XIX aparezca tan diferente al de otros historiadores. Lastarria, por otra parte, tenía plena conciencia de la importancia de su papel en estos hechos y, en realidad, el móvil principal que tuvo para escribir sus *Recuerdos* fué el de hacerse justicia, ya que historiadores como Miguel Luis Amunátegui y Benjamín Vicuña Mackenna o silenciaban su nombre o le restaban mérito a sus acciones.

No nos extrañemos pues de la interpretación que Lastarria hace del movimiento literario que, indudablemente, él dirigió y animó desde la tribuna, desde la prensa y desde la cátedra.

Según Lastarria tres son las causas de la postración intelectual de Chile antes de 1840: *1)* la dictadura conservadora; *2)* el atraso social; y *3)* la influencia de Bello. "De 1835 a 42 —dice Lastarria— toda la juventud distinguida de Santiago era casuista en derecho i purista i retórica en letras" (*Recuerdos*, p. 70). Y agrega más adelante:

El atraso social i la situación política así lo *requerían*, i eran parte mui principal en que prevaleciera aquella influencia... la política esclusiva del gobierno personal había apagado de tal manera el espíritu público, que no le dejaba otra senda franca que la de la elegancia en las formas (Ibid., p. 70).

He subrayado la palabra *requerían* para indicar dónde se encierra la acusación de Lastarria. En otro sitio de los *Recuerdos* se expresa la misma idea, pero mucho más explícitamente. Contestando a Amunátegui que había dicho que los escritores chilenos anteriores al 42 "no sabían qué decir", Lastarria declara que la causa de tal silencio era:

> porque en realidad no podían decirlo todo, sin peligro de encontrarse por un lado con los puristas de la lengua que los atajasen con la burla i el desdén, i por el otro con los puristas de la política conservadora que los lanzaran a Juan Fernández, como a Pradel, o a la cárcel, como a Benavente i a Toro, o que los sometieran a la persecución de la policía, como a Juan Nicolás Álvarez (*Ibid.*, pp. 181-2).

¿Cómo es posible que los críticos chilenos modernos hayan pasado por alto una acusación tan grave como ésta de Lastarria y hayan insistido en buscar razones de carácter puramente retórico para explicar la pobreza de la producción intelectual de Chile en el período anterior a 1840? Ni Sarmiento ni López, a pesar de todas sus pretensiones de dialécticos y de su afán por interpretar los fenómenos de la cultura en relación a los acontecimientos políticos, prestaron mayor atención a los detalles de la dictadura portaliana que terminaba poco antes de que ellos llegaran al país. Si lo hubieran hecho tal vez habrían mostrado más paciencia con esos jóvenes que por no sufrir el garrotazo del inquisidor cerraban sus oídos al clamor revolucionario que venía de Europa y ocupaban sus horas purificando el idioma en la inofensiva imitación de los clásicos; ese "encogimiento" que Sarmiento notó en la juventud chilena muy bien pudiera haber sido la herencia de un régimen que para mantenerse en pie tuvo que concluir primero con la libertad de pensar.

Una de las características más notables de los *Recuerdos* es la maestría de Lastarria para preparar una escena en la cual hará él mismo su entrada como actor principal. El procedimiento se repite una docena de veces a través del libro, de manera que cada acción de Lastarria, ya sea la fundación de un periódico o de un grupo literario o la lectura de una conferencia, siempre impresiona al lector como la culminación de una serie de incidentes previos.

El discurso de Lastarria en la inauguración de la Sociedad Literaria —3 de mayo de 1842— es uno de estos puntos culminantes a que aludimos. Ha señalado el autor la tragedia de la literatura nacional bajo la dominación conservadora; luego dice que hacia 1840 se produce un movimiento liberal en el campo de la educación, de la literatura y de la filosofía que viene a coincidir con un sentimiento de rebelión popular. Haciendo valer los conceptos del filantropismo del siglo XVIII que aprendió en sus lecturas de los neoclásicos españoles Lastarria ilustra esta comunidad de intereses entre el pueblo y los intelectuales observando que la democracia no es completa sin la ilustración general y que, como escritor, siente el deber de combatir los vicios sociales y de ayudar en la educación de las masas.

Es en estos momentos cuando pronuncia su discurso en el cual se sintetizan admirablemente los principios de la revolución literaria. A pesar de que el sensacionalismo de Lastarria es meditado no deja de corresponder a una situación real. Sus palabras pronunciadas en un momento de crisis marcan el punto en que la cultura chilena se independiza de las cadenas coloniales y vuelve hacia las naciones de Europa su atención en busca de nuevas influencias que van a provocar, más tarde, el nacimiento de una literatura original.

Los conceptos principales del manifiesto de Lastarria son los siguientes:

1) La literatura tiene una función social; el escritor expresa a su generación. Chile no tiene una literatura que corresponda a este concepto. Lastarria aprovecha para condenar la instrucción colonial y negar a España toda influencia cultural durante su dominación de Chile (*Recuerdos*, pp. 100-1).

2) La cultura de Chile vive un momento crítico. Su orientación futura va a depender del sentido que su generación dé a este movimiento intelectual que se inicia. Es necesario imitar pero más necesario aún adaptar lo extranjero a las características nacionales.

3) La literatura española no será el modelo de la naciente literatura chilena. Lastarria no puede desprenderse del criterio político y como la revolución "política" va dirigida contra el antiguo régimen español, la revolución "literaria" también

debe atacar la tradición literaria de España. A causa de su apasionamiento cuanto afirma sobre las letras españolas no constituye "juicio" sino "prejuicio".

4) Defensa del idioma español. Indirectamente este párrafo va dirigido contra los emigrados argentinos, en especial contra V. F. López que había cometido el error de confundir "la literatura" con "el idioma" (Recuerdos, pp. 107-8).

5) Aceptar a la literatura francesa como modelo. Pero tiene el cuidado de distinguir tres épocas de influencia francesa: la del siglo xvii; la del siglo xviii y la "moderna." Sólo acepta la última y se aprovecha de una larga cita de Artaud para caracterizarla.

Agrega que la imitación servil debe evitarse y que los escritos de los autores franceses se recomiendan: "no para que los copiéis i trasladéis sin tino a vuestras obras, sino para que aprendáis de ellos a pensar" (Recuerdos, p. 112).

6) La literatura será la expresión de nuestra nacionalidad. Basándose asimismo en Artaud, Lastarria explica esta idea que es acaso la más importante de su discurso:

> Me preguntaréis qué pretendo decir con esto, i os responderé con el atinado escritor que acabo de citaros, que la nacionalidad de una literatura consiste en que tenga una vida propia, en que sea peculiar del pueblo que la posee, conservando fielmente la estampa de su carácter, de ese carácter que reproducirá tanto mejor mientras sea más popular. Es preciso que la literatura no sea el esclusivo patrimonio de una clase privilejiada, que no se encierre en un círculo estrecho, porque entonces acabará por someterse a un gusto apocado a fuerza de sutilezas. Al contrario debe hacer hablar todos los sentimientos de la naturaleza humana i reflejar todas las afecciones de la multitud, que en definitiva es el mejor juez no de los procedimientos del arte pero sí de sus efectos. (Ibid., p. 113).

7) Características sobresalientes de la nueva literatura serán, según Lastarria: el culto a la naturaleza; el regionalismo como finalidad en la descripción del paisaje americano; el cristianismo; y la originalidad (Ibid., pp. 114-5).

A causa de esta enumeración especialmente el discurso de Lastarria pudiera ser considerado como el manifiesto romántico de la literatura chilena. Lo cual no quiere decir que Lastarria ni en su discurso en la Sociedad Literaria ni en ninguna otra ocasión de su vida se haya manifestado abiertamente en favor de la escuela romántica. Como Sarmiento y Sanfuentes, creía que ese movimiento era ya cosa del pasado, parte de una tradición que debía ser superada. Influído poderosamente por sus estudios de la filosofía comtiana la teoría literaria le interesa menos que el desarrollo científico y la aplicación del método positivo a la creación artística. Por otra parte, es evidente que mientras más se acerca a una concepción naturalista del arte, más rígido se hace su razonamiento y empieza a descubrir nuevas "leyes" con que limitar al artista reemplazando las reglas de la escuela neoclásica. Esta fué su tragedia. Cuando parafraseó a Larra y Artaud y predicó el arte social, Lastarria pudo todavía encontrar un sitio para la imaginación en sus manifiestos. Pero cuando empezó su propaganda de la "poesía científica" y trató de dar una aureola pseudofilosófica a sus palabras con una inspirada aplicación de la doctrina del progreso indefinido, Lastarria perdió su puesto director del pensamiento chileno, se petrificó en un nuevo dogma y acabó por perder de vista los problemas de la nueva generación.

La actualidad de Lastarria no fué de corta vida sin embargo. Cuando pronunció su discurso tenía veinticinco años solamente; desde 1842 hasta 1860, más o menos, su actividad se mantiene inquebrantable, funda periódicos y revistas como *El Semanario* (1842) y la *Revista de Santiago* (1848), organiza agrupaciones literarias como el importante *Círculo de Amigos de las Letras* (1859) y la *Academia de las Bellas Letras* (1873). En el *Círculo* Lastarria aparece rodeado por los escritores chilenos más importantes de la segunda mitad del siglo XIX: por historiadores como los hermanos Amunátegui, Barros Arana y Vicuña Mackenna; poetas como Valderrama, Irisarri, Matta, De la Barra, Rodríguez Velasco y J. Nepomuceno Espejo; y novelistas de la trascendencia de Alberto Blest Gana. Por intermedio de los concursos literarios que auspician la *Sociedad*, el *Círculo* y la *Academia*, consigue educar el gusto literario de los jóvenes y orientarles de acuerdo con sus propias teorías.[53]

La preponderancia intelectual de Lastarria durante esos años no deja de encontrar obstáculos y de provocar reacciones

muchas veces violentas. Su liberalismo le crea numerosos enemigos en una sociedad donde el poder de la Iglesia y de los
políticos conservadores se caracteriza por su intransigencia.
No puedo ocuparme en este ensayo de los pormenores de su
carrera política y educacional.[54] Más interesante será analizar,
brevemente aunque sea, la evolución de su doctrina estética
porque en ella además de reflejarse un período íntegro de la
literatura chilena, se encierra una aventura intelectual de honda significación.

En 1869 con ocasión de la reapertura del *Círculo*, cuyas
actividades habían sido interrumpidas en 1864, Lastarria pronuncia un discurso al cual intenta dar tanta trascendencia
como al de 1842; en realidad, la tiene, sólo que en un sentido
diferente. Lastarria comienza analizando la situación del escritor en Chile y se duele de la exagerada importancia que
asumen los partidos políticos en el terreno de la creación artística. Se rebela contra aquello que Quinet llama las "verdades
exclusivas" de cada partido, es decir, el dogmatismo con que
defienden su propia posición descartando toda otra doctrina
como errónea. Su liberalismo sufre la prueba de fuego que
provocó la bancarrota del movimiento en la última parte del
siglo xix: mientras se trató de luchar por la libertad y la ilustración en general, con una buena dosis de irresponsabilidad,
Lastarria no tuvo reparos. Pero cuando la contienda política
se limita y define y asume bandos que exigen disciplina y sometimiento, cuando se trata de sacrificar una parte importante de la libertad individual en favor de la colectividad, Lastarria, como otros liberales románticos, "choca contra el medio". No abandona la lucha, como pudiera creerse, sino que
insiste en defender la emancipación del espíritu que, a su
juicio, representa la democracia, contra el conservantismo colonial. Vuelve su atención al arte y nuevamente lo define en
función de su utilidad social:

> El arte, en la literatura plástica es la imitación de la natura-
> leza, i en la científica la revelación jenuina de la verdad, no es
> simplemente una revelación de lo bello, un elemento del gusto
> o del placer, como suponen los que profesan el arte por el arte,
> sino un instrumento poderoso de progreso social, porque es la
> forma de lo útil, de lo justo i verdadero (*Recuerdos*, 453).

Es en este momento —cuando Lastarria se esfuerza por plantear "el criterio jeneral i positivo de todas las obras de una literatura progresiva" (p. 458)— cuando, a mi juicio, su doctrina deja de ser algo vivo y se transforma en un dogma con nuevas reglas y trabas para limitar la creación artística.

Será preciso recordar que en 1860 el problema no era, como en 1842, el de *crear* una literatura, sino más bien el de orientarla. Lastarria cree que la mejor orientación es, en ese período, una especie de positivismo aplicado al arte. Llega hasta proponer una "clasificación" de las obras literarias *(Recuerdos*, p. 455). En realidad defiende al positivismo con entusiasmo, vale decir, sin espíritu crítico. No se puede negar que su concepción del arte social así como sus ataques a lo que más tarde se llamará el "escapismo" de ciertos grupos románticos son razonables y hasta producen efectos benéficos en la literatura chilena. Pero su intención de aplicar el método positivista de la ciencia a la creación artística le resta seriedad a su discusión.

Lastarria comprendía en toda su gravedad los problemas sociales de su época. Denuncia, por ejemplo, los manejos de la reacción conservadora para dominar la educación, la prensa y la literatura de Chile. Observando la situación europea se da cuenta de la inminencia de una crisis social que revolucionará también el mundo de las ideas.

El arte realmente buscó la verdad, como decía Lastarria, y propagó doctrinas de reforma social, política y religiosa. Pero jamás adoptó al objetivismo científico ni al liberalismo filantrópico como dogmas absolutos, porque limitándose en esas escuelas terminaba con la creencia en la emancipación del espíritu que el mismo Lastarria proclamaba. La reforma literaria de América tendería a descubrir un estilo nuevo para dar a conocer una realidad nueva y para servir de expresión a un hombre nuevo cuando el escritor americano sintiera que estaba en condiciones de producir una obra original a base de las influencias europeas ya superadas.

Es curioso, pues, que Lastarria, con la conciencia de que un cambio era inevitable, se haya, no obstante, "acartonado" en un sistema de ideas que, a pesar de su "progresismo", era absolutamente estático. Critica a la escuela naturalista por usar como criterio "el equilibrio moral, tratando de reducir a leyes precisas la armonía de los movimientos que constituyen lo que ella denomina una realidad moral..." (*Recuerdos*, p. 516).

Pero ¿qué ofrece en cambio? Nada más y nada menos que "la verdadera filosofía positiva, la escuela que busca la verdad en el análisis de los hechos por su comprobación objetiva i por la verificación de las leyes que rigen el mundo físico i el mundo moral" (p. 518).

Para luego determinar la calidad de una obra de arte "tomando como regla de composición i de crítica... su conformidad con las leyes de la naturaleza humana, que son desarrollo i libertad" (p. 518).

Si las leyes de la naturaleza humana fueran sólo eso... Que una obra de arte sirva al "progreso" y demuestre haber sido concebida en "libertad" no significa que sea buena o bella, ni siquiera que sea una obra de arte auténtico. ¿En qué clase de pseudoarte pensaba Lastarria cuando educaba de esta manera a sus discípulos? ¿Un arte "científico", basado en hechos positivos, moralista y didáctico? Extraño que no advirtiera que el nuevo arte, cuyo advenimiento estaba cerca, iba a constituir el triunfo de la imaginación sobre el sentido común, de la intuición sobre el concepto científico, de la irrealidad sentimentalista y sensual sobre la responsabilidad catequística de los filósofos liberales.

De su discurso que pronunciara más tarde en 1873, para la inauguración de la Academia de Bellas Letras,[55] sólo una conclusión puede sacarse: que Lastarria tiene plena conciencia de la ineficacia de su doctrina. Este discurso es como el esqueleto de sus poderosos manifiestos de antaño. Se nota en él una desesperanza melancólica e inteligente, la certeza de que sus esfuerzos no se reflejarán tal vez en realizaciones concretas, pero también la orgullosa seguridad de que ellos serán apreciados en lo que valen por las generaciones futuras.[56]

VI. *Románticos por principio*

Enumerar los temas del romanticismo chileno equivale a repetir lo que se ha dicho innumerables veces sobre la poesía romántica francesa, alemana o italiana y agregar las escasas variaciones introducidas por los españoles. Más interesante resulta descubrir por qué una escuela cuyo período de beligerancia había evidentemente concluído se incorpora a la tradición literaria chilena y llega a expresar características propias del temperamento poético nacional, en tal forma que la poesía de fines del siglo XIX y comienzos del XX seguirá siendo romántica aunque los críticos la llamen modernista o simbolista. Los orígenes de este proceso se encuentran más o menos claramente ilustrados en la obra de la primera generación de románticos chilenos, de aquellos poetas que se formaron en las organizaciones de Lastarria y en publicaciones tales como el *Semanario Literario* (1842), la *Revista de Santiago* (1848) y *La Revista del Pacífico* (1858).

Históricamente se repiten en Chile la circunstancias que acompañan al nacimiento del romanticismo europeo. La burguesía industrial, minera y comerciante ha conseguido por fin transformarse en un poder económico tan influyente como la oligarquía agrícola y demanda con insistencia las riendas del gobierno. El proletariado empieza a plantear sus propias reformas y se agrupa en sociedades que son precursoras de los sindicatos de hoy. La prensa se ocupa de los movimientos revolucionarios en Francia, Grecia, Polonia e Italia. La burguesía chilena funda el Partido Radical, los intelectuales y obreros la Sociedad de la Igualdad y libran las primeras batallas contra la reacción conservadora personificada durante los años a que me refiero en don Manuel Montt.[1]

Después de leer las palabras de Lastarria sobre el proceso intelectual que acompañó a este despertar político de la burguesía y el proletariado chilenos resulta un tanto difícil aceptar los denuestos que la crítica, por costumbre, dirige contra nuestros poetas románticos. El consenso es, como se sabe, que sus lágrimas y protestas fueron falsas, que el *mal du siècle* no tenía razón de ser en Chile donde la condición del escritor, aparentemente, era privilegiada. Cuando se piensa en los innumerables esfuerzos de Lastarria por educar a las masas y or-

[223]

ganizar a los escritores y en los fracasos rotundos que coronaron la mejor parte de sus empresas; cuando se piensa en la .tragicomedia de Bilbao, víctima candorosa de la ignorancia criolla, en la violenta disolución de su Sociedad, en el destierro y el encarcelamiento que se impuso sobre él y sus compañeros, cuando se releen ciertas páginas de Matta o Valderrama acerca de la condición miserable del poeta en la sociedad chilena del siglo xix,[2] nos damos cuenta de que tenían derecho a sentirse desadaptados, a protestar y rebelarse, a escaparse de la realidad, finalmente, ya que el liberalismo político que ellos profesaban no les permitía renunciar ni en parte a la tan decantada "independencia del espíritu".

No voy a negar que esos poetas comenzaron sometiéndose sin discusión a los dictados de la nueva retórica y que sus versos de juventud son simples imitaciones de Hugo, Byron o Espronceda, productos de un sentimentalismo que hoy nos parece ramplón en su afán de prolongar literariamente crisis que dejaron de ser tales en la vida real. Pero antes de condenarles por semejante artificio vale la pena recordar que muchas de esas frases "vulgares" y "ridículas" muy bien pudieron representar una verdad hace cien años. Es preciso, por lo tanto, que crucemos los dominios del romanticismo chileno como vestidos de una curiosa armadura: sólida para que proteja, pero al mismo tiempo delicada y ágil para que nos permita reaccionar ante lo genuino que se esconde entre una maraña de convencionalismos. Hay que correr el riesgo de pasar por cándido tratando de descubrir el contenido original de los lugares comunes de la poesía romántica.

Ésta ha de ser la actitud de quien lea los versos de Sanfuentes, Matta, Blest Gana, Soffia, Lillo y De la Barra. La filiación de sus temas es obvia. Se entregan, en mayor o menor grado, a la contemplación del paisaje al cual no adornan sino mesuradamente con rasgos típicos. Para ellos no tiene importancia el nombre de la playa donde les asalta el recuerdo de un amor pasado, no tiene nacionalidad el crepúsculo ni la ola, ni la brisa, ni la soledad, ni el árbol ni el pájaro. La naturaleza tiene la realidad que le da el poeta por medio de su propio sentimiento y fantasía, no la que le confiere el mapa. Reemplazan el paisaje arcádico de la poesía clásica por el paisaje *emocional* sin cuidarse mayormente de la realidad objetiva. Pero como un ingrediente de la leyenda romántica es el color local, Sanfuentes, cuando escribe las suyas, hace un esfuerzo por describir la tierra sureña y aún poetas líricos como Lillo, Soffia y Blest Gana cantan en estrofas inspiradas al río Imperial, al valle de Aconcagua o a Constitución. La desventura de la desilusión amorosa y de la muerte, la protesta vaga y sentimental contra los vicios sociales y la mediocridad del ambiente, la necesidad de rebelarse, de partir hacia comarcas desconocidas, de navegar por el mundo solo y libre en busca de un ideal inalcanzable llenarán páginas y páginas de estos primeros románticos chilenos.

Junto a ellos una pléyade de poetas menores escriben indudablemente bajo la inspiración pasajera de la moda literaria; olvidarán luego la poesía para dedicarse a la política, a la enseñanza, a la diplomacia, a los negocios. Algunos seguirán siendo "artistas" hasta el final, engañándose piadosamente con un soneto hoy y otro el próximo año, sin conseguir jamás el número suficiente para formar un volumen. Todos contribuyen al desarrollo de la poesía chilena aunque sin llegar a ser poetas. Irisarri, Blanco Cuartín, Martín J. Lira, Valderrama, son figuras de antología, no alcanzan a formar una obra que les individualice suficientemente.[3]

Otros, como Walker Martínez y Rodríguez Velasco, merecen mención especial.

Carlos Walker Martínez (1842-1905) publicó —además de dos colecciones de poesías sin mayor valor literario[4] y una leyenda, *El proscrito*,[5] en que ensaya un tipo de versificación popular— una colección de *Romances americanos*[6] que posee el mérito de la sencillez y la originalidad y que ofrece al lector un descanso en medio de la retórica y artificio de la poesía chilena del siglo xix. Walker Martínez maneja el octosílabo con extraordinaria facilidad y elige sus temas con acierto inspirándose en el pasado romántico de la Conquista y la Independencia. Sus romances están escritos a la manera tradicional española: son directos, dramáticos, populares. No aspira sino a entretener al lector con hazañas dignas de recordarse a la vera de un brasero criollo. De esta natural humildad se desprende el encanto que les caracteriza. No son sus romances obras maestras, les falta profundidad y grandeza, pero sobresalen nítidamente en un momento de nuestra literatura en que predominaban el artificio y la imitación.

Luis Rodríguez Velasco (1838-1919) parece haber carecido de verdadera inspiración. Sus temas son lugares comunes de la poesía filantrópica y sentimental del neoclasicismo romántico y, aunque los expone con corrección, la belleza lírica está ausente de ellos. En un comienzo se advierte en su obra la influencia de Espronceda, Zorrilla y Núñez de Arce. A medida que sus cantos amorosos se serenan y la desesperación se transforma en melancolía la huella de Bécquer predomina y, más tarde, cuando Rodríguez Velasco —maduro ya— reacciona sarcásticamente contra los vicios sociales, Campoamor y Byron se convierten en sus poetas favoritos. La guerra contra España le inspiró un gran número de poemas, así como la heroica defensa de los mexicanos contra la invasión francesa, pero toda esta poesía de acento cívico es, a pesar de los elogios de Guillermo Matta y las disculpas del propio autor, mediocre y circunstancial. Rodríguez Velasco ensayó también el teatro en verso. Su comedia *Por amor y por dinero*, estrenada con gran éxito de público y crítica en Valparaíso en 1872, no es más original que sus poemas líricos. La trama se basa en un enredo tomado de *Les Femmes Savantes* de Molière (Acto V, escena IV), los caracteres son enteramente convencionales, el diálogo es pasable cuando el autor imita a Moratín, insufrible cuando se llena de frases hechas tomadas de la comedia española del siglo de oro. La traducción del *Ruy Blas* de Victor Hugo que Rodríguez Velasco estrenara en el Teatro Municipal de Santiago en 1855 es su más valioso esfuerzo en el arte dramático y, con razón, le valió el aplauso de críticos tan minuciosos como don Miguel Luis Amunátegui.[7] A mi juicio el mayor mérito de Rodríguez Velasco se halla en poesías de tipo objetivo, descripciones en que su estilo fotográfico y detallista se presta para iluminar un paisaje determinado. *Miraje*[8] es un buen ejemplo de esta clase de poesía. Su obra no posee la marca del genio, ni siquiera pudiera considerarse entre las mejores del romanticismo chileno, pero

sí nos sirve para comprobar —entre modestas cualidades— los
defectos que mantenían estagnada a la poesía chilena.

Los selectos, en cambio, consiguen sobrepasar los principios de la retórica romántica y, sin perder el tono de la época,
buscan su propia verdad en ideas o sentimientos más universales. Matta rinde culto a la doctrina del Progreso, Soffia a
la virtud cristiana y a la contemplación de Dios en la naturaleza, Blest Gana —el más profundo y lírico— al escepticismo
con que logra dominar su amargura. Lillo busca el dinamismo
en el sentimiento de la tierra, Matta en la política revolucionaria, Soffia en la exaltación de un amor realizado y Blest
Gana en la ternura y el sensualismo. La decisión de independizarse les da una superioridad indiscutible sobre aquellos
que tal vez alcanzaron mayor pericia en el verso pero no supieron alejarse de las sombras protectoras, como Sanfuentes,
por ejemplo, representante de una época de transición.

Sanfuentes y sus cuentos en verso

Es muy posible que la idea errónea de considerar a Bello
como un maestro de retórica e imitación artística se deba en
buena parte a los pecados literarios de su discípulo predilec-
to, don Salvador Sanfuentes (1817-1860). Bello recomendó a
éste como a otros de sus alumnos la lectura y traducción de
obras famosas en la literatura universal no con la intención de
transformarles en copistas empedernidos, sino para que descu-
briesen por sí mismos, en el estudio y en la práctica, los elementos de originalidad y de belleza en la creación poética.
Cuando no tenía más que diecisiete años Sanfuentes tradujo
la *Iphigénie en Aulide* de Racine[9] y más tarde, en 1850, el
Britannicus del mismo autor. Hasta allí siguió los consejos
de su maestro. Pero cuando al escribir sus obras originales
recorta la inspiración con el temor de decir más de lo que
Racine dijo en el siglo XVII o reviste sus paisajes con absurdos adornos retóricos que en Ercilla u Oña tienen excusa pero
en él, poeta del siglo XIX, no encierran sino artificialidad y falta de imaginación, cuando su lenguaje se recarga con mil ar-
caísmos por la sola necesidad de no descuidar la rima, cuando
piensa, siente y escribe como los modelos que tradujo, San-

fuentes indudablemente traiciona la enseñanza del cantor de la *Zona tórrida*.

Sin embargo, su nombre no puede relegarse al olvido y su obra, aunque de escaso valor artístico, debe ser analizada porque es una de las primeras manifestaciones del romanticismo chileno y continúa la tradición indigenista iniciada en América por Ercilla y Oña.

Sanfuentes salió a la palestra, como ya se ha dicho, durante la polémica entre el editor de *El Mercurio* de Valparaíso y los redactores del *Semanario Literario*. Poco interés ofrece su artículo sobre el romanticismo pero, en cambio, más mérito tiene su intento de responder a las críticas de Sarmiento con un poema original: la leyenda *El campanario*.[10] En el prólogo dice Sanfuentes dirigiéndose a los chilenos:

> Ya sabéis lo que nos dice
> un periódico perverso:
> que no ha producido un verso
> nuestro caletre infelice.

Burlonamente agrega parodiando las bravatas de Sarmiento:

> ¿Qué tememos, compatriotas,
> con tan franco pasaporte?
> ¡Ea! ¡que no hay quien nos corte,
> ni diga: "Callad idiotas!"
>
> Si no sabemos hablar,
> inventemos un lenguaje;
> todo lo vence el coraje,
> y se trata de empezar.
>
> Por mi parte, he de deciros
> que aunque sé que nada valgo,
> a vuestra cabeza salgo
> deseoso de redimiros.[11]

El campanario es la mejor obra poética de Sanfuentes; es una digna excepción entre millares y millares de versos que escribió después como impulsado por una rutina. La belleza del poema radica en su brevedad, en lo nítido de su concepción, en la claridad y sencillez con que está narrado. Todas éstas son virtudes clásicas y, no obstante, esta leyenda es romántica. Parece serlo a pesar de su forma clásica.

Sanfuentes se inspira en la Colonia, como los románticos europeos se inspiraron en la Edad Media, para relatarnos la historia de un amor imposible entre un joven militar y la hija de un Marqués fanático en la mantención de su hidalguía. Con genuina adivinación poética y alejándose por primera y única vez del modelo que había escogido —las *Leyendas* de J. J. de Mora, quizás por no parecerle suficientemente líricas— entra con audacia en una edad de tinieblas, de odios y de pasiones arrebatadas y descubre la poesía de la violencia. Con breves toques construye el ambiente legendario: las costumbres del Marqués, el salón de la casa solariega, la fiesta, el encuentro de los jóvenes amantes, la danza. Cuando la porfía y el orgullo del Marqués transforman el idilio en drama, el poeta prepara la escena apropiada describiendo la procesión de Semana Santa donde una muchedumbre medio desnuda va por la ciudad azotándose. Los amantes huyen y buscan refugio en una capilla lejana; allí en la penumbra, con una visión de muerte al fondo, se disponen a celebrar su matrimonio cuando entra el Marqués, acero en mano, a vengar su honor herido:

> Sus vestidos están llenos de lodo
> cual si de largo viaje se apeara:
> ángel de perdición parece en todo,
> que al moribundo pecador se encara.

Sus siervos se abalanzan sobre el héroe; las espadas se cruzan y la sangre cae frente al altar. Más tarde el Marqués completará su venganza, pero la vida del amante le costará también la de su hija.

Se dirá que todo es parte de una vieja historia que se contó en el Renacimiento hasta el cansancio. Y, no obstante, las penas de Leonor arrancan lágrimas a la doncella de 1800 y a la colegiala de 1900 le arrancan suspiros. Es que Sanfuentes, casi por milagro, usó la misma sustancia de que está hecho el amor de *Los amantes de Teruel* y *Macías*, la materia que a los críticos les despierta reminiscencias clásicas, mientras en ella recogen los jóvenes su diaria ración de ensueño.

Sanfuentes narra con perfección; no gasta detalles; posee un sentido de lo dramático y de lo melodramático. El suicidio de su heroína es más impresionante y menos prosaico que la caída de Melibea. Leonor se ahorca del campanario, a la luz de la luna, mientras las campanas tocan el redoble de muerte.

En 1850 Sanfuentes publicó un volumen que contenía dos leyendas y dos obras dramáticas: las leyendas eran *Inami* y *El bandido*, los dramas *Juana de Nápoles* y su traducción del *Britannicus*.[12] En la historia de Juana de Nápoles, unida en matrimonio a un hombre que odia, Sanfuentes tuvo un tema de extraordinarias posibilidades. Pero, en vez de tratarlo como acaso lo hubieran hecho Alfieri o Hugo, prefiere detener un tanto el desborde de las pasiones y sugiere el arrepentimiento final de la reina cuando su esposo cae asesinado en la celada que ella misma ayudó a prepararle.

Sus leyendas carecen de las virtudes que hemos señalado en *El campanario*; la narración es más bien pesada y se interrumpe con frecuentes digresiones; cierta artificialidad desbarata el realismo que pretende crear el autor; sus personajes son literarios y muchas veces se ven envueltos en episodios ridículos. *Inami o la laguna de Ranco* es un poema clásico escrito bajo una inspiración romántica. Los hermanos Amunátegui ven en él la influencia de Ercilla[13] pero no advierten que la de Oña es tanto o más importante y tampoco observan que el tema de la leyenda pertenece a la "familia" literaria creada por Chateaubriand con *Atala,* de la cual derivan, entre otras, las leyendas pseudoindígenas de Olmedo, Heredia y Plácido. Si Sanfuentes hubiera contado su historia en prosa apenas habría podido distinguirse de *Irascema,* la novela del brasileño Alencar. Precisamente lo curioso de *Inami* es la alianza verdaderamente intrincada de influencias que allí se notan. Desde luego, el acento general y los detalles del duelo entre Alberto y Calpi recuerdan *La Araucana.* Casi todas las descripciones del paisaje, además, y la escena del baño de Alberto e Inami son una débil imitación del preciosismo renacentista de Oña.

La obligación de ser justo con Sanfuentes hace imprescindible destacar su intención, por lo menos, de dar apariencias americanas al paisaje usando nombres de árboles y animales que son típicos de la región descrita. Que el simple uso de estos nombres no constituye "americanismo" en literatura no debiera ser necesario repetirse, si no fuera por el enorme número de escritores americanos que todavía cometen ese error en la poesía y en la novela especialmente.

La psicología de los indios que aparecen en este y otros poemas de Sanfuentes es, en parte, la que aprendiera en Ercilla, es decir, el producto de una evidente idealización y, además, participa de las creencias románticas de Rousseau, Chateaubriand y todos aquellos que en el hombre primitivo ven una especie de poeta-niño viviendo en las delicias de una existencia libre de convencionalismos. El héroe de la leyenda, según lo hace actuar Sanfuentes, es egoísta, cruel, cobarde, indeciso y falto de imaginación. Con sus absurdas complicaciones provoca la muerte de su padre, mata a su suegro y deja morir a su esposa sin hacer el menor intento por rescatarla de las aguas de la laguna. Hay situaciones en el poema verdaderamente absurdas, la de Inami, por ejemplo, cuando se lanza a las aguas con su hija en los brazos para alcanzar el bote en que huye su marido y nadando se encuentra con el cadáver de su padre, se detiene, mira a su esposo que todo el tiempo permanece impasible, adivina que él es el asesino, decide ahogarse pero recuerda a la hija, nada por lo tanto hasta el bote, entrega la niña a Alberto, se aleja nadando nuevamente, se abraza del cadáver de su padre y ¡finalmente! se ahoga. Los dos cuerpos navegan maravillosamente hasta una ensenada donde el pueblo los espera para darles sepultura. . .

El escenario de *El bandido* es también una provincia del sur de Chile; y la época, el siglo xviii. Esta vez, para dar mayor variedad, Sanfuentes hace de su héroe un negro que roba, mata y secuestra para vengar la esclavitud de su raza. En una de sus escapadas se roba a una joven española la noche misma de su matrimonio; amenazando la vida del padre consigue que la muchacha se le entregue. Anselmo, el novio, viene luego a rescatarla pero es malherido y derrotado en una batalla. María, sin embargo, lo recoge y cura haciéndole pasar por su hermano; cuando Anselmo se da cuenta de que ella, forzada por las circunstancias, se ha transformado en la concubina del negro, se niega a perdonarla, y María, presa de la desesperación, se envenena. Un duelo sigue entre Anselmo y el bandido; triunfador éste se arrepiente y acaba por disolver su banda, entregarse a la justicia y morir ahorcado. Los malhechores de esta leyenda son tan operetescos como los de Schiller o el cosaco de Espronceda. Cantan, luchan y aman, todo con música y bastante colorido.

En 1853 Sanfuentes publicó una tercera leyenda, *Huentemagu*[14] de carácter religioso y muy reminiscente del ya citado cuento de Chateaubriand. El fatal enamorado es aquí un cacique, Huentemagu, y el objeto de sus desvelos Gregoria, una monja que obtuvo como botín de guerra en un ataque a Osorno. La pureza de la joven es tanta, su misticismo tan sincero y poderoso, que pronto el indio abandona toda mala intención y se entrega a la más platónica de las adoraciones. La cuida y le sirve como un esclavo, la protege de todo peligro y cuando, al fin, ella le confiesa que no podrá jamás amarle sino en la comunidad de Dios y le ruega que la lleve nuevamente al convento, Huentemagu accede, ingresa él mismo en un monasterio, se convierte en santo y, al morir su adorada en una peste, entrega él también su alma a una visión celestial y se une a Gregoria en el paraíso.

El caso del cacique y la monja ha sido narrado como verdadero por los cronistas Ovalle y Rosales, y por el investigador Claudio Gay. Sanfuentes, abusando en este caso de las especulaciones, no consigue crear un fervor religioso tan sobrenatural que explique la actitud de su heroína y nos haga entender lo que de otro modo parecería frialdad y egoísmo inhumanos. Atala sacrifica la felicidad de su amante amándole. Gregoria no tiene para su cacique sino un vago agradecimiento y con su espiritual superioridad hace desmerecer el sacrificio de su enamorado quien, a la postre, parece sufrir de simple abulia. En la manera de concebir el deber moral Sanfuentes deja ver la huella de las tragedias francesas del siglo XVII. Sus héroes se entregan a una causa sublime —inducidos por el amor filial, el amor divino o el honor— en una sociedad y en un ambiente en que tales votos de devoción entrañan una irresponsabilidad fanática, egoísta y cruel.

Más interesante que el conflicto moral es el hecho de que Sanfuentes, como otros poetas del romanticismo americano, se interesa en el problema psicológico que emana de las relaciones sociales entre indios y españoles cuando lejos del campo de batalla abandonan la ferocidad y el odio y empiezan a tratarse como seres humanos. Por supuesto, la versión de Sanfuentes no puede ser realista, adolece de los pecados que la moda literaria de su tiempo arrastraba consigo. En este caso su cacique adopta una mentalidad europea demasiado súbitamente y, por lo que respecta a la heroína, es un querubín de tarjeta postal.

Una variación más relacionada con ese mismo tema constituye *Ricardo y Lucía o la destrucción de la Imperial* que Sanfuentes publicó por primera vez en los folletines de *El Ferrocarril* en 1857. El poema consta de más de diecisiete mil versos y en ciertos aspectos de la trama y organización del relato muestra otra vez la influencia de Ercilla. En esta obra como en *Teudo*, que apareció en la *Revista de Ciencias y Letras* también en 1857, Sanfuentes es víctima de un lenguaje desbordante. Las necesidades de la rima le tiranizan, sus descripciones de la naturaleza son cada vez más estereotipadas y la inspiración da evidentes muestras de agotamiento.

El argumento de *Ricardo y Lucía* tiene demasiadas complicaciones. La enemistad entre Mendoza, gobernador de la Imperial, y Ricardo, joven español que de prisionero se convierte en protegido de los indios, proporciona la parte dinámica de la leyenda, mientras Lucía y la pasión que inspira en tres personajes constituyen la trama sentimental. En el curso del relato Ricardo mata a Mendoza, pero Lucía es la víctima de uno de sus admiradores: un indio que la apuñalea antes de verla entregada a los brazos de Ricardo, su odiado rival.

Teudo o Memorias de un solitario no tiene siquiera la ventaja de un argumento interesante. Es un larguísimo poema carente de originalidad e inspiración, prosaico cuando no retórico y pesado hasta lo insoportable. El argumento —el amor desgraciado de Teudo y Elvira— se agota en una docena de páginas y el autor llena varios centenares más con simples divagaciones de carácter descriptivo o religioso. Con decir que al narrar el peregrinaje del héroe a Tierra Santa el autor aprovecha para repetir paso a paso la Pasión del Señor y en octavas reales, sobra y basta. . .

Éstos son los poemas del discípulo de Andrés Bello, y se pregunta el lector si en realidad será necesario recordar su nombre por mucho tiempo. *El campanario* es una excepción y puede mencionarse como uno de los ejemplos más notables de leyendas chilenas dentro de la tradición romántica. Su excelencia es, naturalmente, relativa. En el panorama de la literatura chilena del siglo xix esta leyenda por la perfección del relato y cierta emoción lírica sobresale, pero difícilmente podría ser comparada con producciones del mismo tipo escritas en otros países de Hispanoamérica.

En el desenvolvimiento de la poesía chilena Sanfuentes ocupa un sitio de transición entre el neoclasicismo y las tendencias románticas. No toma, en verdad, partido pero prácticamente mezcla elementos de ambas escuelas. Desde el punto de vista literario un mérito le salva de la completa mediocridad: su talento de narrador. Su mejor título a la fama es el haber contado historias románticas en un lenguaje de perfección clásica.

MATTA, EL EXTROVERTIDO

Los hermanos Amunátegui, juzgando la producción poética de Guillermo Matta (1829-1899) cuando éste contaba poco más de treinta años, se admiraban de su abundancia y pronosticaban que el poeta seguiría escribiendo hasta "llenar varios volúmenes".[15]

Por desgracia la predicción resultó cierta. Y no se vaya a creer que Matta me parece un versificador mediocre. Pocos poetas chilenos han demostrado mayor energía y audacia en la expresión, pocos han tenido su constancia y fe en el trabajo artístico dominando los efectos de una crítica malintencionada e imponiéndose a la mediocridad irritante del ambiente social santiaguino. De su integridad como escritor nadie puede dudar. Se dió totalmente en su obra y los ideales que defendió en su juventud todavía alumbran algunas páginas escritas hacia el final de su vida. La tragedia de Matta como poeta radica en su falta absoluta de medida. Es un extravertido total. Otros poetas hay que se entregan enteros en su obra pero intuitivamente logran producir una impresión de mesura y reserva aún en el mismo desborde, como por instinto adornan el desenfreno con un cierto toque de inteligencia. Matta lo dice todo. En su océano de palabras se ahoga.

Se requiere espíritu de sacrificio para leer sus cuatro volúmenes de versos[16] no sólo por la repetición insoportable de los temas tradicionales del romanticismo sino, además, por la presunción del autor de conferir a ese *mare magnum* suyo una trascendencia filosófica que no merece. Resulta imposible descubrir si en realidad tiene una concepción propia del mundo porque escribe al impulso del momento y siempre respondiendo como un eco al último libro de versos que ha tenido en sus manos. En una página cantará al trabajo, al arte, al dinamismo y al entusiasmo de vivir; dirá que hay una misión en su existencia y empleará todos sus esfuerzos en realizarla.[17] Poco después se deshace en lágrimas y en quejas contra el mundo, contra la sociedad, contra sí mismo. Pronto se dibuja a través de su poesía una silueta que fué común en su época: la de un descontento, un exilado en su patria, un enfermo de mal literario que entonces llamaban "del siglo" cuando no se tenía noticias todavía de los desesperados del siglo xx. Porque Matta, a pesar de sus resabios neoclásicos, es en las tres cuartas partes de su obra un poeta romántico y educado en la mejor escuela del romanticismo: en el destierro —forzado y voluntario— en la Europa de Hugo y de Vigny, de Goethe y Schiller, de Alfieri y Leopardi y de Espronceda que llegó a ser su ídolo. A causa de sus actividades políticas fué exilado en 1858 y se refugió en España donde colaboró en *La América* de Madrid. Ya en su juventud había viajado por Alemania y a este país vuelve en 1882 como Ministro de Chile. Más tarde desempeñó el mismo puesto en Italia. Durante su peregrinaje Matta adquiere una cultura literaria que pocos escritores chilenos igualan en su tiempo. Leyó a los grandes románticos y reaccionó bajo su influencia luciendo una plasticidad espiritual admirable.[18]

El tema de la libertad que aprendió en Byron, Manzoni y Espronceda, principalmente, le hace defender con pasión la causa polaca, le inspira himnos a Grecia, a Italia, le lleva a la defensa de México cuando la invasión francesa de 1863 y de los países del Pacífico durante la guerra con España en

1865.[19] Su poema *A América*[20] es un ataque al naciente imperialismo de los Estados Unidos y posee la misma energía si no la pericia poética del anatema de Darío contra Theodore Roosevelt. Esta poesía de guerra es sincera y el reflejo de una convicción revolucionaria de la mejor época del autor. Sus piezas de propaganda patriótica con ocasión de la guerra del Pacífico (1879) son otra cosa: nunca se alza en ellas al dominio del arte, su oratoria es grandilocuente y el odio que la inflama es circunstancial; tanto es así que en otra ocasión el poeta se ve obligado a exaltar la nobleza y el poder de esas mismas naciones que denigrara tan definitivamente. Tampoco poseen valor sus elogios de diversos héroes de la Independencia: en ellos se expresan grandes ideas pero nunca trata el autor de buscar la presencia humana de los héroes, de tal modo que siendo la fraseología igual en todos los casos un mismo poema podría referirse a cualquiera de sus personajes.

Su liberalismo es naturalmente individualista; está mezclado de una decidida animadversión por la masa. Matta desprecia al vulgo tanto como al burgués. Los considera incapaces en su grosería de captar la grandeza ideal de sus sentimientos. De ahí que su mensaje de justicia social sea de índole puramente emotiva. Quiebra lanzas por la mujer seducida,[21] por la prostituta,[22] por el reo condenado a muerte,[23] por los débiles y perseguidos, sin dejar de insultar a la plebe por su ignorancia.

Cantando a la libertad y a la sagrada misión del arte crea Matta su poesía más vital y optimista. En el terreno del amor sus ímpetus aumentan pero su entereza moral se derrumba. Dicen que Matta gozó en su tiempo de una gran popularidad y los Amunátegui creen que se debió principalmente a su pericia en tratar temas del "amor ardiente, apasionado, voluptuoso".[24] Es posible que tengan razón porque hay versos en que Matta no sólo expresa deseos ardientes sino que obtiene efectos admirables en la descripción de figuras de mujer. Sus dos intentos de crear una épica del amor a la manera de Dante son, sin embargo, un fracaso.

En *Un cuento endemoniado* el poeta lucha por forjar una visión semialegórica acerca del conocido tema del joven amante seducido por una mujer que representa un espíritu infernal.

Llamar *cuento* a este poema es una barbaridad. El argumento no puede ocupar más de dos líneas. El resto consiste en divagaciones de la más fantástica especie. Entre otras cosas contiene: un fiero ataque a los clásicos (pp. 28-9); un himno a Espronceda (p. 31); insultos contra Sarmiento;[25] discursos contra el matrimonio; denuestos, loas y frases pías sobre la mujer (pp. 38 y 64-6); elogios de Nápoles y Grecia, y maldiciones contra Roma. En una página celebra el heroísmo de Byron y poco más adelante pasa a exaltar la civilización Incaica...

Es evidente que en este desorden mucho tiene que ver la variedad de las influencias bajo las cuales el poeta escribe como narcotizado. Con ardor juvenil empieza Matta desde la primera página a llorar a mares; la tristeza de vivir le arranca quejas dolorosas; sus protestas de amor van dirigidas a la única, la incomparable; su desprecio se desata contra quienes no adivinan sus pesares viendo tan sólo su semblante tranquilo. Con cinismo de adolescente atenta el chiste y sus resultados son patéticos. Se llama a sí mismo "bardo del desengaño y de la muerte" y alega que no es romántico. El poema se inicia con una tempestad y la siguiente descripción:

> Al pie de un monte, un gótico castillo
> se alza, cubierto casi por la yerba,
> que aunque doblado, fúnebre, amarillo...
> (p. 18)

La obsesión del suicidio surge de repente. Signos de una inspiración diabólica, maldita, dan un carácter sombrío a la "narración". El poeta parece hallar solaz en la embriaguez, en el sufrimiento, en la soledad, en el odio y la desesperación. Los paraísos artificiales le tientan, el delirio casi le posee. Todo esto saboreado con voluptuosidad se traduce naturalmente en un intenso deseo sexual insatisfecho; el poeta habla de un ansia que no se apaga (p. 54). ¡Cómo se rebela contra la sociedad, cómo se alza sobre el dolor de sí mismo al descubrir que su descontento va dirigido contra el mundo, contra ese enemigo que le aísla, le irrita, sin comprenderle jamás! Es entonces cuando Matta pinta con intensidad ciertos matices de la hermosura que le encadena:

De tu cabello suelto
las negras ondas
semejan mar revuelto
crespado en rocas;
límite bello
al mar de ébano fija
tu blanco cuello.[26]

Como si la emoción que se encierra en cada detalle provocara un desgaste superior a sus fuerzas el poeta después del desahogo busca el olvido (p. 56), la dichosa desintegración. Y luego la resurrección en una nueva libertad y un súbito goce de vivir que dura apenas un instante (pp. 56-7). Porque de allí cae de nuevo en la postración dolorosa. Y se alza con fuego intelectual a condenar la fugacidad de la vida bajo la obsesión de la muerte. Su heroína no le conduce al paraíso. Matta era demasiado joven entonces para que Beatriz le impresionara; trata de arrastrarle, en cambio, a los infiernos como Francesca a Paolo,[27] pero él se defiende porque es un buen cristiano y no dejará nunca de serlo. . .

En su segundo intento, *La mujer misteriosa*, narra con mayor destreza y concisión, luce una gran variedad de metros y comienza a evitar las divagaciones que tanto abundan en su primer "cuento". Pero su fracaso no es menos evidente y se debe a una incapacidad para distinguir y limitar el dominio de la alegoría cuando el poeta se propone reproducir la realidad. Su percance semeja al de un ilusionista que creyera aún hacer milagros mientras deja ver al público el mecanismo de sus trucos. Matta cuenta la historia de una joven que seducida y abandonada acaba sus penas matándose. La intención del poeta es crear un clima apasionado donde el candor de la heroína y la intensidad de su amor den la apariencia de fatalidad a su caída. La confusión del lector empieza cuando, impresionado por la trama, busca los elementos que harán de la heroína una criatura humana y se encuentra con que la historia sucede en cualquier época, la joven vive en "el bosque", después de ser seducida va a "la ciudad" y encuentra "al amante" en "la orgía". Entonces se da cuenta de que todos estos elementos no pueden ser sino alegóricos, irreales, ese bosque y esa ciudad y ese amante y esa orgía son exactamente los mis-

mos decorados que cuelgan en el escenario de historias tan
viejas como el tiempo. Lo triste es, sin embargo, que el poeta
no advierte la dualidad del ambiente en que se mueve y cree
en su pantomima con todo el corazón.

¿El paisaje de este poema y demás poesías eróticas de Matta? Por supuesto la noche, la luz de la luna[28] cuando no el
crepúsculo[29] y, casi siempre, el mar. Hay un poema, *Realidades y sueños*, en que Matta consigue dar una descripción típicamente romántica de un paisaje. El mar le sirve de fondo y
en él proyecta gradualmente las emociones de su recuerdo.
Deja vagar su pensamiento:

> una suave brisa apenas
> riza las ondas del mar. . .

Las ilusiones pasadas le envuelven melancólicamente:

> . . .Ese sol que se va a hundir. . .
> Esa eternidad abierta,
> y con esta luz incierta
> que pronto debe morir!

Aquella vez también el sol se ocultaba; rapidísima pasa
por su mente la imagen de una mujer:

> Allí se estampó su huella
> sobre la arena menuda,
> y todavía destella
> amor su mirada bella
> en la roca alpestre y ruda. . .

Frente a él sólo sombras se levantan; el ruido del mar es
como un triste augurio del porvenir; la imagen del mar bravío
sugiere entonces la desgracia:

> Una sombría muralla
> adonde rugiendo azota
> el torvo mar que batalla,
> donde el relámpago estalla
> y un pendón de muerte flota.

Pero la paz vuelve posteriormente a reinar:

Y el mar levemente agita
sus tornasoladas ondas. . .
(pp. 83 s.)

Las espumas se alzan iluminadas, leves neblinas vienen a
ocultar el delirio y el paisaje sonríe de nuevo al poeta mientras "la onda fugitiva. . . remeda la existencia".

El mar es uno de los temas románticos que más cautivan
la imaginación de Matta. Tiene para él un complejo significado y en un poema, por lo menos, A orillas del mar[30] intenta definirlo como el símbolo del *individualismo*, de la *independencia*, de la *fecundidad* y, finalmente, de la *paz* para el hombre
solitario.

Otros temas románticos aparecen con frecuencia en sus versos: el destierro[31] unido a la nostalgia de la patria[32] y al sentimiento de angustia y desadaptación adondequiera que vaya;
las ruinas, ya sea que el poeta cante al pasado de Grecia o de
América;[33] la muerte, a cuyo propósito a veces filosofa como
en *Pésame y no saludo*[34] o a la cual presenta en una visión del
caballo apocalíptico,[35] reminiscente de Bürger, o detrás de una
leyenda egipcia.[36] El indio, según la tradición de Chateaubriand, es el héroe de varias leyendas.[37] Tampoco olvida evocar la Edad Media.[38]

El primer tomo de sus *Nuevas poesías* revela madurez y
dominio del lenguaje especialmente en las páginas descriptivas. Podría mencionarse el poema *Ella narra* (p. 38) como un
buen ejemplo de este progreso. La frase de Matta se ha puri-
ficado, no se advierten ripios ni en el metro ni en la rima, la
idea es tan ágil como la palabra y el ritmo del romance octosílabo. La narración se abrevia hasta el límite: una visión, un
paisaje, un sentimiento. Frente a la naturaleza el poeta selec-
ciona y usa tan sólo aquello de indudable valor lírico.[39] Pero
aunque su pintura es fina carece de carácter. Su paisaje no es
típico, acaso pudiera tomarse como una mezcla de elementos
europeos y americanos.[40] Tan pronto empieza una escena a
cobrar relieves propios, *La isla de Más Afuera* por ejemplo, in-
terviene el pensador, baraja ideas y saca conclusiones que le
separan de la realidad. Su emoción ante los espectáculos grandiosos de la naturaleza se halla demasiado ceñida por la retó-

rica de los neoclásicos y así en *Pirepillán* (p. 537), himno a la belleza del volcán y la laguna de Llanquihue, no siente el lector esa conmoción interior que Heredia expresa en su famosa *Oda al Niágara*.

Las poquísimas veces en que logra trasmitir una sensación cósmica Matta recurre a objetos reales o a ideas filosóficas. En *Poema universal* lo consigue por medio de rápidos bocetos donde describe el trabajo, una locomotora, un patriota, una madre, niños, la obra científica. En *Circulación de la vida* desarrolla la vieja idea de Heráclito del movimiento eterno y del eterno cambiar y, a base de imágenes, da una impresión de profundidad.

Un solo paisaje le inspira, en realidad, lo suficiente para arrancarle una página de alguna significación nacional: el del Bío-Bío.[41] El efecto se consigue por medio de un hábil contraste entre la antigüedad del río y la industria de los hombres que construyen la grandeza futura de la región; entre el pasado y el porvenir: una leyenda escrita y otra que empieza a tomar forma. La consistencia que se advierte en el estilo es quizás el efecto de una nueva manera de sentir. No se derraman tantas lágrimas, no se exhalan quejas; una especie de resignación, producto de la experiencia, hace más varonil su poesía amorosa. No les da trascendencia a sus aventuras sentimentales; trata de poetizar sus amores en estrofas breves de tipo becqueriano: son sus *Hojas sueltas*;[42] pero aunque el lenguaje es gracioso y ágil y el tono ligero, elegante, no se obtiene la sensación de milagro, de maravilla que en la *Rimas*. En *Páginas de la vida*[43] llegará más lejos: cantará con entera calma y hasta con afecto los días de un amor ido y acabado. Parece estar en condiciones de dictar un testamento poético y algo de eso hay en sus *Versos de otra época*.[44] Matta declara haber superado su sentimentalismo con una concepción trascendental del arte; no más versos raquíticos ni "patéticos cantares", nada de exhibir a todo el mundo "sórdidos amores".[45] El arte es como una religión y el poeta tiene un deber superior que cumplir. Por desgracia, cuando llega el instante de determinar esa misión del poeta Matta se entrega al apostolado de Lastarria y el producto es su *Poesía moderna*[46] o "científica" que indudablemente no vale nada.

Ya no volverá Matta a dar con el tono lírico y la belleza poética sino por casualidad. Discutirá los mil y un significados de la idea del Progreso, la duda metafísica vendrá mezclada a todas sus investigaciones sobre el conocimiento humano. Cada vez será más evidente que Matta es la víctima de sus propias palabras. Palabras, palabras, palabras. He aquí en lo que ha venido a parar su poesía. Todo sucumbe bajo el torrente de palabras: la emoción, la idea, el paisaje.

Matta fué un poeta de inspiración, cuando ya no la tuvo se transformó en versificador. Su *Pantheon de la historia* que iba a ser su obra monumental y trataría de artistas, filósofos, héroes y poetas de todos los tiempos, que pudieran ser considerados "como a los Dioses del pensamiento humano",[47] no es más que una colección de poemas sin el menor nexo que los una, sin rastros de grandiosidad, sin mayor significado que el que le presta el nombre de sus héroes: Fidias, Dante, Spinoza, Copérnico, Bacon, Shakespeare, Galileo, Cervantes, Juárez, Emerson, Beethoven, Alfieri, etc., etc.

El derecho de Matta a ocupar un sitio en la historia de nuestras letras no se basa ni en una épica del amor, ni en una alegoría filosófica, ni en una épica del patriotismo: su mayor mérito consiste en una pocas estrofas donde un hombre de sensibilidad y de inteligencia expresa la angustia de vivir y el ansia de penetrar los misterios insondables; los versos en que vence a un sentimiento enfermizo y envuelto en paisajes busca la esencia de su espíritu, ama y no se arrepiente ni se conduele de sus desilusiones, da gracias, a lo sumo, por haber podido sentir.

BLEST GANA

En 1847 apareció en la *Revista de Santiago* un poema titulado *La muerte de Lautaro* escrito por Guillermo Blest Gana (1829-1904) que a la sazón tenía solamente diecisiete años. El joven poeta se limitaba a parafrasear un episodio de *La Araucana*, al parecer siguiendo el consejo de su hermano Alberto —el célebre novelista— que consideraba a Ercilla como una especie de guía en la búsqueda del americanismo literario.[48]

La lectura de este ensayo poético no deja dudas acerca de la filiación del autor: su romanticismo, aunque balbuciente, se inicia por buen camino y demuestra que Blest Gana estudiaba los principios de aquella escuela en los grandes maestros franceses y españoles. Por supuesto, no basta ese poema para darse cuenta de sus facultades y es necesario que publique una leyenda —*Huentemagu*—, sobre un tema que Sanfuentes había tratado pocos años antes, para que sus cualidades de poeta lírico se impongan sin contrapeso en el ambiente literario chileno. Desde luego, Blest Gana probó que su concepto de la poesía nada tenía que ver con el neoclasicismo de Sanfuentes. En su versión de esta leyenda el sentimiento es el factor fundamental; ni le preocupa el contenido moral de la historia, ni trata de dar apariencias místicas a la narración. Para él la historia de Huentemagu es la de un amor sacrificado en aras de una promesa de dudosa justificación. Sus héroes no son ya las estampas religiosas de Sanfuentes, sino seres de carne y hueso, gente que ama y sufre. Gregoria renuncia a su amor y entra en un convento a penar su fatalidad. Por otra parte, el lenguaje del nuevo poeta era breve, delicado y envuelto en vaga musicalidad. Ofrecía un contraste violento con el academismo de Sanfuentes y la grandilocuencia de Matta.

Leída a la distancia acaso haya quien condene gran parte de la obra juvenil de Blest Gana por su dudosa sinceridad. La crítica puede censurar los dolores románticos como falsos y, por lo tanto, negar méritos a una poesía que se considera un simple artificio. Nadie dudará, sin embargo, que en la crisis de un Werther el subterfugio literario se identifica hasta tal punto con la observación genuina de un desequilibrio emocional, que la ilusión de autenticidad es perfecta; es decir, nadie podría afirmar exactamente cuándo la crisis deja de ser humana y se convierte en literaria, o cuándo Werther deja de ser hombre y se transforma en mito.

Blest Gana escribió su primer libro de versos —*Poesías*, 1854— sabiendo perfectamente que jamás acabaría como Werther, en otras palabras, consciente de estar representando un papel en un drama de limitada duración, pero nadie podría acusarle de falsedad ni siquiera de artificio. ¿Por qué no había de sufrir si —a juzgar por sus versos— la mujer de quien se enamoró acabó entregándose a los brazos de otro en aras del interés? ¿Por qué no había de quejarse si le metieron en la cárcel y le enviaron más tarde al destierro? Tal vez no se sentó como Rousseau a ver caer sus lágrimas sobre el lago, pero no tenemos derecho a negar la realidad de unos cuantos lagrimones. ¿Quién cree que su amargura fué eterna o que jamás volvería a amar en su vida? Nadie que esté en sus cinco sentidos. Pero como él no estaba en sus cinco sentidos cuando tenía veinte años tenía derecho a creerlo y proclamarlo en sus versos.

No se vaya a pensar que Blest Gana andaba llorando su pasión a gritos y derramando puntos de exclamación, puntos suspensivos y ayes por doquier. No, el relato de su desilusión es sobrio, viril, mucho más impresionante en su parquedad que los aspavientos de algunos contemporáneos suyos. ¿Cómo es posible que su poema No, todo no perece[49] permanezca en el olvido y no tenga un lugar en las antologías del romanticismo americano junto a ciertos Nocturnos que le son indudablemente inferiores en profundidad y emoción? Los hechos que narra no son espectaculares: se va amando e idealiza su pasión en el destierro; cuando regresa no hay lágrimas ni exclamaciones. Ella se ha casado, él se calla y simplemente se aleja. Desde entonces Blest Gana se dedica a poetizar su tragedia de adolescente. Busca incesantemente en su mundo interior, expresa su amargura en diferentes matices, se hiere, se consuela, suspira, parece alcanzar la calma, ilumina sus versos un recuerdo amable, pero vuelve a la melancolía, encuentra, sin duda, deleite en sufrir una pena tan seductora. Llega un momento en que el hombre —no el poeta— parece pronto a hundirse en la pasividad total, en la contemplación de un paisaje inanimado, vago, enervante. Como por encanto desaparecen de ese paisaje todas las figuras humanas:

> Mi alma flota en la atmósfera serena
> como un ángel que torna a su morada.[50]

Pero esa serenidad consiste en la indiferencia y ese ángel es un fantasma, un cuerpo sin voluntad que flota en el vacío. Su ambiente es el atardecer. El mar, la única presencia activa. A su lado se sienta otra sombra: el recuerdo, y allí esperan, el

poeta y su fantasma, inertes, melancólicos, apenas reaccionan
bajo el soplo de las brisas nocturnas y tan sólo para dar cabida
a presentimientos y temores.

Se alarma el lector ante la inminencia del peligro en que
se halla el poeta. No queremos que desaparezca en el caos,
instintivamente sentimos la necesidad de prolongar su dolor,
por literario que sea, y salvar así una inspiración que está dando resplandores cada vez más y más débiles. Afortunadamente la crisis se soluciona sola.

Un día Blest Gana traduce a Musset —Nuit de Mai— y
nos proporciona la clave para algunos de sus misterios. Ese
fantasma que solía sentarse a su lado en Constitución llegó a
Chile en un vapor de la Compañía del Pacífico...[51] La ter-
sura del verso, el sentimiento fino y recatado en parte fueron
también importaciones. El lector advierte una teoría detrás
de lo que se creyó una improvisación:

> Hay una poesía dulce, tierna,
> melancólica, vaga y misteriosa
> que nadie ha escrito, y que tal vez ninguno
> podrá jamás copiar en sus estrofas.

Esa poesía inefable se encuentra en la naturaleza:

> Son cantos sin palabras, armonías
> del himno universal, que el mundo entona
> cuando en ocaso las postreras luces
> su puesto ceden a las pardas sombras.

> Vive en las luces que en ocaso espiran,
> blanda murmura en las tranquilas olas,
> vaga en los ayes de la brisa errante,
> y en las riberas solitarias mora.[52]

Pronto el poeta descubre por qué la naturaleza del romántico más que una obra de Dios llega a ser la obra de sí mismo.
No se trata solamente de volcar el espíritu en un vago sentimiento de universalidad, la ventura del poeta consiste en crear
un contenido emocional para cada objeto del paisaje que describe. En la introducción a su leyenda La flor de la soledad[53]
Blest Gana expresa claramente esta relación entre el poeta y
la naturaleza:

Estraño poderío el que nuestro espíritu ejerce sobre la muerta materia, que hace de la naturaleza el espejo de nuestras emociones, la vibración de nuestra conciencia, la blanca cera que modelan las variadas modificaciones de nuestros ocultos sentimientos! [54]

En el paisaje busca entonces el contenido de su vida pasada. La infancia vuelve con la melancólica evocación de *Huenchullamí* donde en una metáfora típicamente romántica dramatiza la soledad que le acongoja en su adolescencia:

> Me encuentro aislado i solo, como un árbol
> a quien el huracán llevó sus hojas,
> i el corazón se oprime i a mis ojos
> involuntarias lágrimas asoman.[55]

De la ternura pasa a expresar la grandiosidad de aquella Piedra de la Iglesia que se levanta en Constitución como un templo frente al océano:

> ¡Oh! sí, Señor, conozco tu grandeza,
> de las olas entiendo los cantares
> cuando encorvan, jimiendo, su cabeza
> delante de tus rústicos altares. . .
>
> En este templo augusto en que arrobada
> mi alma toda, paréceme escuchar
> la oración de la tierra pronunciada
> por los trémulos labios de la mar.[56]

En 1857 cuando Blest Gana publica su leyenda *La flor de la soledad* es evidente que aun esta calma y este consuelo que le ofrece la contemplación de los paisajes de una edad feliz no bastan y —un poco por satisfacer a la crítica y en gran parte a causa de su madurez intelectual— se dispone a abandonar el melodramatismo de sus primeros versos y lo declara sin ambages:

> Yo no soi de esos Byron de quince años
> que, salidos ayer de las escuelas,
> hablan ya de dolor i desengaños. . .[52]

En la leyenda este cambio no se materializa, pues literariamente ella es un fracaso. Pero el poeta se ha dado cuenta de que creer por más tiempo en la realidad de una *pose* cuya justificación existió en las desilusiones de su adolescencia, ahora que las circunstancias la hacen forzada y hasta ridícula, equivaldría a condenar toda su obra a la artificialidad. Reacciona con muy buen humor. Su segunda obra, *Armonías* (1884),[58] es la que menos valor poético tiene en toda su carrera pero es —con excepción de los sonetos— la más genuina, la más vital, la más humana. Cuando no le inspira el apasionamiento trágico de su juventud, Blest Gana sonríe con ironía y se entrega a un sensualismo optimista, satisfecho, sin ninguna trascendencia. Logra, por fin, demostrar una voluntad y energía de vivir.

Halla especial halago en satirizar su pasado y en burlarse de los apuros del presente cuando, desprovisto de penas, agotado el repertorio de quejas y sin una mala lágrima que enjugar, tiene que escribir versos y no encuentra temas:

> Pero, vamos, ¿qué puedo
> decirte ahora?
> ¿Que eres tan pura i bella
> como la aurora?
> ¡Vaya una nueva!
> Hablar de sus tesoros
> a quien los lleva.
>
> ¿Te diré que tus ojos
> son dos centellas
> que ponen envidiosas
> a las estrellas?
> Eso es mui viejo,
> i prefiero dejarlo
> para tu espejo.[59]

A esta época en que el poeta se divierte pertenece también el soneto *Adan y Eva,* cuyos dos tercetos son dignos de recordarse:

> Radiantes de deleite i de ventura
> se contemplaban, cuando de improviso
> "¡Fuera! gritó el arcángel, ¡raza impura!"
>
> Adán, temblando, disculparse quiso
> i Eva "necio, esclamó, ¡si en mi ternura
> acabas de encontrar el paraíso!" [60]

Tal vez el mejor ejemplo de esta vena irónica y sentimental de Blest Gana es *El primer beso*,[61] que se ha ganado un
puesto en las antologías por la gracia del verso, el esmero del
estilo y la ternura que trasciende a través de todo el poema.

El proceso de evolución de esta poesía no se detiene aquí,
por supuesto. Blest Gana poseía un temperamento lírico
auténtico. Cuando ya no escribe por satisfacer una moda literaria, y la admiración por sus maestros —Espronceda y Byron
especialmente— deja de ser una idolatría, se derrumba el decorado de su drama romático, abandona la caracterización que
hasta entonces constituía su personalidad artística y se queda
solo, absolutamente solo frente al mundo. En este momento
en que el autor revisa el haber que le ha dejado la aventura
romántica se produce una revelación esencial: la melancolía
de Blest Gana —aprendida o no en fuentes extranjeras— se
ha transformado en la médula misma de su poesía. Un sentimiento así, verdadero, demanda una expresión también sincera. El poeta siente la responsabilidad de decir algo que
represente su reacción ante el mundo o, en caso de no hallar-
lo, de guardar silencio. Blest Gana descubrió en sí mismo esta
verdad, su verdad, y descubrió además que en su poesía que-
daba aún una entonación secreta, la postrera versión de su
vocabulario lírico para darle expresión.

La importancia de esta última fase en la evolución de
Blest Gana es grande porque en ella se basa lo más sólido
de su prestigio. De aquí surge Blest Gana como el poeta más
profundo de inspiración en la primera generación de románticos chilenos. Su actitud es de honda melancolía, pero el
desencanto no se debe a una amarga experiencia amorosa
ni a la impaciencia del joven por hacer comprender un mensaje que todavía no tiene forma; todo eso el poeta lo sufrió
cuando era un "Byron de quince años". Su querella es ahora
más trascendental, pero más sobria. Llega Blest Gana al final
de su vida con un tesoro de experiencias y obtiene la certeza
de que en ese tesoro no se encierra la llave de su propia felicidad. La nostalgia, la tristeza, el pesimismo de sus años mozos
eran el presentimiento de una sabiduría que cristaliza en la
vejez. Ahora puede repetirse lo que dijeran los hermanos
Amunátegui refiriéndose al espejismo de su amargura juvenil:

Hai en las comarcas del Asia, según cuentan los viajeros, árboles a los cuales deben hacerse ciertas incisiones siempre que se quiere sacar de ellos algunos de los exquisitos perfumes que son una de las riquezas más preciadas del oriente. El alma de Blest se asemeja a esos árboles del Asia. No produce sino cuando sufre; no canta sino cuando sufre; no canta sino cuando una pena le aqueja, cuando alguna herida le lastima.[62]

Pero esas penas no se declaran, ni las quejas se exhalan; las heridas el poeta no las deja ver. Los sonetos en que se adivina todo esto forman como un marco de sólida contextura donde la belleza parece ser el producto de una selección implacable. Sabio, triste, desencantado de la vida, presa de la desolación, escribe el poeta los versos de *Voy quedando tan solo:*

Voi quedando tan solo que me espanta
lo que de vida i padecer me resta:
ya no se une al bullicio de la fiesta
ronca la voz que espira en la garganta.

En vez de flores, la insegura planta
hojas secas encuentra en la floresta
i, donde hubo esplendor, nube funesta,
de lágrimas preñada, se levanta.

Sopla el ciclón que con furor me azota
i me empuja, entre sombras, al abierto
abismo inmenso de región ignota;

todo es sombrío, lúgubre, desierto,
mar sin riberas, donde sólo flota
la vieja nave que no encuentra puerto.[63]

Su espíritu busca al fin, como la nave de su verso, la salida de esa prisión que le atormenta. Los últimos años de su existencia le dan una aureola de viejo profeta. Solo, enfermo, viendo desvanecerse frente a los ojos la imagen de un mundo por el que pasó penando, de pronto el poeta alcanza la calma y comienza a dictar poemas, versos que no se sabe si son producto de la improvisación o del recuerdo. Sonetos perfectos, pensamientos, frases sueltas, trozos de leyendas... La salida se vislumbra, el poeta serenamente se inventa la última espe-

ranza. La última. Orrego Barros, el compilador de su obra,
ha dejado una admirable semblanza de Blest Gana en sus
últimos años y del ambiente en que espera su fin:

> Después de trasponer la mampara i cruzar el pequeño patio
> enlosado, donde los helechos extendían a la sombra sus abani-
> cos de hojas verdes, entré a su cuarto.
>
> Era una pieza casi desnuda que, en su sencillez, hacía recor-
> dar la celda austera de un convento. Las paredes sin adornos,
> las ventanas sin colgaduras, algunos cuadros místicos, retratos i
> relojes era todo lo que se veía en las murallas. Con frecuencia
> sus ojos permanecían fijos en esos retratos, como si evocara un
> recuerdo que lo hacía vivir otra vez en el pasado i con más fre-
> cuencia miraba la aguja que seguía indiferente i fría su camino
> en la esfera del reloj, como si quisiera adelantarse al porvenir.
>
> Parecía sentir esa singular preocupación del tiempo, esa ne-
> cesidad estraña de saber la hora que esperimentan los que se
> acercan a la muerte, como una misteriosa fascinación de la eter-
> nidad que se aproxima.[64]

En este ambiente resulta impresionante imaginar al poeta
dictando su famoso soneto A *la muerte*.

> . . .la barba larga i desgreñada, la nariz aguileña, los ojos cla-
> ros i serenos, velados por un sueño vago, los cabellos canos que
> a su ancha calva parecían formar una corona vaporosa i plateada,
> i sobre todo, esa espresión de bondad, de resignación. . . Hundió
> su cabeza venerable en las plumas del amohadón i sus ojos claros
> velados por un tul vago de ensueños, se fijaron en mí tan sua-
> vemente, que parecían no mirarme. . .[65]

He aquí lo que dictó:

> Seres queridos te miré sañuda
> arrebatarme i te juzgué implacable
> como la desventura, inexorable
> como el dolor, i cruel como la duda.
>
> Mas hoi que a mí te acercas, fría, muda,
> sin odio i sin amor ni osca ni afable,
> en ti la majestad de lo insondable
> i lo eterno mi espíritu saluda.
>
> I yo, sin la impaciencia del suicida
> ni el pavor del feliz, ni el miedo inerte
> del criminal, aguardo tu venida,

que igual a la de todos es mi suerte:
cuando nada se espera de la vida
algo debe esperarse de la muerte![66]

Blest Gana resumió la significación de su poesía en estas
palabras:

Los versos que hacen los poetas de ahora, aquí en Chile i
en América en jeneral, se lo digo con toda sinceridad, no me
agradan. Ellos dicen que la poesía va progresando, que debe ser
filosófica, es decir, a lo que entiendo, debe nacer más del cerebro
que del corazón, como si en la poesía antigua no hubiera filosofía, como si además de la filosofía del cerebro no existiera la del
corazón, al que nos enseña la vida . . .como viejo diré que éstas
son novedades pasajeras, como lo fué el decadentismo i que la
única poesía que puede vivir i que usted debe hacer, si quiere
que sus versos no duren lo que las rosas de verano, es bella poesía,
poesía suave, verdadera i sobre todo con mucho sentimiento.[67]

Poco después, cuando el siglo XIX se acerca a su fin, los
poetas no dirán sus pensamientos tan candorosamente. Los
postreros lazos que unen su conciencia a la realidad saltarán
cortados por la espada invisible del simbolismo. Blest Gana
siente un vago orgullo en su ancianidad. Y quizás tenía razón,
porque la ternura y la suavidad que recomienda le salvan a
la postre y cambian su pesimismo en un sentimiento dinámico
y positivo. Se va con la última esperanza intacta.

SOFFIA

Cuando José Antonio Soffia (1843-1886) publica su primer libro de versos[68] puede decirse que Bécquer dirige sin
mayor contrapeso el camino de los poetas románticos chilenos.
No se debe inferir que la poesía de Soffia sea una imitación
de las *Rimas*. Pudiera afirmarse que la influencia de Bécquer
no se distingue con claridad sino en una media docena de sus
composiciones. Se trata más bien de una comunidad de ideas,
de simpatía a la distancia. Acaso pudiera reducirse a una fuente de inspiración común a Bécquer y los románticos chilenos:
Heine. La verdad es que el romanticismo de tono menor y
el verso como asombrado que descubre la maravilla en el dia-

rio acontecer se incorporan a la obra de Soffia y otros poetas
de su tiempo para no desaparecer ya de la literatura chilena.

Tres aspectos de la poesía de Soffia dan una idea clara
de su significación: su romanticismo inicial, la superación de
este romanticismo en una calma comunión con el espíritu
de Dios y, finalmente, la contextura clásica de su estilo.

La historia sentimental que narra Soffia en sus páginas es
cristalina como un cuento de hadas. Se enamora, no se atreve
a declarar su amor, se atreve y le aceptan, sufre una separación, se casa y vive feliz por el resto de sus días. Junto a los
resoplidos de Matta y los ejercicios a que somete a sus heroínas en el fuego de su imaginación, los versos de Soffia pare-
cerán temas de escuela parroquial y, sin embargo, hay quienes
los prefieren así en todo su candor. Blanco Cuartín defendiendo a Soffia dice:

> Por lo general, se cree que el que cultiva la poesía debe ser,
> no un marido enamorado de su esposa, sino amador de todas las
> mujeres, una especie de Lovelace que haya seducido y abando-
> nado, por lo menos en el papel, a un centenar de hermosuras.[69]

Soffia cuenta con absoluta sencillez haber visto una muchacha a quien no pudo más que entregarle su vida:

> Tienen, niña, tus ojos tal pureza
> que algo del cielo se divisa en ti:
> bonita de los pies a la cabeza
> mujer cual tú no vi!
>
> I no conoces el amor que inspiras,
> i amas acaso, sin saber por qué. . .
> No sabes que la gloria cuando miras
> en tus ojos se ve!
>
> ¡Qué has de saberlo! si decir oyeras
> que inspiras dulce, sin igual amor,
> con casta timidez te enrojecieras,
> temblaras de rubor! . . .
>
> Mas, por tu mal, preciosa sensitiva,
> habitas este mundo, eres mujer,
> i de estraña inquietud la llama activa
> abrasará tu ser. . .

Lei es amar... i si el ardiente anhelo
de un puro afecto te atormenta ya,
no tema tu virtud: —también al cielo
por el amor se va!!...[70]

Ella, indiferente, no parece sentir el efecto de sus miradas:

Hermosa como una estrella
la acabo de ver pasar:
está, como un ánjel, bella...
¡i yo que muero por ella
que no la pueda ni hablar!

...Distraída, indiferente,
derramando luz, pasó:
yo la miré de repente
i mi corazón ardiente
como nunca palpitó.[71]

La describe sin recurrir a perlas ni a corales. Como la ve
en el milagro de cada día:

¡Cuánto le sienta su enlutado traje
que reaiza lo blanco de su tez!
No la adornan ni el oro ni el encaje:
¡más encanto le da la sencillez!...[72]

Sus pesares no son trágicos, no buscan el desahogo en lamentaciones apocalípticas; prefiere callar sobriamente. Su
verso se desliza suave y con serena tristeza. Hay algo de lúci-
do, de inteligente y, al mismo tiempo, profundamente juvenil
en esta poesía de un primer amor. Parece el idilio de un colegial. Pero de un colegial chileno, y aquí se halla la contribución original de Soffia al romanticismo nuestro. Conocien-
do la más pura tradición clásica de la poesía española —como
lo prueban sus sonetos— pudo haber penado en arte mayor
y en lenguaje elevadísimo. Tal vez su juventud le salvó de
hacerlo. Porque en vez de darnos retórica, inicia una conversación en tono familiar, con un dejo de vaga ironía, más bien
triste, pero tierna y graciosa; su acento es chileno: lacónico
pero suave. Habla de *La niña de ojos azules* y aunque se ve
en el poema la tradición viva de los Cancioneros españoles,
la voz que canta es criolla, podría transformar una copla en un

esquinazo. En vez de gritar con Espronceda, suspira con Bécquer, traduce con cariño a Heine.[73]

Cantará a la luna, al mar, a la soledad, derramará unas
pocas lágrimas en la ausencia, elegirá el crepúsculo para refle-
xionar, la flor que le enternece será la violeta, pero jurará con
una siempreviva en la mano; la nostalgia, la libertad, el ansia
de buscar lo desconocido, la muerte, harán vibrar su poesía:
su romanticismo será típico. Soffia, sin embargo, se halla
unido a la poesía chilena del modernismo por lo inusitado de
su sobriedad; una actitud que dejó ver algo del temperamento poético nacional. Su pasión deja de tener interés cuando el
poeta alcanza su objetivo.[74] Se pregunta el lector ¿qué podrá
cantar ahora que el amor no es ya un problema? Canta a su
esposa... pero con gran mesura. El poeta de vez en cuando
rememora los tiempos viejos, se duele un poco de la rapidez
con que todo pasa y da afectuosos consejos a los jóvenes. Pero
esto no basta. Soffia no perdió jamás la inspiración y hay en
su vida un proceso poético de superación que le salvó cuando
parecía que su carrera llegaba al término. Empieza a notarse
desde sus primeros versos. A veces se pregunta si lo que ama
no es, en realidad, un imposible, no es buscar el cielo en la
tierra. Se advierte su esfuerzo por determinar ciertos valores
que regularán su creación. En un poema define la poesía en
términos de *bondad, consuelo* y *alegría.* Un estado de ánimo
deprimente que en otro poeta pudiera llegar a ser característico, Soffia lo atribuye a la soledad y a su falta de creencias.
Mira las estrellas y en vez de tejer imágenes alrededor de una
pasión, descubre, de pronto, que son "de la epopeya de los
buenos las cifras misteriosas".[75] Un valor se impone: la virtud. En el paisaje, en el amor, en su definición misma de la
poesía, sostiene la necesidad de purificarse en la realización
de sus sueños, de alcanzar la comunidad espiritual con Dios.
Pero su misticismo no es densamente metafísico como el de
algunos modernistas influídos más tarde por la filosofía hin-
dú, ni es católico militante. No predica, no combate, no
duda. Su fe es puramente cristiana, sin presunciones, es la fe
de un hombre bueno. Los asuntos de su poesía serán "la contemplación de Dios, las maravillas de su misericordia y las mil
y una grandiosidades de la naturaleza".[76]

Sentirá la inquietud romántica de emigrar a otras playas,
la nostalgia de lo lejano:

¡De otro desdén el deseo me inquieta
i el mundo me cansa!
¡Quién pudiera, dejando esta vida,
volar a otra patria! . . .[77]

Pero su deseo de partir halla una meta, esa búsqueda que
arrastra a otros a la desesperación, a Soffia le apacigua porque
va acompañada de la seguridad de encontrar un puerto:

¡Quién pudiera, Señor, hallar pronto
las célicas playas,
donde eterna es la dicha i eterna
tu luz sacrosanta![78]

Su impaciencia es momentánea; le busca expresión en la
leyenda bíblica de *El hijo pródigo*[79] y la satisface plenamente
en la traducción de los Salmos de David. Parte de esta tranquilidad espiritual serán sus himnos al trabajo, a la educación; su poesía para los niños como el cuento de *Lalage y
Carlos*,[80] su purísima leyenda *La fuente de la vida*[81] en octosílabos, donde el conquistador Ponce de León descubre el
símbolo de la libertad. El soneto se va a transformar en su
forma métrica preferida y con acento del más acendrado
clasicismo cantará a sus héroes literarios Dante, Petrarca,
Quintana; al demócrata Franklin y a Cuba en la guerra por
su independencia.[82]

Producto de esta serena inspiración y del celo de orfebre
con que trabaja ahora para ceñir la belleza en pocas palabras
es su intento máximo en el género descriptivo: *Aconcagua*.[83]
A pesar de que los ideales clásicos le dominan cada vez más,
Soffia no describe ni como Bello ni como Heredia: ni hace
uso de la enumeración retórica ni crea una visión de exaltado
tropicalismo. Su poema contiene un cuadro de dibujo exacto,
de color medido, optimista en la emoción que de él trasciende pero no eufórico.

He aquí algunos ejemplos:

Con el maitén de perennal verdura
se entrelazan el boldo i el canelo;

sus frutos de suavísima dulzura
sazonan el durazno i el ciruelo;
luce el almendro su precoz blancura,
el frondoso nogal se eleva al cielo;
i el naranjal los bosques seculares
cada estío corona de azahares.

(p. 404)

Su descripción de los ríos de Aconcagua se asocia a la visión de los pueblos:

Torrente bienhechor que se desprende
de la hermosa, nevada cordillera,
viene a dar hermosura que sorprende
al valle inculto i la feraz pradera.
En su lecho de grama el riel se estiende,
vuela veloz el tren en su ribera,
i de humo i chispas la encendida nube,
incienso del trabajo, al cielo sube! . . .

(p. 405)

Cuna de injenios i de amores nido,
guarda de oro Petorca inmenso manto.
Del no lejano mar al grato ruido
la Ligua del trabajo entona el canto.
San Antonio, en sus montes escondido,
guarda de sus riquezas el encanto:
San Felipe es heroico ante la historia,
los Andes vida, i Chacabuco gloria! . . .

(p. 406)

Este mesurado regionalismo hará escuela en Chile; prosistas y poetas cantarán a la tierra con un sentido práctico que permite una mínima elaboración artística. En Soffia tal tendencia no causa perjuicios pues su espíritu esencialmente lírico parece indicarle siempre el momento en que lo objetivo se transforma en prosaico. No llega a identificarse con los criollistas de hoy que suelen exaltar la tierra por los frutos que ella ofrece, sus alimentos y sus vinos, por la frescura de sus ríos y la sombra de sus árboles, es decir, sintiéndose unidos a ella mientras aprecian su valor exacto e inmediato, sin esforzarse por dar a esta relación un contenido emocional ni tratar de encontrarle una interpretación filosófica.

El regionalismo escaso de Soffia tiene una raíz espiritual. Busca a Dios en el paisaje y por accidente le da a Dios una ciudadanía. De Soffia puede afirmarse lo que Torres-Ríoseco ha dicho de Gonçalves Díaz: "muestra en sus obras un romanticismo cristiano, matizado por paisajes suaves y por una vaga melancolía." [84]

Acaso el poeta chileno aprendió el camino de su panteísmo en el autor de *Poesías americanas,* por lo menos tradujo dos de sus poemas: *Cómo te amo* y *Riqueza del poeta.*[85]

La popularidad de Soffia se mantiene en Chile especialmente a causa de su composición *Las cartas de mi madre,*[86] que todos leímos y tratamos de memorizar cuando íbamos a la escuela. En un tono menos acostumbrado el poeta compone un canto lleno de ternura en que lágrimas maternales se mezclan con la primera angustia de un amor adolescente; el niño siente una extraña emoción ante la imagen confusa que le mira desde el poema: un rostro joven envuelto por el halo de la vejez; llega un momento en que la pena amorosa no se distingue del amor filial y parece que el joven ve sufrir a su madre la mortificación que hubiese querido provocar en la novia indiferente. Sentimentalismo provinciano. Tal vez. No me parece un pecado, no obstante, elogiar la forma esmerada de su verso conseguida siempre con naturalidad y la intención cristiana de su mensaje. No nos preocupemos de la altura de su vuelo, ya que sabemos de antemano que llevaba las alas recortadas, cosa que pareció satisfacerle inmensamente.

LILLO

Don Eusebio Lillo (1827-1910) fué una de las víctimas más simpáticas de la retórica chilena del siglo XIX. En sus versos siempre hay anuncios de una obra que jamás llegó a ser realidad. Los críticos de su tiempo esperaban el largo poema que iba a descubrir un temperamento romántico extraordinario, acaso en un canto de las glorias guerreras de Chile, acaso en la interpretación delicada y profunda de una gran pasión. En 1856 Torres Caicedo pronosticaba:

> Sabemos que Lillo tiene un gran número de poesías sueltas y algunas leyendas; y también sabemos que tiene genio sufi-

ciente para producir más de lo que ha producido hasta ahora. Al darle un lugar en nuestros descarnados apuntes biográficos, y ponerlo al lado de Bello, Caro, Olmedo, etc., es porque reconocemos en el poeta chileno inspiración y todas las dotes necesarias para conquistarse uno de los primeros lugares entre los literatos americanos.[87]

Los Amunátegui, por su parte, se dolían en 1861 de la "ociosidad" del poeta y le invitaban a descolgar su lira "para encanto de sus oyentes, satisfacción de sus amigos e incremento de su gloria".[88]

Don Eusebio dejó a todos esperando y, desde sus versos sencillos, mediocres y perfumados, sonrió con ironía o, más bien, con un poquito de tristeza, como diciendo "yo también sabía que podía ser un gran poeta, pero ¿por qué darme el trabajo de averiguarlo?"

La retórica del neoclasicismo español del siglo XVIII más la retórica de Espronceda y Zorrilla y la otra que heredó de don Andrés Bello fueron como un lastre que hicieron naufragar cada barco o botecillo en que don Eusebio pretendió surcar las corrientes de la poesía. La mayor parte de sus naufragios son incidentes menores: sonetos, silvas o tonadillas que se hunden en el lago de un parque y dejan al autor mojado pero optimista. En cambio, hay otros que podrían llamarse naufragios trasatlánticos como los *Recuerdos del proscripto, El ángel y el poeta*...

La primera sección del libro que contiene las poesías de Lillo[89] se titula *Flores* y en ella juega el poeta delicada y melancólicamente con símbolos del amor que se repiten hasta llegar a ser convencionales.

La concepción de estos poemas es mediocre. Presentimos que la inspiración del poeta nunca le llevará a grandes alturas, pero al mismo tiempo apreciamos la sobriedad de su estilo, el tono menor, casi humilde de sus palabras. A medida que avanzamos en la lectura de sus *Poesías varias* (pp. 45-122) el peso de la retórica y de las reminiscencias clásicas nos va agobiando, buscamos en poemas como *El Imperial* (p. 54), *Recuerdos de Santiago* (p. 59), *Lima* (p. 63) el sentimiento auténtico de amor a la tierra, la conciencia de un americanismo que Lillo, como poeta romántico, debía exaltar, pero todo es en vano. Sus metáforas son torpes, sus ideas convencionales, sabe medir bien sus versos, pero ¿de qué sirve el dominio de la métrica si esa métrica es una mordaza para la imaginación, una dictadura de las voces que el poeta aprendiera en los clásicos españoles?

En sus *Recuerdos de Santiago* don Eusebio, para no desentonar con sus ilustres modelos, llega a crear la siguiente imagen del Mapocho:

> Suelto en fugaz y límpida cascada
> Mapocho de los Andes se desprende,
> como senda ondulosa y plateada,
> y por tu valle con amor se extiende,
> donde la flor le espera perfumada.
>
> (p. 60)

¿Qué parentesco tienen el verdadero Mapocho de amarillas aguas, sus cortes de harapientos, sus perros moribundos, sus bandidos y borrachos, su Puente de Cal y Canto y las tenebrosas cuevas de Las Hornillas, con esa senda plateada que corre por páginas de papel *couché* hacia un valle de flores y verdes prados? ¡Curioso que estos románticos admiraran e imitaran el terror gótico de Espronceda y Zorrilla, de Hugo y Gautier, de Bürger, Schiller y las Brontë, sin darse cuenta que el horror de los horrores y la flor de la violencia estaban allí mismo en la colonia de Chile, en los feroces asaltos de los indios, en los crímenes místicos y sensuales de damas endemoniadas, en las intrigas sanguinarias de una sociedad supersticiosa y miserable!

No es siempre Lillo poeta de lugares comunes. El sonsonete decasílabo como en *Rosa y Carlos* (p. 48), así como el uso oportuno de los endecasílabos y heptasílabos, contribuye al encanto de *A una guayaquileña* (p. 66). En cambio, la mayor parte de sus sonetos son amanerados; reflejan la influencia italiana que pudo recibir directamente o a través de imitaciones clásicas españolas. Tres, sin embargo, sobresalen en este libro y pudieran contarse entre lo más inspirado que produjera Lillo. El primero (p. 89) es una variación sobre el tema del "junco" —flor que para Lillo posee diferentes valores simbólicos—, esta vez descrito con la frente inclinada sobre el agua que pasa. La ejecución es límpida y precisa, no cae el poeta en vulgaridades sentimentales y hace gala de verdadera elegancia en las imágenes amorosas. En el segundo (p. 90) Lillo describe con sencillez el significado especial que para él poseen las estaciones del año. Y el último (p. 91) —quizás el mejor de los tres— tiene algo de la mundana ironía de los versos del modernismo dariano:

> Me place recostado y soñoliento
> y entre las nubes de humo de un habano
> dar rienda suelta al pensamiento vano
> y fingirme dichoso y opulento.

> Gusto también de averiguar sediento
> de la botella el delicioso arcano:
> y entre mis labios recoger ufano
> de una morena el delicado aliento.

> Olvido en los placeres mis enojos,
> de los pesares de la vida río,
> cumplo o dejo sin pena a mis antojos;

> mas la indolencia del carácter mío
> cede obediente, si los bellos ojos
> de Belisa, me miran sin desvío.

Deseos (p. 71), una composición que Caicedo alaba con entusiasmo,[90] es de lo más típico del temperamento poético de Lillo. Es una elegancia la suya de salón de fin de siglo. Bellezas blancas, vestidas en vaporosos encajes, un tanto marchitas de tanto esperar en la penumbra de las viejas estancias la llegada de los patilludos galanes, reciben emocionadas el homenaje del poeta en sus álbumes nacarados. El verso cae como polvillo de oro bajo un cielo de palomitas gordas y guirnaldas de nomeolvides.

Don Eusebio Lillo sólo tuvo la tentación de la obra magna, pero jamás pasó más allá de una introducción, de un fragmento o de un primer acto. Léase el comienzo de una leyenda que tituló sin rubores *Loco de amor* (p. 125), y el retrato de la heroína nos bastará para dar gracias a Dios que la amenaza no llegara a realizarse. Se trata de uno de esos clisés donde se separa cada miembro de la mujer en una estrofa y el poeta canta a un pelo de oro, a una frente de nácar, a unos ojos de cielo, a una boca de grana, a una garganta de cisne y... nunca se llega más abajo de la garganta. Los *Recuerdos del proscripto* (pp. 134-43) ofrecían buena base para una obra de mayor envergadura. Dentro de la retórica romántica Lillo declama su adiós a la patria, llora su nostalgia desde playas lejanas y evoca una guerra civil que pudo servirle de pábulo para expresar su encendido liberalismo y aparecer como el auténtico poeta del pueblo. A poco andar la inspiración le abandona, el verso nunca logra elevarse de su marco retórico y el poeta no consigue convencernos de la sinceridad de su nostalgia ni de la realidad de esa lucha revolucionaria. En *El ángel y el poeta* (pp. 150-1) pretende hacer un despliegue de hábil versificación y fantasía. La visión sobrenatural pierde grandeza por lo superficial del lenguaje y las vulgaridades a que tiene que recurrir bajo el imperio de la rima. Por lo menos, rinde homenaje a sus héroes literarios: Homero, Byron, Zorrilla, Lamartine, Hugo y Espronceda.

¿Qué decir de la *Canción nacional de Chile* sin ofender los sentimientos patrióticos de nadie? ¿Decir con el mismo Lillo que la primera estrofa es muerta pero que en las demás hay mayor soltura e inspiración? ¿Decir que es retórica? ¿Decir que el todo sufre de frialdad operática? La última observación podría ser motivada indirectamente por la música. Quizás lo más justo fuese recordar que Lillo escribió la *Canción* a sus veinte años y que, naturalmente, en ella dejó marcas de las bondades y limitaciones de su adolescencia poética.

Como autor de nuestro himno Lillo tendrá siempre una aureola de gloria, a pesar de todas las críticas que puedan hacerse a su obra poética. Es posible que las antologías del futuro no acojan sino muy pocos de sus versos. Quizás *Los deseos* o *La moribunda* solamente. La personalidad del poeta continuará, no obstante, siendo objeto de veneración, porque Eusebio Lillo es una de las figuras más típicamente románticas —en el sentido heroico de la palabra— del siglo xix chileno. Nació a la fama en 1844 junto a una tumba —como Zorrilla— cantando a un prócer del liberalismo, don José Miguel Infante. Polemizó desde *El Comercio* contra las huestes de la reacción. Trabajó junto a Lastarria en la *Revista de Santiago* y apoyó la causa de Bilbao en *La Barra* y *El Amigo del Pueblo*. Combatió con las fuerzas revolucionarias del partido liberal y después de la derrota de 1851 tuvo que expatriarse a Lima. Balmaceda vió en él un símbolo de la orientación democrática de la cultura chilena y le hizo jefe de su primer gabinete.

Aislado en su vejez, las generaciones modernistas pasaron a su vera sin reconocerle, pensando acaso que en 1910 don Eusebio Lillo, cantor de la Independencia, no era sino un recuerdo de la patria vieja. Y él les pagó en la misma moneda porque su poesía refleja una indiferencia completa por las nuevas modas literarias. Jamás pareció inquietarse ante el color ceniciento que sus versos iban adquiriendo frente al derroche primaveral del modernismo. Dentro de los límites de su poesía amorosa Eusebio Lillo respira serena y satisfechamente. Vivió amando y sirviendo a la patria. Ironía parece que la muerte del poeta ocurriera el año del centenario de la Independencia de Chile, ironía porque no dejó ninguna obra que resumiera tan nítidamente como ese hecho su entrega total a la causa de la libertad de nuestro pueblo.

Arteaga Alemparte

Injusto sería no mencionar junto a Lillo el nombre de Domingo Arteaga Alemparte (1835-1888), periodista y orador liberal, estudioso de las literaturas clásicas, ensayista, historiador y poeta. . . por añadidura.

Vicuña Mackenna dice que Arteaga "era un poeta paisista como Delille i, al mismo tiempo era un poeta estético i sentimental como Lamartine. . ." [91] Preferimos creerle a Blanco Cuartín que, sin tantos alardes, declara simplemente:

> Cuando era apenas un adolescente compuso versos; mas a pesar de abrigar alma perfectamente lírica, la poesía no hizo otra cosa que enderezar su inclinación llevándole a otro jénero de trabajos más en armonía con su espíritu indagador a la vez que práctico.[92]

Sin embargo, por muy adolescentes que sean los versos de Arteaga no se puede negar que ellos reflejan sinceridad y elevación de pensamiento y aún cierto matiz romántico bajo el influjo del amor a la tierra y del pesimismo filosófico del autor. Indudablemente Arteaga no llega jamás a dominar el verso como Lillo ni alcanza la pureza lírica sostenida de Soffia o Blest Gana. No es una figura de primer plano. Pero ¿cómo no señalar la importancia que su revista *La Semana* tuvo en el desarrollo de la poesía chilena a fines de siglo, cómo desconocer la sobria belleza de algunos de sus poemas didácticos?

Al juzgar sus versos es necesario recordar que Arteaga obtuvo sus mayores éxitos literarios en el terreno del ensayo;[93] es decir, las cualidades fundamentales de su genio —concentración, parquedad y vigor— se oponían a la expresión libre de sus tendencias líricas. Cuando escribe versos, por muy sentimental que sea el tema (*A mi madre al partir*, p. 3), su lenguaje adopta una rigidez que destaca tal vez la nobleza de sus ideas, pero que aniquila el efecto artístico. Es el ensayista que se aventura por el terreno de la métrica. Si el contenido de un poema se presta a la dureza de su expresión el resultado suele ser más favorable, como es el caso de *A la muerte del General John Moore* (p. 9) donde Arteaga aparece viril, sobrio y en lo escueto de la descripción y el contrapunto entre las ideas de libertad y la admiración por el héroe, alcanza, evidentemente, fuerza dramática. Su *Himno a la Esperanza* (p. 23) es claro, inspirado y hasta parece encendido de pasión, especialmente en aquellas estrofas donde se exalta la esperanza de los oprimidos y la visión de su independencia; no obstante, se advierte de inmediato que la debilidad del poema radica en lo abstracto de sus elementos. De nuevo Arteaga se expresa como ensayista. La fe, la justicia, la libertad, la verdad, la maldad y el dolor, en sí, por muy alto que se les cante, no consiguen provocar la emoción estética. Sirven, a lo sumo, para hilvanar un sermón, no para crear una obra de arte.

Una y otra vez resalta esa artificialidad del hombre de ideas que ha perdido entre las páginas de un libro el drama real de las criaturas humanas y se ha quedado tan sólo con un collar de palabras. Es el intelectualismo de la obra de Lastarria, de las narraciones de Sanfuentes, de las arengas de Matta, de la frialdad académica de la historia de Barros Arana y de la crítica de los Amunátegui, es el pecado de una generación: la mesura, que perjudicó especialmente nuestra poesía y que provocó la sincera duda de la crítica extranjera sobre el temperamento artístico de los chilenos.

Un buen ejemplo de que cierta poesía chilena del siglo XIX no era, en verdad, poesía, sino estéril versificación lo ofrece ese intercambio de horrorosa —permítasenos el adjetivo— retórica entre Arteaga y Adolfo Valderrama que aparece en las páginas 83 y 89 del libro de versos del primero. He aquí el tono, la actitud y la esencia de una versificación que podría llamarse "escolar" y que es el producto de una buena educación y de un pésimo gusto.

Extraño parece que estos autores alcanzaran alguna vez a salvarse de la epidemia neoclásica y produjeran versos de auténtica belleza y sentimiento. Arteaga ofrece algunos de estos aciertos. Su *Oda al dolor* (p. 103) representa un esfuerzo importante; la expresión es noble, jamás dañada por la rima, el pensamiento casi siempre nítido, con excepción de aquellos versos donde el autor se enreda en su sintaxis y por salvar el concepto sacrifica la poesía. Pero el efecto final es de profundidad clásica, de austera emoción. Asimismo, *Luz y calor* (p. 41) sobresale entre las composiciones de índole filosófica y los sonetos *El llanto* (p. 123) y *La risa* (p.127), particularmente el último, son perfectos en la forma y prueban que el autor puede en momentos de rara inspiración elevar su reflexión filosófica al plano de la más pura poesía. Algunos versos del romance *El hombre propone y Dios dispone* (p. 36) son finos y delicados como en la evocación que hace el marino de su casa lejana y su bella enamorada; el final trunco del poema sería un acierto notable porque está en la naturaleza del romance el interrumpir la acción cerca del desenlace, pero decimos "sería" porque parece que el poeta detuvo allí su historia involuntariamente y no la terminó por falta de tiempo o interés. En todo caso, es su producción más típicamente romántica. Palabras sencillas se requieren para resumir los valores de una obra tan escasa y por ello citamos las siguientes frases del homenaje de Jacobo Edén[94] a la muerte de Arteaga:

> Poeta casto. Ha cantado a la Patria, al dolor, a la esperanza.
> Después de eso ha cantado al amor, pero en abstracto, puro, gran-

de, buscando lo Ideal. Aun en el amor, esta sublime locura del alma, Domingo Arteaga era sobrio, reflexivo, ¡iba a decir académico i clásico!... Tuvo en sus últimos días una ardiente historia de amor que se ha repetido en discreto silencio. Fué el último destello, como la última emanación de aquella alma rica... La poesía de Domingo Arteaga es pura, correcta, alta; es también pensadora... Sus versos no son de aquellos que se ponen como modelos en los cursos de literatura (p. xxvi).

¿Qué otra cosa se puede esperar de un libro donde se canta en versos de factura clásica a la Esperanza, al Amor, al Dolor, al Honor, al Deber, al Ideal y al Trabajo? ¡Todo, todo en mayúsculas! Ningún aire de primavera, ciertamente, ninguna coquetería lírica ni malabarismo intelectual. Ningún estupor romántico, que no sea una vaga nostalgia o un pesimismo denso, varonil y, por ello, prosaico. En cambio, hallamos seriedad y sentido común en abundancia, precoz melancolía, presentimiento de la vejez a los veinte años y de la tumba a los cuarenta. En poquísimos instantes arde la pasión, y la imaginación nunca se desata. Pero ¿de veras amó este hombre? Se pregunta el lector. Sabemos que sufrió mucho, pero ¿y esa pasión que insinúa Jacobo Edén por qué no buscó salida en sus versos? Quién sabe si en vez de censurar su frialdad y plantear preguntas retóricas no debiéramos estar agradecidos por ese amor que se quedó mudo en el tintero.

Eduardo de la Barra

No sería una exageración decir que de todos los escritores chilenos de la segunda mitad del siglo XIX ninguno ambicionó tanto ser poeta como don Eduardo de la Barra (1839-1900), y, debiera agregar, tan poco le faltó para serlo, que se justifica la ilusión en que él mismo vivió y los críticos de su época compartieron. De la Barra sintió todo lo que un poeta debe sentir, expresó sus emociones y sus ideas en cuanta forma métrica se usa en castellano, echó mano de todos los estilos, de todas las fuentes de inspiración y no consiguió crear auténtica poesía sino en raras ocasiones.

Y, sin embargo, no es posible descartarle con ligereza. Nadie que estudie la poesía chilena sin prejuicios puede negar que De la Barra constituyó una influencia poderosa en su época, que animó el ambiente literario de 1860 y 1880 con tanto ímpetu, aunque en terreno diferente, como Bello, Sarmiento, Matta o Lastarria.

Era el suyo un espíritu artístico privado del don de la originalidad. Un delicado instrumento, un eco de finas modulaciones, hondo a veces, ligero o sarcástico, tierno o violento, patriótico, apasionado, amoroso, un florido eco de voces ilustres en la poesía europea. Pero esta misma debilidad se transformó en un aliciente para sus amigos y sus discípulos, porque en sus versos estaba tan nítida y variada la emoción lírica, que entrañaba como una invitación a seguirla y superarla. La poesía de De la Barra era como una cantata a varias voces y quienes la escuchaban sentían el impulso de incorporarse al coro. De allí a ganar coraje y, sobresaliendo, constituirse en un solista no había más que un paso —para quienes podían darlo— y Darío lo dió, entre otros.

Bello enseñó a los jóvenes chilenos a leer las obras maestras de la literatura europea. De la Barra, a gustarlas imitándolas. Porque conocía el mecanismo de ellas a la perfección. "Él ha sido —según su biógrafo Leonardo Eliz— el eterno corrector de versos de dos generaciones, desde Soffia hasta hoy, y ha corregido y revisado libros enteros con inagotable paciencia y desinterés." [95]

Ha sido también el vencedor empedernido de cuanto concurso poético se realizara en su tiempo. Ganó el Certamen del Círculo de Amigos de las Letras en 1850, el de la Exposición Internacional de 1875 y la sección de poesía lírica en el famoso Certamen Varela de 1887. Superó a versificadores de prestigio y aún a poetas como Darío, pero si se toma en cuenta los principios estéticos del jurado que se reducían a considerar todo lo bien medido como excelente, De la Barra sólo probó con sus triunfos que era el mejor contador de sílabas y distribuidor de rimas.

Refiriéndose a una de las composiciones de su primera obra poética[96] De la Barra hizo la siguiente observación que pudiera calificarse como típica de su actitud literaria:

Después de impreso este juguete en que he tratado de imitar el estilo de nuestros poetas a principios del presente siglo, he venido a advertir que debía haber preferido la *décima* al *romance*, pues que la décima era la estrofa jeneralmente usada en la época a que me he referido.[97]

Podría afirmarse que De la Barra fabricaba poesías. Luis Rodríguez Velasco acertó a expresar la equívoca plasticidad de la pluma de su contemporáneo cuando elogiando sus versos decía:

> Para mí lo más admirable y casi incomprensible es la facilidad de Eduardo para tomar todos los tonos. Sus versos de juventud son de índole, estructura y escuela completamente distintos de los de hoy; y hoy mismo si tomo cuatro, cinco o seis de sus composiciones y las doy a leer a críticos entendidos, me asegurarán que son de otras tantas personas diferentes.[98]

Poseía la más admirable capacidad para asimilarse las características del estilo de otros escritores. De él pudiera afirmarse lo que él mismo dijo en la Introducción a sus parodias de Darío: "Tiene á más el picarillo, como nadie, el raro dón de imitar todas las voces que encantan la creación." [99]

Como sus conocimientos de la literatura española eran amplísimos no dejó poeta sin imitar; a algunos les imitó *in extenso* —como a Bécquer— a otros esporádicamente como a Zorrilla, Espronceda y Campoamor. En una de sus rimas declara:

> Salí murmurando
> lo que Bécquer dijo;
> lo que resonaba
> dentro de mí mismo.
> *(Poesías,* 1, 45)

Y en tal estrofa define claramente lo que sus *Rimas* son: un eco que resuena en todas las tonalidades dentro de un caracol cabezón, de pelo y bigote blanco, de facciones virilmente hermosas sobre un cuerpo chico, que fué la figura de Eduardo de la Barra. Este caracol no sólo repite el ruido del mar, canta con voz de paloma las tristezas del otoño, la fugacidad del amor; con voz de trueno la maldad y el egoísmo de los hombres; con sonar de campanas la llegada de la primavera; con murmullo de pañuelos en el aire la partida hacia mares lejanos y la nostalgia profunda de la tierra chilena. ¿Para qué citar entonces los versos que copia a Gutierre de Cetina, Calderón, Espronceda o Campoamor? ¿Por qué culparle si la gracia no le tocó? [100] Ciertamente molesta al leer sus versos la eterna posibilidad del plagio. Y así cuando alaba el lector la lírica pureza de un poema como *Las hojas secas* (*Poesías*, I, 205) queda entre paréntesis la pregunta insolente: ¿a quién se lo copió? Y cuando nos alegran y sorprenden sus *Cantares* (*ibid.*, 293), el duendecillo pregunta: ¿Cuántos serán españoles? Es una lástima, porque De la Barra no siempre fué un caracol. En su poema ¡*Madre mía!* suena sincero y hasta trágico, particularmente en aquellos versos en que afirma la independencia de su carácter y que hacen pensar en los amargos años de su vejez:

> Nada soy, nada valgo, nada espero;
> a ningún bando, secta o pandillaje
> ambicioso ni esclavo me someto.
> Nadie de mí se acuerda:
> yo no asalté jamás los altos puestos...
> Ni me sumí en las cloacas
> por llegar a las cumbres del dinero...
> Como arroyo sin nombre voy corriendo...
>   (*Poesías*, I, 220)

También suena espontáneo en sus bellas *Zamacuecas* (*Ibid.*, 302), acaso lo mejor de toda su producción. No son más que cuatro páginas pero en ellas campea la sencillez, el donaire, la ternura y hasta casi, casi, la malicia criolla.

La contribución personal de De la Barra a la poesía chilena es difícil de precisar usando los términos tradicionales en la crítica literaria. Hay individuos que saben crear materia poética aunque jamás consigan escribir un buen poema. Hay quienes se mueven eternamente en un clima de poesía y, por contagio, despiertan dormidas potencialidades e inducen a crear. De la Barra fué capaz de ambas cosas. En su primera colección de versos la "materia poética" tanto como el vocabulario indican el paso de la escuela romántica al dominio del modernismo decadentista.

Consideremos, por ejemplo, un poema como *Al partir*.[101] A primera vista nos parece una oda más escrita a la manera del neoclasicismo español. El contraste entre la Europa sufriente bajo negras dictaduras y la América "libre" y republicana es, sin duda alguna, convencional. Pero a medida que leemos el poema las palabras se van esfumando, vuelan y se deshacen en el aire como globos de jabón y en su lugar va quedando, borrosa primero y después más y más nítida, la imagen típica del joven sudamericano de fines de siglo que mira hacia la cultura de Occidente como a la cumbre misma del espíritu humano, que vaga por las viejas universidades de Alemania, por los barrios bohemios de Francia, por las ruinas de Grecia e Italia, por la España medieval redescubierta en el Romancero, en un peregrinaje ligeramente intoxicado de romanticismo. Junto a las márgenes del Rhin que el joven recorre entre "bandas de alegres estudiantes" recuerda de pronto a su Chile patriótico y provinciano. Sugiere entonces la tibia ternura del hogar, la simpatía lejana y torpe de los viejos amigos, una estación cualquiera de ferrocarril de pueblo, un pañuelo, una novia, cinco, diez años de ausencia y, al fin, el regreso.

Poco de esto dice literalmente De la Barra y lo que dice no constituye gran poesía. Pero en sus líneas bien medidas está la "materia" de esa imagen, los elementos con que el lector se re-crea —según la expresión de Unamuno— dentro de la órbita poética que le sugirió el autor. En otro poema, *Luisa de la Vallière*,[102] De la Barra se vale de un vocabulario exótico para crear, a ratos, una poesía del tipo modernista que Darío llevaría a la quintaesencia en *Azul*. De la Barra estaba imitando a alguien, qué duda cabe. Tal vez al Víctor Hugo de *Los fantasmas*. El espíritu del poema es decadente y el estilo decorado con turquíes, rubíes, carmines y odaliscas, marquesas, Bengalas y Versalles, sin faltar las referencias a Luis XIV y la nota evangélica en la evocación del Gólgota y la Magdalena. Los parnasianos buscaban en la imagen de este tipo una belleza fría e inmaculada. Los simbolistas, en la mezcla de lo pagano y del cristianismo primitivo, el equívoco de la santidad soportada dolorosamente. De la Barra echaba mano aquí y allá de palabras que iban a sonar como notas en una caja de música, aquí repitiendo una melodía de fin de siglo, más allá haciendo sonar la trompa medieval del clasicismo español o las flautas de Garcilaso o los clarines de Quintana. Mezclan-

do los acentos, los tonos, a través de la historia, con la partitura al frente en su biblioteca bien provista, De la Barra nunca
deja de sugerir imágenes y de ofrecer a los jóvenes de su época
una materia lírica inquietante por lo variada y la calidad de
las fuentes de donde venía.

En su primera obra declara en varias ocasiones la necesidad de huír de la moda europea y de buscar un estilo propio
que sea la expresión del genio americano. En una composición dedicada a Guillermo Matta dice lo siguiente:

> Deja a los cisnes de la vieja Europa
> vagar serenos en el patrio río,
> no en las aguas del Rhin llenes tu copa
> que tú tienes tu manso Bíobío.[103]

Y más adelante indica la naturaleza del tema poético de
América:

> Cantor americano
> a la América canta:
> canta sus glorias i su causa santa.
> *(Ibid.,* I, 154)

> Cantor americano,
> himno de libertad tu canto sea.
> *(Ibid.,* I, 158)

Nadie podría poner en duda la sinceridad de sus recomen-
daciones. En versos sonoros y con elevados conceptos él mismo defendió la causa del liberalismo en su poema *México*
(Ibid., 1), en los fragmentos de su oda *Independencia de
América (Ibid.,* 13) y en la *Oda a Molina (Ibid.,* 61). Pero
mientras recomendaba la rebelión contra los poderes del tra-
dicionalismo, su voz sonaba caduca, su estilo era típicamente
neoclásico, sus palabras se oían más que sus ideas. Es decir,
De la Barra asumía una actitud y sugería una renovación de
importancia para el desarrollo de la poesía chilena, aunque,
en el terreno de la creación una vez más demostrara quedarse
en la retaguardia.

Donde mejor se aprecia a De la Barra en su papel de pro-
motor de las letras chilenas es en sus dos volúmenes publicados en 1889. Descontemos el valor original de sus *Rimas* y

Fábulas, reconozcamos que sus poesías de álbum son piezas de ocasión totalmente artificiales. Nos quedan sus micro-poemas y las parodias de las *Rimas* de Darío. Sin duda De la Barra concibió aquéllos frente al modelo de las *Doloras* de Campoamor y los *Abrojos* del nicaragüense, pero, a pesar de todo, consigue más originalidad, más despliegue de fantasía y fuerza de creación, más dramatismo y gracia satírica en ellos que en ningún otro género de poesía. Por primera vez, con excepción acaso de las *Zamacuecas*, la sátira le luce natural e ingeniosa. No obstante que el tema de sus micro-poemas es, por lo general, el adulterio, la burla no tiene vestigios de amargura o grosería. En uno de ellos —*Una aventura amorosa*, "comedia de enredo en tres actos" *(Poesías*, II, p. 374)— alcanza tal maestría técnica, precisión en las imágenes y elegancia en la ironía, que pudiera quizás considerársele como un precursor del modernismo. En otros hasta llega a intentar la síntesis de un drama o de un disparate en dos versos, ni más ni menos que los autores de "greguerías" de hoy.

La lectura de sus *Rimas* y de sus parodias plantea un problema de distinta naturaleza. En ambas hay evidencia de que De la Barra presentía el despertar de un movimiento literario que iba a cambiar de raíz la orientación de la poesía hispanoamericana.[104] A través de las *Rimas* se nota el esfuerzo por acercarse a la nueva sensibilidad y, desdeñando el anémico academismo de los neoclásicos tanto como la ridícula sensiblería de los románticos tardíos, hallar el camino de la sobriedad, de la originalidad atenuada, del estilo apropiado para expresar las zozobras espirituales de fin de siglo. Desgraciadamente De la Barra no conocía sino un camino para renovarse: la imitación de Bécquer. Más tarde, luego de la publicación de *Abrojos* y *Azul*, cuando quiso asimilarse la brillante ornamentación y la fina ironía de Darío, acaso hubiese podido descubrir una senda propia, pero ya estaba demasiado viejo y acostumbrado a imitar; por lo tanto, reaccionó hiriendo lo que venía a suplantarle, enturbiando el velo que no podía cubrir sus penosos fracasos. En las *Rimas laureadas* —de "chilenas" no tienen nada— hay substancia poética que aprovecharían otros poetas chilenos más tarde. En sus *Contra-rimas* hay amargura y despecho. ¿Cuánto de sentimiento personal hubo en esa idea de imitar perjudicando a Darío? De la Barra era el poeta de concurso por excelencia. Derrotó a Darío en el Certamen Varela porque se ajustó mejor a las bases del torneo.

Varela premiaba al mejor imitador y Darío ni siquiera imitando podía dejar de ser él mismo. ¡Pobre Darío que se vió privado de unos pesos por el pecado de ser poeta entre habilidosos imitadores! De la Barra supo que su triunfo había despertado protestas. En sus Notas al segundo volumen de sus Poesías (pp. 431-4) cuenta, por ejemplo, que uno de sus detractores llegó a decir: ". . .apuesto que el premiado es incapaz de hacer algo tan artístico, tan lleno de frescura y savia juvenil, tan exuberante de vida, tan lleno de colores y reflejos tropicales como son las Rimas de Darío" (p. 432).

Reconociendo las cualidades de Darío, De la Barra se lanzó ciegamente a probar su propia superioridad. El resultado fué lamentable. Sus Contra-rimas son chocantes por lo vulgar y groseras. Es increíble que un escritor tan culto como De la Barra no haya advertido la mediocridad insultante de sus parodias.

Mayor prueba del disgusto que De la Barra sintió al contacto con la verdadera poesía de Darío se encuentra en el prólogo de la primera edición de Azul.[105] Es necesario reconocer que De la Barra supo señalar en este prólogo las principales características y méritos de la obra de Darío antes que don Juan Valera publicara su famosa carta.[106] Le alabó su fantasía, su juvenil independencia, el brillo de su decoración tropical y el exotismo de sus fuentes de inspiración. Definió el galicismo mental de Darío relacionándolo al lenguaje de sus cuentos y poemas.

Sin embargo, De la Barra dejó en sus lectores la clara impresión de que Darío había escrito una bella obra a pesar de las tendencias renovadoras de su arte. Esto es lo importante y esto fué lo que provocó la polémica entre él y Manuel Rodríguez Mendoza a raíz de la publicación de Azul.[107] De la Barra defiende paternalmente a Darío de los ogros del simbolismo decadentista. Llega a insinuar que Darío, en su ignorancia o ingenuidad, cree ser un decadente, pero que, en realidad, se equivoca:

¡Quiera Alá que no caiga en el abismo! Lo que es por hoy, este bellísimo libro *Azul*, con arabescos como los de la Alhambra, proclama la estirpe de su autor, y prueba que no es él un *decadente*. Si él lo dice ¡no se lo creáis! ¡Pura bizarrería! ¡Pura orquestación poética![108]

Es preciso recordar que para De la Barra "decadentes" son fundamentalmente los simbolistas a los cuales juzga con los mismos prejuicios con que se suele condenar a Góngora, Marino o Lyly. Para él no son más que "imitadores bastardos de Víctor Hugo, que a falta de genio quieren parecérsele por las rarezas del lenguaje" *(Ibid., 169)*. "Ellos acuden a la ginebra y al ajenjo, al opio y a la morfina, como Poe y Musset, como los turcos y los chinos" *(Ibid., 170)*.

> En estos neuróticos —agrega— debe operarse cierta inversión de los sentidos, pues que en su vocabulario especial confunden los sonidos con los colores y los sabores, como pasa bajo el imperio de la sugestión hipnótica *(Ibid., 170)*.

A Darío le perdona todas sus proezas a cambio de ciertas cualidades clásicas que desenterró en *Azul* ayudándose con una lupa maravillosa:

> Suele haber raíces exóticas en su vocabulario, suelen deslizarse algunos graciosos galicismos; pero es correcto y si anda siempre a caza de novedades, jamás olvida el buen sentido, ni pierde el instinto de la rica lengua de Castilla al amoldar las palabras a su orquestación poética *(Ibid., 174)*.

"¡Corrección", "buen sentido", "instinto de la lengua de Castilla!" Hablar de semejantes cosas cuando es el fundamento mismo de la poesía castellana que tiembla entre sus manos mientras lee las páginas de *Azul*. De la Barra quiere coger al cóndor por una pluma de la cola. Espera de la madurez de Darío que se lo devuelva a la jaula de académicos amaestrados. El nicaragüense le mira por encima del hombro, antes de perderse de vista para siempre, y recuerda la frase de De la Barra:

> ¿Es Rubén Darío *decadente*? ¡Él lo cree así; yo lo niego!
> —No lo creo —comenta Darío—. Admiro el delicado procedimiento de esos refinados artistas que hoy tiene Francia, pero bien sé hasta donde llegan sus exageraciones y exquisiteces. En-

tre José María de Heredia, parnasiano, y Mallarmé, Valabrègue,
u otro de los decadentes, me quedo con el rey de los sonetistas
(*Ibid.*, 379).

En estas palabras no se encierra una concesión al academismo, sino que más bien indican que el Darío de *Azul* siente
mayores afinidades por Gautier y Mallarmé —al fin y al cabo
en esa época escribía bajo la influencia predominante de ellos—
que por Verlaine; pero, más aún parecen significar que Darío
no plantea el problema estético de acuerdo con las discusiones de moda, sino que busca la poesía, el auténtico clasicismo,
en todas las tendencias, dondequiera que haya el signo de la
creación.

A pesar de esta posición contradictoria que De la Barra
adopta en el prólogo de *Azul* sería injusto olvidar la importancia de sus empresas intelectuales en los años en que la poesía
chilena empieza a independizarse del neoclasicismo español.
Desde 1856, cuando el Instituto Nacional le consideraba su
"poeta-niño" hasta 1889 en que, bajo el efecto de la revolución de Darío, volvió a tomar la pluma y valerosamente trató de incorporarse en voz, ya que no en espíritu, a las nuevas
escuelas, De la Barra es un constante agitador del ambiente
literario santiaguino. En una obra variada, de tantos estilos
como maestros tuvo, expresó los motivos del amor, la filosofía
del liberalismo, y atacó en composiciones satíricas los vicios
sociales y políticos de su época. La lucha política de fines de
siglo le cogió entre los fuegos implacables de la reacción y la
bancarrota del liberalismo romántico. Condenado al destierro
en 1891, su casa fué saqueada, sus manuscritos destruídos por
los enemigos del Presidente Balmaceda. No cometeré el pecado de afirmar que en esos manuscritos tal vez se fué la obra
maestra de De la Barra... No era el poeta de obras maestras,
tan sólo un luchador, un maestro incansable, un miembro correspondiente de la Real Academia Española poseído de la
manía de versificar.

Notas

INTRODUCCIÓN

[1] Adolfo Valderrama: *Bosquejo histórico de la poesía chilena*, Santiago, 1866.

[2] Sería injusto no reconocer la imparcialidad de historiadores como Vicuña Mackenna o Domingo Amunátegui en cuanto al análisis de los movimientos sociales se refiere, pero no se puede olvidar tampoco que ellos adolecen de defectos bastante graves; a Vicuña le pierde su imaginación romántica, a Amunátegui la superficialidad de todos sus escritos; ambos cometen el error de considerar la economía como una simple fuente de estadísticas sin mayor significado social o político.

CAPÍTULO I

[1] Ed. R. Marín, Madrid, 1916, p. 238.

[2] *Obras escogidas*, Garnier Hnos., París, 1886, t. IV, p. 64.

[3] Hay quienes creen que se basó en *Los hechos de D. García Hurtado de Mendoza*, etc. (Madrid, 1613) de Cristóbal Suárez de Figueroa, pero es posible que la comedia de Lope, aunque publicada en 1629, haya sido escrita antes de la aparición del libro de Figueroa (Cf. Fernández Guerra y Orbe: *D. Juan Ruiz de Alarcón y Mendoza*, Madrid, 1871, p. 357 ss.). El *Arauco* de Oña, en cambio, apareció en Lima en 1596 y en Madrid en 1605; tiempo hubo para que Lope leyera la obra, cuyo elogio hace, por lo demás, en el *Laurel de Apolo*. (p. 26).

[4] *Obras Completas de Manuel José Quintana*, t. I, Madrid, 1897.

[5] *Obras Completas*, t. 10., París, 1845.

[6] *Obras*, t. VI, Santiago, 1883, p. 466.

[7] E. Solar Correa: *Semblanzas literarias de la Colonia*, Ed. Nascimento, Santiago, 1933, p. 45, afirma: "Si Ercilla no viene a Chile, si va por ejemplo a Venezuela, los indios célebres de América serían los caribes y no los araucanos." Compárese este "juicio" con el siguiente de don José Toribio Medina: "A no haberse tratado más que de los españoles o de otros enemigos que los araucanos, es muy probable que jamás hubiese [Ercilla] intentado hacer resonar la trompa épica en otras soledades que no fuesen las de Purén... Arauco y sus pobladores, las empresas realizadas en este estrecho pedazo de tierra, fueron las que despertaron el genio poético de Ercilla e influenciaron completa y decididamente las tendencias de su obra." *Historia de la literatura colonial de Chile*, t. I, Imp. de la Libr. del Mercurio, Santiago, 1878, p. 4.

[8] Tal vez sea oportuno recordar que Ercilla antes de venir a Chile no había producido más que una glosa que fué conservada por Sedano en la página 200 del tomo IX de su *Parnaso español*.

⁹ *Antología de poetas hispano americanos*, Imp. Sucesores de Rivadeneira, Madrid, 1895, p. VI.

¹⁰ *Essai sur la poésie épique*, en edición de *La Henriade*, Librairie de Firmin Didot Frères, París, 1853.

¹¹ Citado por Benchot, pp. 242-3, edición de *La Henriade* citada.

¹² *L'Araucana*, poème épique espagnol, par Don Alonso de Ercilla y Zúñiga, traduit complètement pour la première fois en français avec une introduction, des notes et un catalogue raisonné des poésies narratives en Espagne, par Alexandre Nicolas, 2 vols. Ch. Delagrave et Cie. Libr. Editeurs, París, 1869. En 1824 había aparecido otra traducción "abreviada" —mutilada dice M. Nicolas— cuyo autor fué Gilibert de Merlhiac.

¹³ *L'Araucana*, Morceaux choisis, ed. Jean Ducamin, Garnier Frères, París, 1900.

¹⁴ *La Araucana*, edición para uso de los chilenos con noticias históricas, biográficas y etimológicas puestas por Abrahan König. Imp. Cervantes Santiago, 1888. Esta edición está basada en los textos de la B. A. E., t. XVII, y en la de la Real Academia, pero el editor ha eliminado los episodios de San Quintín, de Lepanto, la cueva de Fitón y la historia de la Reina Dido, y ha cortado el Canto XXXVII sobre la incursión de Felipe II en el Portugal. König dice en su introducción: "Ha sido un sentimiento de patriotismo el que ha inspirado la idea de dar a luz la presente edición de *La Araucana*... La parte útil i bella del poema se ocupa de Chile; lo demás es mediocre y accesorio" (pp. VIII-IX). Semejante patrioterismo descalifica la seriedad del trabajo y desvirtúa las antojadizas interpretaciones del editor.

¹⁵ *La Araucana de D. Alonso de Ercilla*, ed. de la Real Academia Española por Antonio F. del Río, 1866.

¹⁶ Cf. pp. LXXXII-LXXXIII donde Ducamin ofrece pruebas al respecto.

¹⁷ George Ticknor: *History of Spanish Literature*, 6th ed., Boston, 1888.

¹⁸ *Spanish Colonial Literature in South America*, Londres, Nueva York, 1922.

¹⁹ *A History of Spanish Literature*, Nueva York, 1930.

²⁰ Nos parece inútil intentar aquí un resumen de todos los comentarios críticos que se han escrito en América. Poquísimos son originales; cuando es preciso señalar características concretas por lo común se recurre a las ideas expresadas por Quintana, Menéndez y Pelayo y Medina. En el texto de nuestro ensayo comentamos la crítica de aquellos autores que han aportado algo nuevo o que dicen algo que servirá para fundamentar nuestros propios puntos de vista. En esta nota deseamos recomendar, sin embargo, las páginas sobre Ercilla que se encuentran en: A. Torres-Ríoseco: *La gran literatura iberoamericana*, Buenos Aires, 1945; M. Picón-Salas: *De la Conquista a la Independencia*, Col. Tierra Firme, Fondo de Cultura Económica, México, 1944; y P. Hen-

ríquez Ureña: *Literary Currents in Hispanic-America,* Harvard University Press, 1945 (ed. en español, F. C. E., México, 1949).

El llamado *Bosquejo histórico de la poesía chilena* que se debe a la pluma de don Adolfo Valderrama (Biblioteca de Escritores de Chile, t. VIII, 1912) carece de valor crítico y, por lo tanto, evitamos comentarlo en las páginas que siguen. A Ercilla le dedica dos páginas, más o menos, donde repite lo leído en sus estudios de humanidades.

El ensayo sobre Ercilla que se incluye en el libro *Escalpelo* de don R. A. Latcham es una producción de juventud y no refleja el pensamiento actual de este autor.

El cuadro histórico de la producción intelectual de Chile de don Jorge Huneus Gana (Bibl. de Esc. de Chile, t. XVI, 1910) se compone de escuálidos capítulos (dos o tres páginas cada uno) en que el autor resume sus lecturas de Medina y otros con una habilidad que no le envidiaría un regular alumno de Liceo.

[21] *Obras,* t. 6.

[22] Nuestras citas son de la *Historia de la literatura colonial de Chile.* Cf. además *La Araucana,* Ed. J. T. Medina, 5 vols., Santiago, 1910-1918.

[23] Luis Galdames: *La Araucana,* ed. Nascimento, Santiago, 1933. König, *op cit.*

[24] Hay unos cuantos versos en *La Araucana* donde en realidad se trasluce lo que pudo ser una decepción de adolescente:

Mas yo, que un tiempo aquel rabioso fuego
labró en mi inculto pecho, viendo que era
más cruel el amor que la herida
corrí presto al remedio de la vida...

En cuanto a las imprecaciones contra el amor con que se inicia el Canto XXII son netamente retóricas y no deben tomarse en cuenta:

Pérfido amor tirano, ¿qué provecho
piensas sacar de mi desasosiego?
...Tanto, traidor, te va en que yo no siga
el duro estilo del sangriento Marte?...
...Déjame ya... etc., etc.

Especialmente cuando en el Canto XV el poeta canta al amor en tono tan diferente:

¿Qué cosa puede haber sin amor bueno?
¿Qué verso sin amor dará contento?...
...No se puede llamar materia llena
la que de amor no tiene el fundamento...

Difícil habría sido para Medina explicar su teoría de la decepción amorosa de Ercilla basándose en los versos anteriores.

[25] Igualmente dudoso nos parece creer, como lo hacen algunos críticos, que esta desilusión amorosa de su juventud es la causa de que

Ercilla cante sólo al amor casto y al matrimonio. Los hombres desengañados en lides amorosas no suelen transformarse tan fácilmente en apologistas del matrimonio.

[26] "Una de esas fundamentales características [del indio chileno] como se sabe es su mente ilógica, su incapacidad para relacionar causa a efecto" (p. 187). Lo erróneo de tal afirmación es evidente ya que, según las teorías de Lévy-Brühl, los pueblos primitivos sí relacionan causa y efecto, pero se diferencian de los pueblos más avanzados en que buscan la causalidad en los poderes mágicos que se hallan ocultos en las cosas y en los seres vivientes.

[27] Que en el intento de Solar Correa de desprestigiar a la raza aborigen de Chile hay un prejuicio político aparece claro en las páginas 188-9 de su libro donde cita hábilmente a Vasconcelos con la intención de desprestigiar las tendencias políticas que plantean la reivindicación del indio como base de una nueva organización de la sociedad y el régimen económico de Hispanoamérica.

[28] Buenos Aires, 1941.

[29] Citamos de la edición publicada por la Editorial Nascimento.

[30] Citado por P. Henríquez Ureña: *Literary Currents in Hispanic America*, p .148.

[31] Gerardo Seguel: *Alonso de Ercilla*, Santiago, 1940.

[32] *Scritti estetici: De' Romanzi, delle Commedie e delle Tragedie* ecc. (Biblioteca Rara, Daelli, LII-LIII), 2 vols., Milán, 1864.

[33] Speroni Sperone: *Opere*, Venecia, 1740, t. V, p. 521.

[34] *Opere*, colle controversie sulla *Gerusalemme*, per cura di G. Rosini, Pisa, 1821-1832, t. XII, p. 234.

[35] Cf. *Vita di Torquato Tasso* por Solerti, Torino, 1895, donde la polémica sobre la *Gerusalemme* se halla magníficamente tratada.

[36] Cf. Samuel Lillo: *Ercilla y La Araucana*, Santiago, 1928, p. 6, 16 *ss*.

[37] *The Literary History of Spanish America*, 2nd edition, Nueva York, 1928, p. 6.

[38] Ercilla rinde homenaje a Ariosto —junto a Dante y Petrarca— en el Canto XV. Entre 1549 y 1550 aparecieron dos traducciones del *Orlando furioso* en verso castellano, una de Jerónimo de Urrea y otra de Hernando de Alcócer. En 1585 Vázquez de Contreras produjo su traducción en prosa. Durante la vida de Ercilla se escribieron las siguientes obras que tratan del tema de Orlando: *Las lágrimas de Angélica* (1586) de Luis Barahona de Soto; *Segunda parte de Orlando* (1555) de Nicolás Espinoza; *Libro de Orlando determinado* (1578) una continuación de Boiardo por Martín de Bolea. Posteriormente (1602) Lope publicó *La hermosura de Angélica* y Quevedo remató la serie con *Las necedades y locuras de Orlando el enamorado*, un fragmento (1635).

[39] Dice Antonio de Roxas en su *Literatura española comparada con la extranjera* (Madrid, 1928): "Ariosto no ha inventado un solo

episodio, ni un solo detalle esencial de su obra; pero se ha asimilado tan perfectamente todas las reminiscencias novelescas y clásicas, que da la impresión de la originalidad" (p. 146).

⁴⁰ *La Gerusalemme* apareció en 1580, mientras que Ercilla publicó la Segunda Parte de su poema en 1578.

⁴¹ *Histoire comparée des littératures espagnole et francaise*, 2 vols., París, 1843, p. 277.

⁴² He aquí una lista de los rasgos autobiográficos que Ercilla ha dejado en La Araucana. El número de la página corresponde a la edición de Nascimento.

PRIMERA PARTE:

p. 2. Dedicatoria a Felipe II (Canto I).

p. 246. Referencia a los episodios que se desarrollan antes de su llegada a América (Canto XII).

p. 262. Cómo se decidió a tomar parte en la guerra de Arauco (Canto XIII).

p. 286. El contenido de este trozo se analiza en el curso de nuestro ensayo. (Canto XV).

SEGUNDA PARTE:

p. 36. Al pasar de Talcahuano a Tierra Firme los españoles construyen un fuerte en Penco (Canto XVII).

p. 39-40. Imagen de Ercilla por él mismo. Cuatro octavas donde aparece el poeta soldado rendido de cansancio, en el invierno cruel de las tierras australes; imagina, piensa desvelado y sueña (Canto XVII).

p. 65. Imagen de Doña María de Bazán, su esposa (Canto XVIII).

p. 86-7. Ercilla de centinela, agrega detalles realistas para completar la imagen que tenemos de él. Dice cómo vive, qué come, etc. (Canto XX).

p. 148. Móvil particular para tomar parte en la conquista (Canto XXIII).

pp. 206-7, 209-10. Ercilla —héroe— cuenta una hazaña personal, y da muestras de magnanimidad al referirse al suplicio de Galvarino (Canto XXVI).

pp. 244-6, 249-50. Nuevas acciones heroicas suyas (Canto XXVIII).

pp. 358-9. Ercilla en Villarica y Valdivia (Canto XXXIV).

p. 366 ss. Su viaje a Chiloé (Canto XXXV).

p. 384. Graba una inscripción en un tronco antes de abandonar la isla (Canto XXXVI).

p. 384. Su famosa travesía del Canal (Canto XXXVI).

p. 387. Partida y viaje a España, sus andanzas en Europa (Canto XXXVI).

p. 409 ss. Resumen de sus viajes (Canto XXXVII).

⁴³ Cf. Canto VIII.

⁴⁴ *Aminta*, ed. Erniest Grillo, Londres, 1924, acto III, escena I.

⁴⁵ Cf. *Op. cit.*, p. LXXIX, *n.* 6.

CAPÍTULO II

¹ *Semblanzas*, p. 54.

² Medina: *Historia de la literatura colonial*, etc. t. I, pp. 132-8; Samuel Lillo: *Literatura chilena*, 4a. ed., Santiago, 1929; M. Latorre, *op. cit.*, etc., etc.

³ Gerardo Seguel: *Pedro de Oña, su vida y la conducta de su poesía*, Santiago, 1940. Se trata de una antología dedicada a la juventud.

[4] Citamos de la Edición Crítica de la Academia Chilena anotada por J. T. Medina, Santiago, 1917.

[5] Segunda ed., Madrid, 1605. Ed. Juan de la Cuesta (en la misma Imprenta y en el mismo año se publicaba la primera edición de *Don Quijote*). La primera edición del *Arauco* apareció en Lima en 1596; Oña se firmaba Licenciado e incluía un retrato suyo. Ciento veinte ejemplares alcanzaron a salir en circulación de los 800 que se imprimieron. La edición fué requisada, entre otras razones, por lo que Oña decía sobre la revolución de Quito.

[6] Cit. por Medina, p. 468.

[7] Un personaje llamado don Diego —intermediario seguramente— pagaba a Oña veinte octavos al día mientras escribía su poema; de ahí sus quejas de que le apremian y dificultan su labor. Sirve de prueba a este hecho una afirmación que se halla en la obra *Guerras de Chile* del Maestro de Campo Santiago Tesillo (Colec. de Histor. de Chile, t. V, pp. 1-2).

[8] Para fundamentar lo que cuenta sobre las supersticiones dice:

Helo sabido yo de muchos dellos
por ser en su país, mi patria amada,
y conocer su frasis, lengua y modo,
que para darme crédito es el todo. (II, 85).

[9] Seguel expresa este fenómeno de modo muy preciso: ". . .la flora y la fauna de Oña no formaban parte del espectáculo que estaba ante sus ojos sino que se han formado en sus lecturas: donde había robles poderosos, ve encinas; donde circulaban las enredaderas de copihues, ve madreselvas; donde no crecía sino el maíz, ve rosas, clavelinas y azucenas; donde andaba el opaco puma chileno, ve los 'manchados tigres, pardos y panteras'; donde andaba la cautelosa zorra, ve al 'jabalí cerdoso y fiero', etc." *op. cit.*, p. 36.

[10] La poesía pastoril de Oña es de la mejor calidad y en trozos puede competir con la de Tasso, Gil Vicente o Garcilaso de la Vega. Cf. *Arauco domado*, Canto XIII, p. 475.

[11] Citamos de la edición de Rodolfo Oroz, Santiago, 1941.

[12] Curioso sería observar los cambios estilísticos sufridos por Oña en *El vasauro* tomando ciertos temas, como éste del caballo, y comparándolos con el uso que hace de ellos en el *Arauco domado*. Compárese, por ejemplo, las estrofas anteriores con la siguiente en que Oña también describe un caballo pero ahora bajo la influencia todopoderosa de Góngora:

Estrena don Andrés un recamado
jaez, por obra, i por materia rico;
sobre alazán colérico tostado
de biua oreja, i bien sacado pico.
xabón deshecho arroja del bocado;
galán, si recto; ayroso va, si oblico.
fogoso bufa, las narizes hincha;
trueca la mano, i róçase la cincha. (I, 30)

[13] Semejante conocimiento de la técnica narrativa muestra Oña en *El vasauro*. Cuando la acción se torna insoportablemente árida, introduce el romance de Fátima y Fernando.

[14] *El vasauro*, Poema heroico de Pedro de Oña, Editada por primera vez según el manuscrito que se conserva en el Museo Bibliográfico de la Biblioteca Nacional de Santiago de Chile, con introducción y notas por Rodolfo Oroz de la Universidad de Chile, Prensas de la Univ. de Chile, Santiago, 1941.

[15] *Historia*, etc., t. V, p. 421.

[16] Edición facsimilar, Santiago de Chile, 1909.

[17] Parece imposible que Oña leyera ninguno de los tres poemas que menciona Medina en su noticia sobre *El vasauro: La Conquista que hicieron los poderosos y católicos Reyes Don Fernando y Doña Isabel en el reino de Granada*, por Duarte Díaz, Madrid, Alonso Gómez, 1590; *La Guerra de Granada que hicieron los Reyes Católicos*, por Fernando de Ribera; *Poema heroico del asalto y conquista de Antequera*, de Rodrigo de Carvajal y Robles, Lima, 1627.

Sobre la familia Cabrera existe el *Retrato del buen vasallo, copiado de la vida y hechos de D. Andrés de Cabrera, primer Marqués de Moya*, por Pinel y Monroy, Madrid, 1677. Curiosidad bibliográfica es la obra que existe en inglés sobre esta familia por Clemente R. Markam y titulada *The Countess of Chinchon and the Chinchona genus*, Londres, 1874.

[18] El españolismo de Oña ha sido exaltado por Miguel Ángel Vega en su obra *El españolismo en la producción literaria de los siglos xvi, xvii, y xviii en Chile*, Univ. de Chile, Santiago, 1941; pero sus argumentos no siempre son convincentes y su vehemencia es tal que llega hasta negar "todo valor de chilenidad a la producción literaria de los tres primeros siglos de nuestro pasado" (p. 9).

[19] Menéndez y Pelayo: *Antología de poetas líricos castellanos*, t. IX, Madrid, s.a., p. 203.

[20] El romance fué impreso en pliego suelto en las prensas de Hugo de Mena, en Granada, junto con otras piezas del mismo género de 1566 a 1573, según indica Menéndez y Pelayo en su *Antología*, p. 204. La fecha del manuscrito de *El vasauro* es de 1635.

[21] El romance comienza: "El año de cuatrocientos/que noventa y dos corría/el Rey Chico de Granada/perdió el reino que tenía..." La descripción de Granada la expresa el mismo rey en el romance: "Oh Granada la famosa/mi consuelo y alegría..." En cuanto a la dramática frase final, he aquí cómo se expresa: "Bien es que como mujer/llore con grande agonía/el que como caballero/su estado no defendía."

[22] Oroz, Introd. p. xxxvi.

[23] Su obra es auténticamente científica, pero por serlo está, en cuanto al estudio del poema y no del manuscrito se refiere, más bien reñida con el arte. El crítico-gramático desarma el poema como si fue-

ra un reloj, separa todas sus piezas, desmonta prolijamente el mecanismo; toma las figuras del estilo y las examina, clasifica y expone a la luz del concepto cada una en su propio casillero: las formas verbales, los adjetivos, los sustantivos, las voces cultas, todos los "materiales", en fin, del poema son clara y distintamente catalogados. Una sola cosa olvida el crítico: que el poema no es un reloj. Y la diferencia es grande. El análisis de un poema según este método es una disección. Pero una disección sólo es legítima en un cuerpo muerto. Esas columnas de ablativos absolutos, de locuciones adjetivas y epítetos sustantivos son de propiedad del crítico. Tan pronto los arregló en columnas dejaron de formar parte de *El vasauro*. El esqueleto del poema yace en la Introducción: los huesos cuidadosamente seleccionados y dispuestos en orden estrictamente científico.

[24] Silva II, p. 192, Colección Rivadeneira.
[25] Madrid, 1643.
[26] p. 472, t. III. Medina las reproduce en su *Historia*, pp. 301-2.

CAPÍTULO III

[1] *Historia*, etc., t. 5, p. 331.
[2] Imprenta Dirección General de Prisiones, Santiago, 1937.
[3] "No podía negarse que el reglamento compuesto por el príncipe de Esquilache era un trabajo completo y equitativo. En nuestro tiempo habría merecido el nombre de Código del Trabajo" (p. 37).
[4] "La tasa de Esquilache fué incorporada en la *Recopilación de las leyes de Indias*; pero, puede afirmarse, no recibió la debida obediencia en la Colonia" (p. 38).
[5] Cf. Medina: *Historia*, pp. 419-29.
[6] Francisco Núñez de Pineda y Bascuñán: *Cautiverio feliz y razón de las guerras dilatadas de Chile*, editado por D. Barros Arana, Colec. de Hist. de Chile, t. 3, Santiago, 1863. Cf. también M. Latorre, *La literatura*, etc., pp. 52-7.
[7] *Bosquejo*, etc. Apéndice, sección dedicada a la poesía colonial. Además de dos cartas del padre López se inserta la polémica de Oña y Sampayo; una décima del padre Oteíza y varias composiciones de Núñez de Pineda y Bascuñán.
[8] *Op. cit.*, p. 62.
[9] Citado por Valderrama, *op. cit.*, p. 181.
[10] *Op. cit.*, pp. 67-8.
[11] *Op. cit.*, p. 66.
[12] Su esfuerzo literario más voluminoso lo constituye el *Liberto penitente*, obra basada en los salmos de la Escritura y que ha merecido el siguiente juicio de Medina: "El libro que pinta sus emociones es detestable, el monumento más completo de majadería que se haya escrito entre nosotros." *Historia*, p. 395.
[13] Cf. Medina: *Historia*, pp. 341, 342, 370 *ss*.

[14] Medina: *Historia,* pp. 351-8.

[15] Medina ha dejado sin publicar algunas composiciones satíricas cuyo valor podría ser muy grande para la reconstrucción del proceso intelectual de nuestra Colonia. En su *Historia* Medina estampa la siguiente confesión:

> En los últimos tiempos de aquella era, por fin, sátiras sangrientas encendían las rivalidades de chapetones i criollos, que poco a poco i en silencio habían de madurar uno de los más poderosos elementos que impulsara a los chilenos a la independencia. Conocemos algunas de esta clase, pero tan atrevidas i groseras, que la decencia nos obliga a callarlas (p. 340).

La omisión de Medina no tiene disculpas. Especialmente si esas composiciones pertenecen, como se da a entender en su *Historia de la literatura colonial* (p. 340), a una colección privada.

[16] Medina: *Historia,* pp. 365-70 y 373-4, además Apéndice, t. III. Vicuña Cifuentes recoge estas composiciones y las transcribe íntegras en *Romances populares y vulgares,* t. VII de la Bibl. de Aut. Chil.

[17] Citado por J. Vicuña C., *op. cit.,* p. 489.

[18] Colección Austral, Espasa-Calpe, Argentina, 1939, p. 9.

[19] *Conquista de Nueva España,* Biblioteca de Autores Españoles, t. XXVI, p. 31.

[20] *Romances,* etc., pp. xix-xx.

[21] *Op. cit.,* p. 16.

[22] Bajo la dirección de Vicuña Cifuentes se han realizado los siguientes trabajos de investigación en los cuales se ofrecen nuevas variantes de los romances recogidos en *Romances populares y vulgares:* Cremilda Manríquez: *Estudio del folklore de Cautín;* Lucila Muñós: *Estudio del folklore de San Carlos;* Celestina Villablanca: *Estudio del folklore de Chillán;* Lucila Dufourcq: *Estudio del folklore de Lebu.* Todos ellos fueron publicados en los *Anales de la Univ. de Chile,* Sección de Filología, t. III, 1941-1945.

[23] Cf. Rodolfo Lenz: *Sobre la poesía popular impresa de Santiago de Chile,* Santiago, 1919.

[24] *Los cantores populares chilenos,* Nascimento, Santiago, 1933.

[25] Otros han estudiado este mismo periodo literario desde un punto de vista erudito y técnico. Rodolfo Lenz, por ejemplo, cuyo estudio *Sobre la poesía popular impresa de Santiago de Chile* constituye la fuente de donde Acevedo Hernández sacara toda la información científica que sirve de base a su libro.

[26] Agustín Durán: *Romancero General,* t. X y XVI de la B.A.E., Madrid, 1849-1851.

[27] Bernardo del Carpio va hasta Francia con el propósito de libertar a doña Blanca, su madre, que se halla presa en palacio.

[28] Publicada por R. Menéndez Pidal, t. V de la N.B.A.E., Madrid, 1906.

[29] Menéndez y Pelayo: *Antología,* t. X, p. 127.

[30] *Ibid.,* p. 90.

[31] Román: *Diccionario de chilenismos*, Santiago, 1901-1911.

[32] "Temporal conjuntion 'a lo que' and its congeners in American Spanish", *Hispanic Review*, Vol. XI, N⁰ 2, 1943.

[33] Durán, *op. cit.*, t. II., p. 352.

[34] N⁰ 144.

[35] Dos corridos coleccionados por Vicuña Cifuentes ilustran bien este tipo de fantasía popular: el N⁰ 138 que narra un caso típico de *monstruo* y tiene la ventaja de situar la acción en Talagante, región que posee gran valor para el estudio del folklore ya que en torno a ella se ha tejido toda una leyenda de magia y brujería criollas; y el N⁰ 137, que cuenta las proezas de dos *mágicos* o magos.

[36] Cf. Z. Rodríguez: "Dos poetas de poncho", *La Estrella de Chile*, VI, N⁰ 304 *ss.*

[37] Pp. 27-31. (Seguimos la numeración del folleto, no de la *Revista de Folklore Chileno*.)

[38] Para una descripción técnica del guitarrón ef. Lenz, *op. cit.*, pp. 14-7.

[39] Una de las mejores descripciones del payador en acción se encuentra en el estudio de Desiderio Lizama D.: "Cómo se canta la poesía popular", *Rev. de Folklore Chile.*, IV, pp. 1-73.

[40] Cf. Lenz, *op. cit.*, p. 40.

[41] *Ibid.* pp. 46-52.

[42] Para otros ejemplos de la poesía de García *cf.* Acevedo Hernández, *op. cit.* pp. 115 *ss.* Existe una edición de las poesías completas de García, pero es difícil de conseguir. Lenz poseía el tomo V y declara no haber conocido los otros (Cf. *op. cit.*, p. 66).

[43] Cf. pp. 48-55.

[44] Las citas que siguen han sido tomadas de la reconstrucción de Acevedo Hernández, *op. cit.*, pp. 49 *ss.*

[45] En todas las citas hemos conservado la ortografía y puntuación del texto de Acevedo Hernández por caprichosas que ambas parezcan en más de una ocasión.

[46] *Op. cit.*, p. 55.

[47] *Ibid.*, p. 55.

[48] Acevedo, *op. cit.*, p. 162.

[49] Acevedo ha antologado versos de Guajardo, Allende, García, Rosa Araneda, Daniel Meneses, Juan B. Peralta y otros *puetas* en su obra ya citada.

[50] Lenz, *op. cit.*, p. 55.

[51] Acevedo, *op. cit.*, p. 38.

[52] *Poesías populares*, Santiago, 9 tomos, s.a.

[53] Acevedo, *ibid.*, pp. 86-7.

[54] Existen dos importantes colecciones de la poesía popular chilena impresa en hojas sueltas: la de Rodolfo Lenz y la de A. Echeverría Reyes. No han sido aún publicadas en forma de volumen.

[55] Acevedo, *op. cit.*, p. 41.

CAPÍTULO IV

[1] *Antología de poetas hispanoamericanos,* p. LXXXV.

[2] Domingo Amunátegui: *Nacimiento de la República de Chile,* (1808-1833),* Santiago, 1930, p. 5.

[3] José Zapiola: *Recuerdos de treinta años (1810-1840),* Santiago, 1932, pp. 16-7.

[4] *Ibid.,* p. 19.

[5] D. Amunátegui: *Nacimiento* etc., p. 105.

[6] M. L. Amunátegui: *La alborada poética en Chile después del 18 de septiembre de 1810,* Santiago, 1892, p. 520.

[7] *Op. cit.,* p. 36.

[8] *La alborada* etc., p. 520.

[9] *Op. cit.,* p. 30.

[10] Recordemos que en la entrevista que San Martín sostuvo con el Virrey La Serna, 2 de junio de 1821, la proposición del general argentino fué que se estableciera en el Perú una monarquía independiente y que el soberano fuese elegido por las cortes españolas.

[11] *Nacimiento* etc., p. 14.

[12] D. Amunátegui: *Nacimiento* etc., pp. 32-3.

[13] *Op. cit.,* pp. 194-5.

[14] En 1812 desde las columnas de la *Aurora de Chile* Camilo Henríquez dirigiéndose a los patriotas expresaba esta queja significativa: "Pero mientras permanezcáis en irresolución e incertidumbre, fluctuando entre temores i esperanzas, sois un asunto bien pobre para las musas, i aun para la historia." Nº del 27 de agosto.

[15] J. M. Blanco White reprodujo esta proclama en la revista *El Español* que publicaba a la sazón en Londres, en el Nº 16 del 30 de junio de 1811 y, aunque censuró sus ideas, elogió, sin embargo, el estilo del autor. Fué recogida también por el escritor realista fray Melchor Martínez en su *Memoria histórica sobre la Revolución de Chile* (citada por M. L. Amunátegui, *La alborada,* etc., p. 10). Se puede encontrar con mayor facilidad en la *Colección de Historiadores i de Documentos relativos a la Historia de Chile,* t. XIX, pp. 221-31, Santiago, Imp. Cervantes, 1911.

[16] *Colección de Historiadores* etc., p. 225.

[17] *Ibid.,* p. 230.

[18] El general Pedro Godoy lo reimprimió en el tomo II dle *Espíritu de la prensa chilena,* Santiago, 1847 (Cit. por Miguel Luis Amunátegui: *La alborada* etc., p. 15).

[19] Pp. 197-216.

[20] Fundada el 13 de febrero de 1812.

[21] Nº 23, 13 de marzo, 1823.

[22] *La alborada* etc., p. 85.

[23] *La alborada* etc., p. 50.

[24] *Ibid.,* p. 51.

[25] *La alborada* etc., pp. 50-1.

[26] *La alborada* etc., p. 51.

[27] *La alborada* etc., p. 58.

[28] Fueron impresas por M. L. Amunátegui como apéndice a su obra *Camilo Henríquez*, 2 t., Santiago, 1889.

[29] La obra poética de Camilo Henríquez ha sido recopilada por M. L. Amunátegui en su *Alborada poética*.

[30] Menéndez y Pelayo ha condenado los himnos de Camilo Henríquez en su *Antología de poetas hispanoamericanos*. Desgraciadamente, sus palabras reflejan la reacción de un espíritu agriado por los prejuicios religiosos y políticos. Su capítulo sobre Chile reúne un número respetable de errores. Menéndez y Pelayo se equivocó al describir a Chile como "una faja de litoral árido y pedregoso"; se equivocó al descartar, sin examen previo, nuestra poesía popular, ignorando la existencia de un Romancero chileno activo desde la época colonial y floreciente en los últimos años del siglo XVIII y durante todo el siglo XIX; se equivocó al incluir a V. Blanco Encalada —poeta mediocre, pero importante por su amistad con José Joaquín de Mora y su influencia sobre doña Mercedes Marín del Solar— entre los poetas bolivianos; se equivocó al afirmar que ninguna de las grandes naciones europeas tiene himno nacional (Cf. p. LVII); se equivocó al decir que "en 1841 Sarmiento no era más que un periodista medio loco, que hacía continuo y fastuoso alarde de la más crasa ignorancia, y que habiendo declarado guerra a muerte al nombre español, se complacía en estropear nuestra lengua con toda suerte de barbarismos, afeándola además con una ortografía de su propia invención" (p. LXXIII). Extraño resulta pensar que en cuatro años solamente Sarmiento de "periodista medio loco" se iba a transformar en autor de aquellos libros que el mismo Menéndez y Pelayo considera "los más originales de la literatura americana" (p. LXX) y en especial de ese *Facundo* que, escrito en 1845, ha conquistado para Sarmiento una fama internacional.

[31] *La alborada* etc., pp. 173-9. Apareció por primera vez en el *Semanario Republicano*, Nos. 4 y 5, 20 y 27 de Nov., 1813.

[32] *La alborada* etc., p. 185.

[33] *Ibid.*, pp. 195-6.

[34] Raúl Silva Castro: *Antología de poetas chilenos del siglo xix*, Bibl. de Escritores de Chile, t. XIV, Santiago, 1937, p. XII-XIII.

[35] Citado por Amunátegui: *La alborada* etc., p. 194.

[36] Este poema junto con el resto de la obra poética de Bernardo Vera y Pintado nos son conocidos a través de *La alborada*, etc., de M. L. Amunátegui. No se ha hecho una edición separada y completa de sus poemas. No creo que valga la pena hacerla.

[37] *La alborada* etc., p. 237.

[38] *La alborada* etc., p. 262.

[39] *Ibid.*, p. 351.

[40] *La alborada* etc., p. 250.

41 28 de agosto, 1813, Nº 4.

42 Vera tuvo la valentía y el buen sentido, por ejemplo, de protestar contra el Tratado de Lircai (1814), que reconoció la soberanía de Fernando VII y que no fué respetado ni por los realistas ni por los patriotas; en efecto publicó dos folletos en los que expresaba sus opiniones: *Carta al ciudadano pacífico Rufino de San Pedro y a los escritores del país.*

43 P. 57.

44 *Ibid.*, p. 57.

CAPÍTULO V

1 "Indico, pues, dos hitos para el comienzo y fin del movimiento: el 15 de julio de 1841 y el 17 de septiembre de 1843." Norberto Pinilla: *La generación chilena de 1842*, Ed. Univ. de Chile, 1943, p. 86.

2 Santiago, 2ª ed., 1885.

3 Cf. *Atenea*, Nº 203, mayo de 1942, "Los antecedentes del movimiento literario de 1842", pp. 240-53.

4 Nº 203, mayo de 1942.

5 Las poesías de la Sra. Marín fueron coleccionadas por su hijo Enrique del Solar en 1874.

El estudio más completo sobre la poetisa es el de M. L. Amunátegui en *La alborada poética en Chile.*

6 Cf. R. Silva Castro: *Antología* etc., p. 45.

7 *Ibid.*, p. 48.

8 *La alborada* etc., p. 531.

9 *Ibid.*, p. 541.

10 *Ibid.*, p. 554.

11 *Ibid.*, p. 552.

12 *Ibid.*, p. 549.

13 *Ibid.*, p. 406.

14 La señora Marín fué autora de un plan para la educación de las niñas y pronunció un discurso sobre el papel de la mujer en la sociedad en que se advierte libertad en las ideas y gran tolerancia en los principios.

15 Citado por M. L. Amunátegui en *Don José Joaquín de Mora*, Imp. Nacional, Santiago, 1888, p. 20.

16 Su juicio adverso de esta obra se publicó en la *Crónica Política y Literaria de Buenos Aires*, Nº 62, 27 de julio, 1827.

17 Amunátegui: *Mora*, etc., p. 222.

18 J. V. Lastarria, *Recuerdos literarios*, p. 19.

19 Lastarria declara en sus *Recuerdos literarios* no haber conocido las ideas de Auguste Comte cuando escribió su memoria histórica *Investigaciones sobre la influencia social de la conquista i del sistema colonial de los españoles en Chile*, presentada a la Universidad en 1844. Dice: "El fracaso de 1844, lo confesamos, nos sobrecogió. No conocíamos en efecto escritor alguno que hubiera pensado como nosotros;

i aunque en esos mismos momentos Augusto Comte terminaba la publicación de su *Cours de Philosophie Positive,* no teníamos ni la más remota noticia del nombre del ilustre filósofo, ni de su libro, ni de su sistema sobre la historia, que era el nuestro; ni creemos que en Chile hubiera quien la tuviese" (p. 250). Resulta difícil aceptar esta afirmación especialmente cuando se recuerda la admiración que Lastarria tuvo por Mora, y el cuidado con que estudió sus producciones literarias. En la página 17 de los *Recuerdos* hay un análisis detallado del plan de estudios que Mora redactó para el Liceo.

[20] "Realmente [el discurso en la Sociedad] no era el primer discurso del jénero entre nosotros, porque teníamos la grandilocuente oración que pronunció en 1830 el señor Mora, en la apertura del curso de oratoria del Liceo." *Recuerdos,* p. 94.

[21] Cf. M. L. Amunátegui: *Mora,* etc., p. 435.

[22] Amunátegui: *Mora,* etc., pp. 294 *ss.*

[23] En 1845 el periódico *El Siglo* publicó los tres primeros cantos del poema y parte del cuarto, hecho que aumenta el prestigio de Mora como precursor del romanticismo chileno.

[24] Cf. *Mora,* etc., p. 271.

[25] En carta a Blanco Encalada del 7 de mayo de 1835.

[26] *Meditaciones poéticas* (1826), *Leyendas españolas* (1840), *Poesías* (1835).

[27] "El susceptible presidente habíase sentado en la silla lleno de salud; pero murió aceleradamente de una irritación al hígado. Contábase que había hecho en su ánimo impresión profunda una composición suelta en verso que publicó don José Joaquín de Mora en el *Trompeta* i que se titulaba *El uno i el otro.*" B. Vicuña Mackenna: *Don Diego Portales,* Obras Completas, t. 6, cap. II, p. 63, Ed. Universidad de Chile, 1937.

[28] Estos versos han sido recogidos por Amunátegui, al parecer fragmentariamente y sin título, en su *Alborada* etc., pp. 446-7.

[29] De regreso a Cádiz, Mora puso un prólogo a una colección de artículos de Alberto Lista que apareció en 1846 y en ese prólogo nuevamente bregó por el clasicismo. . .

[30] He aquí los nombres de algunos de esos maestros extranjeros que crearon la educación moderna en nuestro país: Andrés A. Gorbea, José Pazamán, Claudio Gay, H. Beauchemin, Pedro Chapuis.

Injusto sería no mencionar aunque sea de paso al *pioneer* de la educación chilena don Manuel Salas. Sobre él ha escrito M. Picón-Salas: ". . .funda en Chile varios años después de su regreso aquellos cursos de dibujo, matemáticas y química de donde habrá de salir en 1797 la Academia de San Luis, acaso el primer colegio de orientación moderna en la América del Sur." *De la Conquista a la Independencia,* p. 207. Cf. Amanda Labarca H.: *Historia de la enseñanza en Chile,* Santiago, 1939.

[31] Lastarria: *Recuerdos* etc., p. 274.

[32] Justo es que en este ensayo se rinda homenaje al trabajo compilador de Norberto Pinilla. Gracias a sus dos Antologías —*La polémica del romanticismo de 1842*, Buenos Aires, 1943; y *La controversia filológica de 1842*, Santiago, 1945— la labor del estudiante y del crítico de la literatura chilena del siglo XIX se facilita considerablemente. Mis citas de los artículos publicados durante las polémicas se referirán, en adelante, a las colecciones de Pinilla.

[33] Cf. Pinilla: *Controversia filológica*, p. 26.

[34] *Ibid.*, p. 73.

[35] A. Donoso: *Sarmiento en el destierro*, Buenos Aires, 1927, p. 25. N. Pinilla: *La generación chilena de 1842*, p. 98. M. Latorre: *La literatura* etc., p. 161.

[36] "A la naturaleza observa, estudia,/por modelo la toma y por maestra...", *Poesías de Andrés Bello*, ed. Miguel Antonio Caro, Madrid, 1882, p. 156.

[37] Cf. M. Picón-Salas: *De la Conquista a la Independencia*, p. 177, sobre la *Rusticatio Mexicana* de Rafael Landívar (1731-1793).

[38] *Op. cit.*, p. LIX.

[39] En *El Mercurio* de Valparaíso, Nº 3.792, 15 de julio, 1841.

[40] Dice Barros Arana refiriéndose al famoso editor de los *Clásicos Españoles*:

> Ocupábase en Santiago como compaginador de *El Araucano* cuando lo conoció mi padre, don Diego Antonio Barros, y lo estimuló a que comprase la imprenta de *El Mercurio*, facilitándole los recursos para ello, a fin de hacer servir la imprenta y el diario en la contienda electoral de 1841. Rivadeneira, que desde luego obtuvo buen resultado en esa empresa, introdujo muchas mejoras tipográficas y dió a luz una reimpresión en dos volúmenes de los artículos de don Mariano José Larra (*Fígaro*), que puede considerarse lo mejor que hasta entonces habían producido las prensas chilenas como trabajo tipográfico.

Publicó, además, la primera edición del famoso discurso de Lastarria en la Sociedad Literaria.

[41] De *Los fantasmas*, trad. libre de V. Hugo, *Poesías*, pp. 125-35.

[42] *Poesías*, p. 229.

[43] *Ibid.*, p. 231.

[44] La obra poética de Bello fué muy bien analizada por Miguel Luis y Gregorio Víctor Amunátegui en su obra *Juicio crítico de algunos poetas hispano-americanos*, Santiago, 1861. Entre sus críticos modernos debe citarse a V. Eduardo Crema, autor de un ensayo sobre *El drama artístico de Andrés Bello*, publicado en la *Revista Nacional de Cultura*, Nos. 1, 19, 22, 23 y 24, Caracas, 1938-1940. Cf. además *The Odes of Bello, Olmedo and Heredia* por E. C. Hills, Nueva York, 1920; y *Don Andrés Bello*, por E. Orrego Vicuña, Santiago, 1935.

[45] "Se trata de *romanticismo*, i yo que me he reído de él en la *Nona Sangrienta*, i en cuanta ocasión he tenido la oportunidad de hacerlo, lo defiendo hoi con un calor irritante en verdad." *Recuerdos*, p. 164.

[46] Pinilla: *Controversia filológica*, pp. 46-7.

[47] La confusión es tal en estos artículos que Sanfuentes, campeón del clasicismo, sobresale en el suyo precisamente por una condenación de los neoclásicos:

> No se crea —dice—... que al expresarnos de este modo, pretendamos denigrar la escuela romántica, para alistarnos ciegamente en las banderas del clasicismo riguroso. Nadie estará tal vez más fastidiado que nosotros de los innumerables sonetos llorones a Filis, de las insulsas églogas pastorales, de los poemas cristiano-mitológicos, y de las ridículas odas amorosas que inundaban no ha mucho tiempo el Párnaso español. (Pinilla: *La polémica*, etc., p. 35.)

Su ataque al romanticismo es débil y las razones que da son de un increíble candor, típicas de una mentalidad provinciana. En cuanto a los artículos de López, son más presuntuosos que el de Sanfuentes, pero igualmente ingenuos. Despliega una erudición que no ha sido aún asimilada y una impaciencia que le precipita en generalizaciones absurdas. Interpreta la historia antojadizamente; afirma y se contradice, retuerce su interpretación de los acontecimientos para probar sus proposiciones. No es extraño que sus adversarios hayan guardado silencio ni que M. L. Amunátegui le juzgara tan adversamente en sus *Ensayos biográficos* (Santiago, 1894, t. III, pp. 187-8). Pinilla se precia de comprender a López. Habría rendido un gran servicio explicándole. El colmo de lo grotesco de la polémica lo da Sarmiento, quien arrebatado por la discusión ¡cita a *Coliseo* como autor clásico!

[48] Pinilla: *La polémica* etc., p. 38.

[49] *Ibid.*, p. 46.

[50] *Ibid.*, p. 81.

[51] *El Mercurio* edita *El Diablo Mundo* y *Poesías* de Espronceda en 1844; y las *Poesías* de Zorrilla, en seis entregas, en 1843-1844.

[52] Pinilla: *La polémica*, p. 77.

[53] Para los detalles de estos concursos véanse los *Recuerdos*, pp. 365, 388, 397 y 420-1.

[54] Cf. Alejandro Fuenzalida Grandón: *Lastarria y su tiempo*, Santiago, 1911; Domingo Melfi: *Dos hombres: Portales y Lastarria*, Santiago, 1937; y Sady Zañartu: *Lastarria, el hombre solo*, Santiago, 1938.

[55] *Recuerdos*, p. 492.

[56] En un concurso poético realizado con motivo de la Exposición industrial de 1875 el criterio "positivista" hace estragos. Los versos se miden hasta en pulgadas, las sílabas y los acentos se cuentan como perlas preciosas... E. de la Barra es el "contador" invencible y gana todos los premios con versos "científicos" de esta calaña:

> ¡Oh Walt, i Morse, i Fulton!
> ¡Oh Guttemberg glorioso!
> El carro victorioso
> regís, i es vuestro Píndaro
> la lira universal...
> ¡Suena a la lid la trompa!
> Los émbolos se agitan,
> los pechos i las válvulas
> en rítmico latir.
>
> (*Recuerdos*, pp. 552-3)

CAPÍTULO VI

[1] Cf. Julio César Jobet: "Síntesis interpretativa del desarrollo histórico nacional durante la segunda mitad del siglo XIX", *Atenea*, Nº 250, abril, 1946, pp. 71-88.

[2] Matta, *Nuevas poesías*, t. I, p. 326 (describe la clase de crítica a que estaba sometido el poeta a causa de sus ideas liberales). Valderrama: *Bosquejo*, etc., pp. 120-1.

[3] Versos de estos y otros poetas que aquí no se mencionan aparecen en la *Antología de poetas chilenos del siglo XIX* por R. Silva Castro.

[4] *Poesías*, Imprenta del Correo, Santiago, 1868. *Poesías*, Imprenta Roma, Santiago, 1894.

[5] *El proscrito*, Imprenta Andrés Bello, Santiago, 1873.

[6] Segunda edición, Santiago, 1899.

[7] En *Obras poéticas* por Luis Rodríguez Velasco, segunda edición corregida y aumentada, Santiago, Imprenta Artística Nacional, 1909, p. 829.

[8] *Ibid.*, p. 473.

[9] Apareció en *El Araucano* (1834) muy bien recomendada por Bello.

[10] Se publicó a medida que Sanfuentes la iba escribiendo en el *Semanario* a partir del Nº 5., 11 de agosto, 1842.

[11] *Obras escogidas* de Salvador Sanfuentes, edición de la Academia Chilena, Imprenta Universitaria, Santiago, 1921, pp. 4-5.

[12] El asunto de *Juana de Nápoles* está tomado de la *Historia de las repúblicas italianas* por Sismondi.

[13] *Juicios críticos*, etc., pp. 299 y 304. Sanfuentes mismo declaró: "para mí la poesía es la primera de las artes. Me reconozco deudor a la *Eneida* de Virgilio, a *La Araucana* de Ercilla i a las tragedias de Juan Racine del entusiasmo que desde mi primera juventud concebí por ella." (Citado por los Amunátegui, p. 299).

[14] Apareció en *Museo*, revista fundada por Barros Arana, a partir del Nº 3, 25 de junio, 1853.

[15] *Juicios críticos*, etc., pp. 357-88.

[16] *Poesías*, 2 t. Madrid, 1858; *Nuevas poesías*, 2 t. Leipzig, 1887.

[17] *Nuevas poesías*, t. I, pp. 79 ss.

[18] En su poema "A Bice", *Nuevas poesías*, t. I, p. 461, el poeta nombra con emoción a sus maestros:

Allí al lado de Dante,
de Goethe y Leopardi, en luminosa
compañía me enseña, el mismo estante,
la Pléyade gloriosa
de los genios, apóstoles humanos,
grandes poetas, grandes ciudadanos,
Manzoni y Víctor Hugo
Quinet, Cervantes, Fóscolo, hombres-teas;

Michelet, el adversario del verdugo;
Byron que siembra ideas;
Schiller, que quiere, como el ritmo al verso,
abrazar en su amor al universo.
¡Oh mis libros amados!
. . . . .
¡Poetas inmortales,
yo os debo lo que soy! . . .

19 A Polonia canta en repetidas ocasiones: *Poesías*, 1858, t. I,
p. 103; *Un mártir de Polonia, Nuevas poesías*, t. I, p. 254. A Byron y
Espronceda dedica sendos himnos entre las digresiones de *Un cuento
diabólico*. A Manzoni le dedica un poema en su *Pantheon de la historia, Nuevas poesías*, t. II y traduce su *5 de Mayo, Poesías*, t. II, p.
186. Su composición *En la muerte del poeta J. Mármol (Nuevas poesías*, t. I, p. 263) es una admonición contra la dictadura de Rosas y
un homenaje a los revolucionarios argentinos. Su *Canto fúnebre* a
Lincoln (*ibid.*, p. 270) es también un discurso por la libertad y la tolerancia.

20 *Nuevas poesías*, t. I, p. 3.

21 *La mujer misteriosa, Poesías*, t. I, p. 197.

22 *Piedad, ibid.*, p. 80.

23 *La pena de muerte, ibid.*, p. 113.

24 *Juicios críticos*, etc., p. 361.

25 "Así, tira los libros, sé un jumento: Y más sabio serás que lo es
Sarmiento" (p. 35).

26 *Busto, Poesías*, t. II, p. 322.

27 Más tarde escribirá un poema sobre los famosos amantes de la
Divina Comedia: Episodio, Nuevas poesías, t. I, p. 48.

28 ¡Oh qué bella es la luna reflejada
en el agua purísima del río!
Cisne de plata por sus ondas nada. . .
En las ramas del álamo sombrío
su cristalina luz cambia reflejos. . .
(*Poesías*, t. II, p. 170)

29 Linda estrella de la tarde,
lirio de pétalos de oro,
tienda de luz, rubí aéreo
que un genio fijó en su kiosko.
(*Ibid.*, p. 266)

30 *Nuevas poesías*, t. I, p. 356.

31 *En el Odenn, ibid.*, p. 151.

32 *La vuelta a la patria, ibid.*, p. 164: *Si tuviera alas, ibid.*, p. 187.

33 *Ruinas de Itálica, Nuevas poesías*, t. I, p. 175; *Recuerdo del
Coliseo, ibid.*, p. 183.

34 *Ibid.*, p. 458.

35 *Un cartón de Cornelius, ibid.*, p. 210.

36 La leyenda cuenta de un festín en el cual se sienta entre los in-
vitados a un esqueleto cubierto de velos y coronado de rosas. (*Ibid.*,
pp. 416 s.)

[37] *Tescatlepoca, ibid.,* p. 31; *Illimaní, ibid.,* p. 71.

[38] *Por su Dios y por su dama, Nuevas poesías,* t. II, pp. 116 ss.

[39] *Un rincón del valle, Nuevas poesías,* t. 1, p. 55.

[40] Algunos de los trozos descriptivos de mayor valor que escribiera Matta representan paisajes europeos: *Hada antigua* donde evoca las orillas del Rhin, y *En los bosques de la Alhambra.*

[41] El poema se llama *En las márgenes del Bío-Bío* y fué escrito en 1870 (*Nuevas poesías,* t. II, p. 613).

[42] *Nuevas poesías,* t. I, p. 85.

[43] *Ibid.,* p. 189.

[44] *Ibid.,* p. 371.

[45] *A un escéptico, ibid.,* pp. 409 s.

[46] *Nuevas poesías,* t. II.

[47] *Nuevas poesías,* t. II, p. 487.

[48] Guillermo Blest Gana sigue, por supuesto, la tradición romántica cuando revive una de las épocas más pintorescas de la historia de Chile. Al igual que Sanfuentes reemplaza el culto de la Edad Media por la crónica de la Conquista. En 1858 Blest Gana estrena en el Teatro Municipal de Santiago un drama histórico, *La conjuración de Almagro,* cuyas características son las mismas de todas las "conjuraciones" que se habían escrito años antes en Francia, España, o Italia. El tema se prestaba para una acción dinámica, un gran número de personajes, un diálogo brillante y el romance indispensable.

Los conjurados tratan de asesinar a Pizarro y entregar el poder al joven Almagro. Dos heroínas se disputan mientras tanto el amor de éste: Beatriz, hija del jefe de la rebelión, y Francisca, hija de Pizarro.

Blest Gana desenvuelve bien el conflicto y mantiene el interés con una versificación ágil y cierta acción en la escena. Pero, además de cometer errores de principiante —como el de hacer complotar a los almagristas en la calle, frente a la puerta del palacio de Pizarro—, el diálogo es superficial. En ninguna parte se da la impresión de una verdadera crisis histórica o de una pasión amorosa. Los personajes dicen lo que tienen que decir para que el espectador se halle al tanto de la trama, pero nada más; no llegan a individualizarse; los conjurados siempre actúan como una comparsa. Pizarro no corresponde a la imagen que ha conservado la historia, el autor no hizo esfuerzos para desentrañar la compleja psicología del Conquistador.

En el tercer volumen de sus *Obras Completas* (Imprenta Cervantes, Santiago, 1907) se recoge otro ensayo de Blest Gana en el género dramático: *El pasaporte,* zarzuela en un acto y en verso, sin mérito literario pero de agradable diálogo.

[49] *Obras,* t. I, pp. 82 ss.

[50] *Ibid.,* p. 19.

[51] Dice Blest Gana (*Correo Literario,* N⁰ 11, 25 de septiembre, 1858): "Esta enfermedad del siglo se ha difundido por todo el mundo civilizado con una asombrosa rapidez. . . Los poetas i novelistas mo-

dernos, i las exajeraciones de la escuela romántica, propagaron el mal. Serviles imitadores de un jenio le siguieron hasta en sus extravíos, i a poco andar vióse el mundo poblado de Byrons de quince años, de Renés de colejio, de poetas sin ilusiones, de jóvenes viejos i de niños jóvenes. La epidemia comenzó en Europa, i fué transportada a nuestras playas por los vapores de la compañía del Pacífico."

[52] *Obras*, t. I, p. 231.

[53] Se incluye en el tomo primero de las *Obras*.

[54] *Ibid.*, p. 268.

[55] *Ibid.*, p. 11.

[56] *Ibid.*, p. 113.

[57] *Ibid.*, p. 381.

[58] Forma parte del segundo volumen de las *Obras*.

[59] A *Blanca Rosa*, *Obras*, t. II, p. 69.

[60] *Ibid.*, p. 184.

[61] *Ibid.*, p. 206.

[62] *Juicios críticos*, p. 339. El mismo poeta había dicho: "Ningún lazo nos une, escepto el que me liga a todo lo que es triste." *Obras*, t. I, p. 110.

[63] *Obras*, t. II, p. 244.

[64] *Obras*. t. I, pp. iii-iv.

[65] *Ibid.*, pp. v-vi.

[66] *Ibid.*, pp. x-xi.

[67] *Ibid.*, p. xiii.

[68] *Poesías líricas*, Santiago, 1875. Antes, en 1863, había publicado *Los siete salmos penitenciales de David. Traducido al verso castellano*, pero esta obrita —22 pp.— carece de trascendencia en la carrera del autor.

[69] *Artículos escogidos*, Santiago, 1913, p. 621.

[70] *Inocencia*, *op. cit.*, pp. 21-2.

[71] *La he vuelto a ver*, ibid., p. 15.

[72] *Predestinación*, ibid., p. 7.

[73] *Los ojos más bellos*, ibid., p. 198.

[74] *Sueño cumplido*, ibid., p. 31.

[75] *A las estrellas*, ibid., p. 219.

[76] *Blanco Cuartín*, *op. cit.*, p. 623.

[77] *Nostalgia*, ibid., p. 239.

[78] *Ibid.*, p. 239.

[79] *Ibid.*, p. 257.

[80] *Ibid.*, p. 167.

[81] *Ibid.*, p. 427.

[82] Cf. pp. 14, 70, 84, 100, 216.

[83] *Ibid.*, p. 403.

[84] *Op. cit.*, p. 257.

[85] *Ibid.*, pp. 16 y 283.

[86] *Ibid.*, p. 245.

[87] J. M. Torres Caicedo: *Ensayos biográficos y de crítica literaria sobre los principales poetas y literatos hispanoamericanos*, Primera serie, 2 vols., París, 1863, t. II, p. 287.

[88] *Juicio crítico*, etc., p. 132.

[89] Eusebio Lillo: *Poesías*, Introducción de don Carlos Silva Vildósola, Nascimento, Chile, 1923. Esta edición es incompleta; muchos de los títulos citados por los Amunátegui en *Juicio crítico*, etc., no aparecen en ella. El artículo de Silva Vildósola es periodístico y no agrega nada a la apreciación crítica de la obra de Lillo. Hemos sido informados de que el señor Raúl Silva Castro entregará pronto a las prensas una edición completa de las poesías de Lillo.

[90] Tanto Caicedo (*op. cit.*, p. 299) como los Amunátegui (*op. cit.*, p. 129) niegan que sea esta poesía una imitación de las que escribieron antes con el mismo tema el francés Ribouté y el portugués Aboin.

[91] Domingo Artega Alemparte: *Obras Completas*, t. I, Poesías, Santiago, 1880, p. xxx. Agreguemos de paso que esta edición póstuma preparada por su hermano Justo no es completa. En escritura a mano se indica en el ejemplar que hemos consultado y que perteneció a don Luis Montt la ausencia de las siguientes composiciones: *De Profundis* (traducción) inserta en la traducción de *París en América*, de Laboulaye, p. 145; *Himno religioso*, en la misma obra, p. 171; *El suelo natal* (traducción de Lamartine) en *La Semana*, t. I, p. 38.

[92] *Ibid.*, p. xxxvi.

[93] Cf. *Los constituyentes chilenos de 1870* y el Manifiesto, escrito por Arteaga, que Chile dirigió a las naciones de América y de Europa en 1865 con motivo de la guerra contra España.

[94] Impreso junto a otros artículos como introducción a las *Poesías* de Arteaga, pp. xxiii-xxvii. Ignoramos a quién corresponde el pseudónimo de *Jacobo Edén*.

[95] En el prólogo a *Rimas chilenas*, París, Garnier Hermanos, 1890, p. xxv. Esta obra, con excepción del prólogo de Eliz, constituye una segunda edición del primer volumen de las *Poesías*, de Eduardo de la Barra publicadas en 1889.

[96] *Poesías líricas*, Santiago de Chile, Imprenta de la Unión Panamericana, 1866. Contiene un prólogo de Emilio Bello y "Observaciones" de De la Barra sobre algunos de sus poemas.

[97] *Poesías líricas*, p. 320.

[98] *Rimas chilenas*, p. viii.

[99] *Poesías* de Eduardo de la Barra, 2 t. Santiago de Chile, Imprenta Cervantes, 1889, t. II, p. 385. De la Barra colocó al frente de su primer tomo la fecha 1887-1888 y le llamó *Poesía subjetiva*; frente al segundo puso la fecha de 1887-1889 y el título de *Poesía objetiva*. Las denominaciones son absurdas y el mismo lo reconoció más tarde. El tomo primero contiene las *Rimas* laureadas y otras composiciones reimpresas en París bajo el nombre de *Rimas chilenas*. El segundo, las fábulas, micropoemas y sus contra-rimas parodiando a Darío.

[100] Desde luego De la Barra no es individualmente culpable de que sus *Rimas* sean una imitación de Bécquer. Al escribirlas no hizo sino ceñirse estrictamente a las instrucciones del Certamen Varela que ofrecían el premio en el tema de poesía lírica: "A la mejor colección de composiciones poéticas del género sujestivo o insinuante, de que es tipo el poeta español Gustavo A. Bécquer" *(Poesías,* I, 3).

No olvidemos que se presentaron cincuenta colecciones a optar al premio.

[101] *Poesías líricas,* pp. 136-44.

[102] *Poesías líricas,* pp. 270-84.

[103] *Poesías líricas,* p. 152.

[104] ". . .ahora que se diseña en el país un nuevo movimiento literario y artístico, y que el espíritu busca nuevos rumbos a su expansión, bueno es que se cultiven todos los géneros", decía De la Barra en el prólogo de las *Rosas andinas* en 1888 (Cf. *Poesías,* II, p. 382).

[105] Valparaíso, Imprenta y Litografía Excélsior, 1888.

[106] Madrid, 22 de octubre, 1888.

[107] Julio Saavedra Molina y Erwin K. Mapes parecen haber recopilado sus artículos de esta polémica en el tomo segundo —*Documentos,* aun inédito— de sus *Obras escogidas de Rubén Darío publicadas en Chile,* Santiago, 1939.

[108] Citamos de la obra de Mapes y Saavedra mencionada, p. 175.

Bibliografía

Se incluyen las obras mencionadas en las notas. El asterisco indica la que no ha sido mencionada previamente.

LIBROS

* Abreu Gómez, Ermilo: Clásicos, románticos, modernos, México, 1934.
Acevedo Hernández, Antonio: Los cantores populares chilenos. Santiago, 1933.
Amunátegui, Domingo: Bosquejo histórico de la literatura chilena, Santiago, 1918.
—: Nacimiento de la República de Chile, Santiago, 1930.
* —: El progreso intelectual de Chile, Santiago, 1936.
—: La sociedad de Santiago en el siglo xvii, Santiago, 1937.
* Amunátegui, Miguel Luis: Dª Mercedes Marín del Solar, Santiago, 1867.
—: Don José Joaquín de Mora, Santiago, 1888.
—: Camilo Henríquez, 2 t., Santiago, 1889.
—: La alborada poética en Chile después del 18 de septiembre de 1810, Santiago, 1892.
—: Ensayos biográficos, Santiago, 1894.
—: y Gregorio Víctor, Juicio crítico de algunos poetas hispano-americanos, Santiago, 1861.
* —: y Gregorio Víctor, Don Salvador Sanfuentes, Santiago, 1892.
* Alone: Las cien mejores poesías chilenas, Santiago, 1935.
* —: Panorama de la literatura chilena durante el siglo xx, Santiago, 1931.
* Apenta, Fray: Repiques, 1ª serie, Santiago, 1916.
Arteaga Alemparte, Domingo: Poesías, Obras Completas, vol. I, Santiago, 1880.
—: y Justo: Los constituyentes de 1870, Biblioteca de Escritores de Chile, vol. II, Santiago, 1910.

Barahona de Soto, Luis: Primera parte de la Angélica, ed. A. M. Huntington, Nueva York, 1904.
Barra, Eduardo de la: Poesías líricas, Santiago, 1866.
—: Poesías, 2 t., Santiago, 1889.
—: Rimas chilenas, París, 1890.
* —: El padre López, Santiago, 1904.
* Barriga, Juan Agustín: Discursos literarios y notas críticas, Santiago, 1941.
Barros Arana, Diego: Historia general de Chile, Santiago, 1930.
Bello, Andrés: Poesías, introducción por Miguel Antonio Caro, Madrid, 1882.
—: Obras Completas, vol. VI, La Araucana, juicio por D. Andrés Bello, Santiago, 1883.
Blanco Cuartin, Manuel: Artículos escogidos, Santiago, 1913.
Blest Gana, Guillermo: Obras Completas, Santiago, 1907.
Bolea y Castro, Martín: Orlando determinado, Zaragoza, 1587.

Carvajal y Robles, Rodrigo: Poema heroico del asalto y conquista de Antequera, Lima, 1627.
* Cejador y Frauca, Julio: Historia de la lengua y literatura castellana, vol. III, Madrid, 1915.
Cervantes, Miguel de: Don Quijote de la Mancha, ed. R. Marín, Madrid, 1916.
Cintio, Giraldo: Scritti estetici: De'Romanzi, delle Commedie e delle Tragedie, ecc. (Biblioteca Rara, Daelli, LII-LIII), 2 t., Milán, 1864.
Coester, Alfred: The Literary History of Spanish America, Nueva York, 1928.
* Concha Castillo, Francisco A.: Discurso, Santiago, 1916.
* Contreras, Francisco: Les écrivains contemporains de l'Amérique espagnole, París, 1920.

[297]

* Corpancho, Manuel Nicolás: Ensayo literario sobre la poesía lírica en América, México, 1862.

* Cortés, José Domingo: Poetas chilenos, Santiago, 1864.

* Crawford, W. R.: A Century of Latin American Thought, Harvard, 1944.

Darío, Rubén: Azul. . . Valparaíso, 1888.

Díaz del Castillo, Bernal: Historia verdadera de la conquista de la Nueva España, 2 t., ed. Genaro García, México, 1904-1905.

* Donoso, Armando: Parnaso chileno aumentado con una segunda serie por la Baronesa de Wilson, Barcelona, 1910.

—: Sarmiento en el destierro, Buenos Aires, 1927.

Duarte, Díaz: La conquista que hicieron los poderosos y católicos Reyes Don Fernando y Doña Isabel en el reino de Granada, Madrid, 1590.

Ducamin, Jean: L'Araucana, Morceaux Choisis, París, 1900.

Durán, Agustín: Romancero general, 2 t., Madrid, 1849-1851.

* Echeverría y Reyes, Aníbal: Voces usadas en Chile, Santiago, 1900.

Ercilla, Alonso de: La Araucana, ed. J. T. Medina, 5 t., Santiago, 1910-1918.

* Escobar, Arcesio: La poesía y la historia en la América Latina, Colombia, 1861.

Espinosa, Nicolás: Segunda parte de Orlando, 2ª ed. Amberes, 1556.

* Ferguson, John De Lancey: American Literature in Spain, Nueva York, 1916.

Fernández Guerra y Orbe, Luis: D. Juan Ruiz de Alarcón y Mendoza, Madrid, 1871.

Ferrer del Río, Antonio: La Araucana de D. Alonso de Ercilla, Madrid, 1866.

Fuenzalida Grandon, Alejandro: Historia del desarrollo intelectual de Chile, 1541-1810, Santiago, 1903.

Galdames, Luis: La Araucana: introducción a la edición Nascimento, Santiago, 1933.

* García Calderón, Ventura: Del romanticismo al modernismo, París, 1910.

* Gatica Martínez, Tomás: Ensayos sobre literatura hispano-americana, I. La poesía lírica de Chile, Argentina y el Perú, Santiago, 1930.

* Goldberg, Isaac: Studies in Spanish American Literature, Nueva York, 1920.

Guajardo, Bernardino: Poesías populares, 9 t., Santiago, s.a.

Henríquez, Camilo: Colección de Historiadores i de Documentos relativos a la Historia de Chile, t. XIX, Santiago, 1911.

* Henríquez Ureña, Max: El retorno de los galeones, Madrid, 1930.

Henríquez Ureña, Pedro: Literary Currents in Hispanic America, Cambridge, Mass., 1949.

Hills, E. C.: The Odes of Bello, Olmedo and Heredia, Nueva York, 1920.

* —: Hispanic Studies, Stanford University, California, 1929.

Huneus Gana, Jorge: Cuadro histórico de la producción intelectual de Chile, Santiago, 1910.

* Jones, Cecil K.: Latin American Bibliographies, Cambridge, Mass., 1940.

König, Abrahan: La Araucana, Santiago, 1888.

Labarca, Amanda: Historia de la enseñanza en Chile, Santiago, 1939.

* Lago, Tomás: Sobre el romanticismo, Santiago, 1942.

* Lastarria, José Victorino; José Antonio Soffia, poeta chileno, Santiago, 1886.

—: Recuerdos literarios, Santiago, 1878, 2ª ed., 1885.

Latcham, Ricardo A.: Escalpelo, Ensayos críticos, Santiago, 1925.

Latorre, Mariano: La literatura de Chile, Buenos Aires, 1941.

* Leavitt, Sturgis E.: Chilean Literature. A Bibliography of Literary Criticism, Biography and Literary Controversy, reprinted from the Hispanic American Historical Review, vol. V, febrero, mayo, agosto y noviembre, 1922.

Lenz, R.: Sobre la poesía popular impresa de Santiago de Chile, Santiago, 1919. También en t. VI de Revista de Folklore Chileno.

Lillo, Eusebio: Poesías, Santiago, 1923.
Lillo, Samuel: Literatura chilena, Santiago, 1941.
—: Ercilla y La Araucana, Santiago, 1928.
* Manzoni Cometta, Aída: El indio en la poesía de la América Española, Buenos Aires, 1939.

Mapes, Erwin K. y Saavedra Molina, Julio: Obras escogidas de Rubén Darío publicadas en Chile, Santiago, 1939.
Markam, Clemente R.: The Countess of Chinchon and the Chinchona genus, Londres, 1874.
Martínez de la Rosa, F.: Apéndice sobre la poesía épica española, en Obras Completas t. I. París, 1845.
Matta, Guillermo: Poesías, 2 t. 2ª ed., Madrid, 1858.
—: Nuevas poesías, 2 t., Leipzig, 1887.
Medina, José T.: Historia de la literatura colonial de Chile, Santiago, 1878.
—: La Araucana, 5 t., Santiago, 1910-1918.
Melfi, Domingo: Dos hombres: Portales y Lastarria, Santiago, 1937.
Menéndez y Pelayo, Marcelino: Antología de poetas hispanoamericanos, 4 t., Madrid, 1893-1895.
—: Antología de poetas líricos castellanos desde la formación del idioma hasta nuestros días, 14 t., Madrid, 1890-1916.
Menéndez Pidal, Ramón: Primera Crónica General, Madrid, 1906.
—: Romances de América, Buenos Aires, 1939.
Merimée, Ernest y Morley, S. Griswold: A History of Spanish Literature, Nueva York, 1930.
Mora, José Joaquín de: Meditaciones poéticas, Londres, 1826.
—: Leyendas españolas, Cádiz, 1840.
—: Poesías, Madrid, 1853.
Moses, Bernard: Spanish Colonial Literature in South America, Nueva York, 1922.
* —: The Intellectual Background of the Revolution in South America, Nueva York, 1926.

Nicolas, Alexandre: L'Araucana, poème épique espagnol par Don Alonso de Ercilla y Zúñiga, París, 1869.
Núñez de Pineda y Bascuñán, F.: Cautiverio feliz y razón de las guerras dilatadas de Chile, ed., D. Barros Arana, Santiago, 1863.

* Onís, Federico de: Antología de la poesía española e hispanoamericana, Madrid, 1934.
Oña, Pedro de: El temblor de Lima, ed. facsimilar José T. Medina, Santiago, 1909.
—: Arauco domado, Madrid, 1605.
—: Arauco domado, ed. José T. Medina, Santiago, 1917.
—: El vasauro, ed. Rodolfo Oroz, Santiago, 1935.
Orrego Vicuña, E.: Don Andrés Bello, Santiago, 1935.

Picón-Salas, Mariano: De la Conquista a la Independencia, Colección Tierra Firme, Fondo de Cultura Económica, México, 1944.
Pinel, Monroy y: Retrato del buen vasallo, copiado de la vida y hechos de D. Andrés de Cabrera, primer Marqués de Moya, Madrid, 1677.
* Pinilla, Norberto: Panorama y significación del movimiento literario de 1842, Santiago, 1942.
* —: La polémica del romanticismo en 1842, Buenos Aires, 1943.
—: La generación chilena de 1842, Santiago, 1943.
—: La controversia filológica de 1842, Santiago, 1945.
* Pino Saavedra, Y.: Antología de poetas chilenos, Santiago, 1940.
* Polanco Casanova, Rodolfo: Ojeada crítica sobre la poesía en Chile, 1840-1912, Santiago, 1913.
Puibusque, Adolphe Louis, Comte de: Histoire comparée des littératures espagnole et française, 2 t., París, 1843.

Quevedo y Villegas, Francisco de: *Poema heroico de las necedades y locuras de Orlando el Enamorado,* Tesoro de los Poemas Españoles, 1840.
Quintana, Manuel José: *Sobre la poesía épica castellana,* Obras Completas, t. I, Madrid, 1897.

Ribera, Fernando de: *La guerra de Granada que hicieron los Reyes Católicos,* cf. Nicolás Antonio, *Bibliotheca hispana nova,* t. I, p. 388.
* Rocuant, Miguel Luis: *Los líricos y los épicos,* Madrid, s. a.
* Rodó, J. E.: *El mirador de Próspero,* Montevideo, 1913.
Rodríguez Velasco, Luis: *Obras poéticas,* 2ª ed. Santiago, 1909.
Román, Manuel: *Diccionario de chilenismos,* Santiago, 1901-1911.
Roxas, Antonio de: *Literatura española comparada con la extranjera,* Madrid, 1928.

* Sabella, Andrés: *Crónica mínima de una gran poesía,* Santiago, 1941.
Sanfuentes, Salvador: *Obras escogidas,* ed. Academia Chilena, Santiago, 1921.
Sedano, Juan J. López de: *Parnaso español, colección de poesías escogidas de los más célebres poetas castellanos,* 9 t., Madrid, 1768-1778.
Seguel, Gerardo: *Pedro de Oña, su vida y la conducta de su poesía,* Santiago, 1940.
—: *Alonso de Ercilla,* Santiago, 1940.
Silva Castro, Raúl: *Antología de poetas chilenos del siglo xix,* Santiago, 1937.
* Silva, Víctor Domingo: *Toque de diana. El alma de Chile en la lira de sus bardos,* Santiago, 1928.
Simonde de Sismondi, Jean Ch. L.: *Histoire des républiques italiennes du moyen âge,* París, 1815-1818.
* Soffia, J. A.: *Los siete salmos penitenciales de David traducidos al verso castellano,* Santiago, 1863.
—: *Poesías líricas,* Santiago, 1875.
—: *Hojas de Otoño. Poemas y poesías,* Santiago, 1878.
* Solar Correa, E.: *Poetas de Hispanoamérica,* Santiago, 1926.
—: *Semblanzas literarias de la Colonia,* Santiago, 1933.
Solerti, Angelo: *Vita di Torquato Tasso,* Torino, 1895.
Speroni, Sperone: *Opere,* Venecia, 1740.
* Spingarn, J. E.: *A History of Literary Criticism in the Renaissance,* Nueva York, 1912.
Suárez de Figueroa, Cristóbal: *Los hechos de D. García Hurtado de Mendoza, etc.,* Madrid, 1613.

Tasso, Torquato: *Opere, colle controversie sulla Gerusalemme,* per cura di G. Rosini, Pisa, 1821-1832.
—: *Aminta,* Londres, 1924.
Tesillo, Santiago de: *Guerra de Chile y causa de su duración,* Colección de Historiadores de Chile, vol. V., Santiago, 1864.
Torres-Caicedo, J. M.: *Ensayos biográficos y de crítica literaria, sobre los principales poetas y literatos hispano-americanos,* primera serie, 2 t., París, 1863.
Torres-Rioseco, A.: *La gran literatura iberoamericana,* Buenos Aires, 1945.

Valderrama, Adolfo: *Bosquejo histórico de la poesía chilena,* Santiago, 1866.
Vega, Lope de: *Laurel de Apolo,* Obras Escogidas, vol. IV, París, 1866.
—: *La hermosura de Angélica,* Obras Escogidas, vol. II, Madrid, 1946.
Vega Morales, Miguel Ángel: *El españolismo en la producción literaria de los siglos xvi, xvii, y xviii en Chile,* Santiago, 1941.
Vera y Pintado, B.: *Carta al ciudadano pacífico Rufino de San Pedro y a los escritores del país,* Cf. Miguel L. Amunátegui, *Ensayos biográficos,* Santiago, 1894.
Vicuña Cifuentes, Julio: *Romances populares y vulgares,* Santiago, 1912.
* —: *He dicho,* Santiago, 1926.
Vicuña Mackenna, B.: *Don Diego Portales,* Obras Completas, vol. VI, Santiago, 1937.
Voltaire: *Essai sur la poésie épique,* París, 1853.

Walker Martínez, Carlos: *Poesías*, Santiago, 1868.
—: *El proscrito*, Santiago, 1873.
—: *Poesías*, Santiago, 1894.
—: *Romances americanos*, Santiago, 1899.

Zañartu, Sady: *Lastarria, el hombre solo*, Santiago, 1938.
Zapiola, José: *Recuerdos de treinta años (1810-1840)*, Santiago, 1932.

ARTÍCULOS EN PERIÓDICOS Y REVISTAS

* Amunátegui, Miguel Luis: "D. Eusebio Lillo", *Revista del Pacífico*, Santiago, t. I, 1858, p. 257.
* Arteaga Alemparte, Domingo: "Salvador Sanfuentes", *Anales de la Universidad de Chile*, Santiago, 1861, p. 506.
* —: "J. Joaquín Vallejos", *Anales de la Universidad de Chile*, Santiago, 1866, p. 455.
* Barros Arana, Diego: "El movimiento político de 1842", *Atenea*, Concepción, mayo, 1942, pp. 269-89.
* Blest Gana, Alberto: "Literatura chilena. Algunas consideraciones sobre ella", *Revista del Pacífico*, Santiago, t. IV, 1861, p. 418.

* Contreras, Francisco: "Evolución histórica de las letras chilenas", *Cuba Contemporánea*, t. III, noviembre, 1913, p. 209.
  Crema, Eduardo: "El drama artístico de Andrés Bello", *Revista Nacional de Cultura*, Caracas, Núms. 1, 19, 22, 23, y 24, 1938-1940.

* Chacón, Jacinto: "Una carta sobre los hombres de 1842", *Atenea*, Concepción, mayo, 1942, p. 193.

Dufourk, Lucila: "Estudio del folklore de Lebu", *Anales de la Universidad de Chile*, t. III, 1941-1943.
* Durand, Luis: "Significación de Lastarria", *Atenea*, Concepción, mayo, 1942, p. 228.

* Feliu Cruz, G.: "La literatura histórica chilena", *Atenea*, Concepción, mayo, 1942, p. 254.

* Gatica Martínez, Tomás: "La evolución de la poesía lírica en Chile", *Revista Chilena*, Nº LXXX, octubre, 1926.
* Grez, Vicente: "El lirismo y el romanticismo en boga", *Revista Chilena*, t. XI, 1878, p. 47.

Jobet, Julio C.: "Síntesis interpretativa del desarrollo histórico nacional durante la segunda mitad del siglo XIX", *Atenea*, Concepción, abril, 1946, p. 71; mayo 1946, p. 210.

Kany, C. E.: "Temporal conjunction a lo que and its congeners in American Spanish", *Hispanic Review*, vol. XI, Nº 2, 1943, p. 131.

* Latcham, Ricardo A.: "Las ideas del movimiento literario de 1842", *Atenea*, Concepción, mayo, 1942, p. 149.
* —: "La literatura y la vida intelectual chilena después de la Independencia", *Revista Católica*, Santiago, t. XLVI, 1924, p. 146.
* Latorre, Mariano: "Comprensión de don Eduardo de la Barra", *Atenea*, Concepción, junio, 1930.
  Lizama, Desiderio D.: "Cómo se canta la poesía popular", *Revista de Folklore Chileno*, Santiago, t. IV, pp. 1-73.

Manríquez, Cremilda: "Estudio del folklore de Cautín", *Anales de la Universidad de Chile*, Santiago, t. III, 1941-143.

Muñoz, Lucila: "Estudio del folklore de San Carlos", *Anales de la Universidad de Chile*, Santiago, t. III, 1941-1943.

Rodríguez, Z.: "Dos poetas de poncho", *La Estrella de Chile*, Santiago, t. VI, Nº 304 ss.

* Romera, Antonio R.: "El siglo de Moivoisin", *Atenea*, Concepción, mayo, 1942, p. 214.

* Rossel, Milton: "Un crítico de nuestro amanecer literario: Joaquín Blest Gana", *Atenea*, Concepción, mayo, 1942, p. 202.

* Sabella, Andrés: "Poesía de Chile en 1842", *Atenea*, Concepción, mayo, 1942, p. 326.

* Santana, Francisco: "El romanticismo en la poesía chilena del siglo xix", *Atenea*, Concepción, mayo, 1939.

* —: "Hombres de 1842", *Atenea*, Concepción, mayo, 1942, p. 290.

* Vega, Miguel Ángel: "Visión panorámica del movimiento literario del 42", *Atenea*, Concepción, mayo, 1942, p. 233.

Vicuña Mackenna, B. y Lastarria, J. V.: "Los antecedentes del movimiento literario de 1842", *Atenea*, Concepción, mayo, 1942, p. 240.

Villablanca, Celestina: "Estudio del folklore de Chillán", *Anales de la Universidad de Chile*, Santiago, t. III, 1941-1943.

Indice de nombres

[303]

Indice general

Este libro se acabó de imprimir el día
12 de enero de 1954 en los talleres
de la Imprenta E. Muñoz Galache, Lerdo
367, México, D. F. Se tiraron 2,100 ejemplares y en su composición se utilizaron
tipos Electra de 11:12, 9:10 y 7:8 puntos. Cuidó la edición Alí Chumacero.